COLLECTION SÉRIE NOIRE
Créée par Marcel Duhamel

CHRISTOPHER MOORE

Le secret
du chant des baleines

TRADUIT DE L'AMÉRICAIN
PAR LUC BARANGER

nrf

GALLIMARD

Titre original :

FLUKE

À Jim Darling, Flip Nicklin et Meagan Jones,
ces gens extraordinaires qui effectuent un travail
qui l'est tout autant.

PREMIÈRE PARTIE

LE CHANT

Un océan sans monstres inconnus serait comme un sommeil sans rêves.

JOHN STEINBECK

La méthode scientifique n'est rien d'autre qu'un système de lois destinées à nous empêcher de nous mentir à nous-mêmes.

KEN NORRIS

CHAPITRE I

C'est gros et c'est mouillé.
Y a-t-il d'autres questions ?

Punkin, c'était ainsi qu'Amy appelait la baleine.

Une baleine de quinze mètres de long, plus large qu'un bus, et qui frôlait les quarante tonnes. Un coup bien placé de sa grosse nageoire caudale aurait réduit le canot de fibre de verre en miettes, et ses occupants à quelques taches rouges dérivant dans les eaux bleues d'Hawaï. Amy se pencha par-dessus bord et descendit l'hydrophone sur le cétacé.

— Salut, Punkin !

Nat Quinn hocha la tête et se retint de vomir face à tant de finesse, tout en louchant discrètement sur le derrière d'Amy, ce qui ne lui donna pas une très haute opinion de lui-même. La recherche scientifique, c'est parfois compliqué. Nat était chercheur, tout comme Amy, vraiment irrésistible, scientifiquement parlant, dans ce short de randonnée couleur kaki.

En dessous d'eux, la baleine chantait toujours, l'embarcation vibrait à chaque note. À la proue, le bastingage d'inox commença à bourdonner. Nat sentit les notes les plus graves résonner dans sa cage thoracique. La baleine était arrivée à un moment de la chanson qu'ils appelaient les « thèmes verts », une espèce de longue série de cris qui ressemblaient à une ambulance roulant dans du pudding. Un auditeur moins entraîné aurait dit que la baleine jubilait, qu'elle exultait, manifestait sa joie, afin que chacun et chaque chose sachent qu'elle était en vie et en pleine forme. Mais Nat était un auditeur expérimenté, peut-être le plus expérimenté au monde ; et à ses oreilles de connaisseur la baleine disait… En fait, il n'avait pas la moindre idée de ce qu'elle pouvait raconter. C'était d'ailleurs pour cette raison qu'à bord de cette petite vedette rapide, dès sept heures du matin, ils vomissaient leur petit déjeuner dans la passe aux eaux turquoise de Maüi. Personne ne savait pourquoi les baleines à bosse chantaient. Depuis vingt-cinq ans, Nat les écoutait, les observait, les photographiait, les piquait du bout de sa gaffe, mais ne savait toujours pas exactement pourquoi elles chantaient.

— Elle fait ses *ribbits*, dit Amy, reconnaissant l'instant de la chanson qui précédait celui où la baleine allait faire surface.

Le terme scientifique pour ce type de son était *ribbits* parce qu'il ressemblait aux voix des Ribbits[1]. La science, parfois, c'est bête comme chou.

Nat se pencha par-dessus bord pour voir la baleine qui se tenait, tête baissée, à une profondeur d'environ quatre mètres. Sa queue et ses nageoires pectorales, qui étaient blanches, traçaient un chevron de cristal bleuté dans l'océan plus foncé. L'énorme bestiole était immobile. On aurait dit qu'elle flottait en apesanteur, tel le dernier témoin d'une espèce de grands voyageurs éteinte depuis longtemps, sauf qu'elle produisait des croassements qu'on aurait plus volontiers attribué à une grenouille de cinq centimètres qu'au vestige archaïque d'une race supérieure. Nat sourit. Il adorait les personnages des *Ribbits*. D'un seul battement de queue, la baleine disparut de son champ de vision.

— Elle remonte, fit Nat.

Amy se débarrassa de ses écouteurs et prit le Nikon à moteur équipé d'un objectif de trois cents millimètres. À toute vitesse, Nat remonta

---

1. Célèbres personnages (grenouilles et batraciens) du dessin animé américain éponyme. *(Toutes les notes sont du traducteur.)*

12

l'hydrophone en enroulant le câble mouillé à ses pieds avant de retourner au tableau de bord pour remettre le moteur en marche.

Puis ils attendirent.

Il y eut un souffle d'air dans leur dos. Nat et Amy se retournèrent pour voir la colonne de vapeur d'eau qui stagnait dans l'air, mais elle était loin, peut-être à deux cents mètres derrière eux, trop loin pour qu'il s'agisse de leur baleine. C'était ça, le problème, quand ils travaillaient dans la passe entre Maüï et Lanaï : il y avait tellement de baleines que vous aviez un mal de chien à identifier celle que vous étiez en train d'étudier. Cette abondance d'animaux constituait à la fois une bénédiction et une engeance.

— C'est le nôtre ? interrogea Amy.

Celles qui chantaient étaient toutes des mâles. À ce qu'ils en savaient. C'était du moins ce que les tests ADN avaient prouvé.

— Non.

Il y eut un autre souffle sur leur gauche, plus près d'eux. Même à cent mètres de distance, et sous l'eau, Nat put voir les pennes blanches de la queue. Amy pressa le bouton du chrono de sa montre. Nat poussa la manette de l'accélérateur vers l'avant et le bateau s'élança. Amy cala un genou contre le tableau de bord pour garder l'équilibre tout en conservant l'appareil photo pointé en direction de la baleine. L'embarcation tanguait. L'animal allait souffler trois ou quatre fois, battre de la queue et plonger. Amy devait se tenir prête pour l'instant où l'animal plongerait, de façon à prendre une bonne photo de sa caudale. Ainsi, on pourrait l'identifier et la cataloguer. À trente mètres de la baleine, Nat réduisit les gaz et tint la position. Le cétacé souffla à nouveau. Ils en étaient si près qu'ils reçurent des embruns, mais échappèrent à cette odeur de poisson crevé et de gueule matinale pâteuse qu'ils avaient expérimentée chez les baleines d'Alaska. À Hawaï, les baleines à bosse ne s'alimentaient pas.

L'animal frappa l'eau et Amy prit deux rapides clichés avec le Nikon.

— Brave bête, dit-elle à la baleine.

13

Amy appuya sur le chrono de sa montre.

Nat coupa les gaz et la vedette s'immobilisa dans la maigre houle. Il jeta l'hydrophone par-dessus bord et appuya sur le deuxième bouton d'enregistrement du magnéto, qu'un cordon élastique reliait au tableau de bord où Amy avait reposé l'appareil photo avant de sortir son calepin d'un sac étanche.

— Pile seize minutes, dit-elle en vérifiant le temps et en le notant dans son carnet.

Elle consigna l'heure et les numéros des clichés du film qu'elle venait de prendre. Nat lui lut les chiffres de repères du magnétophone, puis la longitude et la latitude qu'affichait le GPS (système global de positionnement). Amy reposa son calepin et ils écoutèrent. Ils n'étaient pas exactement à la verticale de la baleine comme ils l'avaient été précédemment, mais ils pouvaient l'entendre chanter dans le haut-parleur. Nat chaussa le casque sur les oreilles et s'assit pour écouter.

C'était ainsi que ça se passait sur le terrain : des instants d'intense activité suivis de longues périodes d'attente. (La première ex-épouse de Nat avait d'ailleurs décrit leur vie sexuelle dans les mêmes termes, mais c'était après qu'ils se furent séparés, et elle avait dit cela seulement pour jouer les pestes.) En fait, à Maüï, l'attente n'était pas si terrible : dix, quinze minutes à tout casser. Lorsqu'il était parti étudier les baleines dans l'Atlantique Nord, Nat avait dû parfois patienter des semaines entières avant d'en trouver une. Généralement, pendant le temps de plongée (celui où l'animal restait au fond), Nat pensait au métier qu'il aurait pu faire, un métier vraiment rémunérateur, avec des week-ends, ou à cette activité qu'il aurait pu exercer dans une autre branche du même domaine, là où les résultats sont plus palpables, comme celles par exemple de pirate ou de couleur de bateaux de pêcheurs de baleines. Un boulot avec la sécurité de l'emploi, vous comprenez ?

Aujourd'hui, Nat s'efforçait de ne pas regarder Amy se mettre de l'écran total. Amy était du genre à pouvoir jouer dans *Blanche-Neige chez les bronzés*. La plupart des scientifiques spécialistes des baleines passaient le plus clair de leur temps en mer. La plus grande partie d'entre eux n'était qu'une bande d'intrépides amateurs de grand air qui portaient, comme autant de cicatrices, les stigmates des morsures du vent et du soleil. Bien peu échappaient à ce masque blanc autour des yeux, que laissaient les lunettes de soleil, et qui leur donnait un air de raton laveur, et rares étaient ceux qui n'avaient pas ces cheveux décolorés par le soleil ou encore cette tonsure squameuse. À l'opposé de tout cela, Amy avait la peau laiteuse et des cheveux courts, si noirs que leurs reflets paraissaient bleus au soleil d'Hawaï. Son rouge à lèvres bordeaux, qui ne lui allait pas du tout, semblait tellement inapproprié en ces lieux qu'il produisait un effet comique. Il faisait d'elle le phénomène gothique du Pacifique, ce qui, il faut l'admettre, était l'une des raisons pour lesquelles sa présence importunait Nat à ce point. (Il raisonnait ainsi : prenez un superbe cul en suspension dans l'espace ; ce n'est rien d'autre qu'un superbe cul. Maintenant, associez ce superbe postérieur à une femme à l'esprit vif, ajoutez-y un soupçon de maladresse, et le résultat obtenu ressemble à... à des tonnes d'emmerdements.)

Nat ne la regarda pas s'étaler du SPF50 sur les jambes, les chevilles et les pieds, pas plus qu'il ne la regarda se défaire de son haut de bikini pour se beurrer d'écran total la poitrine et les épaules. (Le soleil des tropiques peut vous brûler la peau, même à travers une chemise.) Volontairement, Nat ignora la jeune femme quand elle lui prit la main, y versa de la lotion et se retourna, lui indiquant ainsi qu'il devait lui badigeonner le dos. Par courtoisie professionnelle, il s'exécuta. Comme si Amy n'existait pas. Il était au travail. Il était chercheur. Il était en train d'écouter le chant d'une *Megaptera novaeangliae* (littéralement, « grandes ailes de Nouvelle-Angleterre » ; c'était le nom qu'un scientifique avait donné à la baleine, prouvant ainsi qu'il existe aussi des poivrots dans le milieu scientifique). Le fessier subversif d'Amy ne le dérangeait pas car, dans le passé, il avait déjà été confronté à des données identiques. Selon les conclusions de Nat, 66,666 % des assistantes dotées d'un cul subversif optaient pour le mariage. Puis ces mêmes épouses devenaient des ex-épouses dans exactement cent pour cent des cas, avec une marge d'erreur de plus ou moins cinq pour cent, compte tenu du facteur de relations sexuelles de confort inhérent à la période de post-séparation.

— Vous voulez que je vous masse avec? demanda Amy en tendant sa main préférée remplie d'écran total.

« Ne t'aventure pas sur ce terrain-là, se dit Nat, même pour plaisanter. » Une réponse de travers à une question comme celle-là et l'on compromettait une carrière universitaire, dans le cas où, naturellement, vous en aviez une, ce qui n'était pas le cas de Nat, mais quand même… Il ne fallait pas penser à ça.

— Non merci, ce tee-shirt dispose d'une protection anti-UV incluse dans le tissu, dit-il en pensant à ce que cela aurait été s'il avait laissé Amy lui mettre de la lotion.

Amy regarda avec méfiance le tee-shirt aux couleurs passées de Nat, barré d'un 1989 CONFÉRENCE DES AMOUREUX DES BALEINES, puis elle essuya le reste de lotion sur sa jambe.

— Comme vous voulez, dit-elle.

— Vous savez, j'aimerais bien découvrir pourquoi les mâles chantent, dit Nat.

L'oiseau-mouche de son esprit avait goûté à toutes les fleurs du jardin pour revenir à cette pâquerette de plastique qui ne donnerait jamais de nectar.

— Sans déc? dit Amy, sans la moindre mimique, juste en souriant. Mais si vous perciez le mystère, demain, on ferait quoi?

— Moi, je jouerais les vedettes, répondit Nat avec un large sourire.

— Et moi, je taperais sur un clavier toute la journée, j'analyserais les recherches, je classerais les photos, j'enregistrerais les chants sur des cassettes…

— Vous iriez nous chercher des beignets, ajouta Nat, histoire de lui venir en aide.

Amy continua, comptant les tâches sur ses doigts :

— J'irais chercher des cassettes vierges, je laverais les camionnettes et les bateaux, je courrais au labo photo…

16

— Minute ! l'interrompit Nat.

— Quoi ? Vous m'ôteriez le plaisir de courir au labo pendant que, vous, vous jouiriez de la gloire scientifique ?

— Non, vous continueriez à aller au labo photo, mais Clay aurait embauché un gars pour laver les camionnettes et les bateaux.

Une main attentionnée se porta vers son front quand, elle, la belle fille du Sud en short de randonnée, eut ses vapeurs avant de tomber en pâmoison.

— Si je m'évanouis et si je bascule par-dessus bord, ne me laissez pas me noyer.

— Vous savez, Amy, dit Nat en sortant l'arbalète, j'ignore comment c'était de participer à des études à Boston, mais en pratique, on attend des assistants qu'ils se plaignent de leur boulot ingrat et de leur minable statut auprès d'autres assistants. De mon temps, c'était comme ça, c'était comme ça dans le passé, ç'a toujours été comme ça. Même Darwin à bord de l'*Eagle* avait quelqu'un qui lui empaillait les oiseaux et lui classait ses fiches.

— C'est faux. J'ai jamais rien lu de tel.

— Évidemment que vous n'avez rien lu là-dessus. Personne ne parle jamais des assistants.

Nat sourit à nouveau pour fêter sa petite victoire, tout en prenant conscience qu'il ne traitait pas son assistante de recherches suivant les principes établis. Clay, son collègue, avait embauché la jeune fille deux petites semaines plus tôt. Logiquement, aujourd'hui, elle aurait dû être terrorisée par sa présence, mais à l'inverse, c'était elle qui le traitait comme de la bleusaille.

— Ça fait dix minutes, dit Amy en vérifiant le chrono à son poignet. Vous allez le tirer ?

— À moins que vous ne vouliez le faire ? fit Nat en introduisant la flèche dans l'arbalète.

Il bouchonna sous le tableau de bord le coupe-vent dont ils se servaient pour cacher l'arbalète. Il était très politiquement incorrect de se promener avec une arme destinée à tuer les baleines sur le port envahi de monde de Lahaïna. Ils le portaient donc enveloppé d'un coupe-vent, ce qui donnait l'illusion qu'il s'agissait d'une veste sur un cintre.

Amy secoua vivement la tête.

— Je vais conduire le bateau, dit-elle.

— Vous devriez apprendre à tirer.

— Je vais piloter le bateau, dit Amy.

— Personne ne pilote ce bateau.

Mis à part Nat, personne ne conduisait le bateau. Le *Toujours Déçu*, cadeau d'une bourse d'études, n'était qu'une vedette rapide de sept mètres, de marque Mako, qu'un gamin de quatre ans un peu déluré aurait pu piloter par une journée aussi calme. Cependant, personne d'autre ne conduisait le bateau. C'était un truc d'homme. Il était en soi fondamentalement désagréable d'imaginer qu'une femme puisse conduire un bateau ou se servir d'une télécommande de télévision.

— Les sons remontent vers la surface, dit Nat.

À présent, ils disposaient de l'enregistrement complet d'un cycle de chant de seize minutes, en fait, un intervalle entre deux autres. Nat arrêta le magnéto et remonta l'hydrophone à la surface, puis remit le moteur en marche.

— Là-bas ! fit Amy en désignant les nageoires blanches et la queue à fleur d'eau.

La baleine souffla, à tout juste une vingtaine de mètres de la proue. Nat poussa les gaz à fond. Amy décolla de terre. Elle eut à peine le temps d'agripper le bastingage situé près du tableau de bord lorsque le bateau s'élança. Nat s'arrêta sur le côté droit de la baleine, à guère plus de dix mètres de l'endroit où l'animal avait fait surface pour la seconde fois. Avec sa hanche, il bloqua le volant, épaula l'arbalète et tira. Le carreau[1] rebondit sur le dos caoutchouté de la baleine, la pointe creuse en acier chirurgical, tel un économe de cuisinier, enleva la

---

1. Flèche d'arbalète à base carrée.

valeur d'un copeau de peau et celle d'une gomme à crayon de chair blanche avant que la grosse extrémité de plastique ne stoppe sa pénétration.

La baleine sortit sa queue hors de l'eau et en frappa l'air dans un craquement qui, lorsque les gigantesques muscles de l'empennage se contractèrent, rappela celui de l'articulation d'un géant.

— Elle est fumasse, dit Nat. Mesurons-la.

— Maintenant ? demanda Amy.

Normalement, ils auraient dû attendre un nouveau cycle de plongée. À l'évidence, Nat pensa qu'après leur prise d'échantillon de peau, la baleine s'en irait, qu'ils la perdraient avant d'avoir pu en mesurer la taille.

— Je vais tirer maintenant. Vous, vous vous occupez du télémètre.

Nat ramena la manette des gaz légèrement vers lui. Ainsi, il devait pouvoir cadrer entièrement la queue de l'animal quand celui-ci plongerait. Amy prit le télémètre à laser qui ressemblait beaucoup à une paire de jumelles pour cyclope. En mesurant avec l'appareil la distance qui les séparait de la queue de la baleine, et en comparant la taille de cette queue dans le cadre de l'objectif, ils pouvaient déterminer la mesure relative de l'animal tout entier. Nat avait trouvé un algorithme qui, normalement, leur donnait la longueur de la baleine avec une marge d'erreur de deux pour cent. Quelques années plus tôt, il leur aurait fallu un avion pour faire ce travail de mesure.

— Je suis prête, dit Amy.

Se préparant à plonger, la baleine souffla et arqua son dos en une énorme bosse (c'était pour cette raison qu'en tout premier lieu les baleiniers les avaient appelées baleines à bosse). Amy pointa le télémètre sur le dos du cétacé, Nat en fit de même avec le téléobjectif. Le moteur de mise au point de focale procéda à de minuscules ajustements en raison des mouvements du bateau.

La baleine sortit sa queue très haut hors de l'eau, et là, en lieu et place des dessins caractéristiques des habituelles marques blanches et noires, grâce auxquelles on identifie toutes les baleines à bosse, apparurent, sur fond blanc, écrits en lettres noires de trente bons centimètres, les mots MORDS-MOI.

Nat pressa le bouton de l'appareil photo. Choqué, il retomba dans le fauteuil de capitaine, entraînant dans ce geste la manette des gaz. Il laissa le Nikon glisser sur ses cuisses.

— Sainte merde ! fit Nat. Vous avez vu ça ?

— Vu quoi ? répondit Amy en abaissant le télémètre. Moi, j'obtiens vingt et un mètres quatre-vingt-dix. D'où vous êtes, ça doit faire vingt-deux. Vous avez les repères du cliché ?

Elle s'apprêtait à prendre son calepin quand elle jeta un œil à Nat.

— Vous êtes sûr que ça va ? demanda-t-elle.

— Ça va très bien. Le cliché, c'est le numéro vingt-six, mais je l'ai manqué, mentit-il.

Son esprit passa en revue une énorme pile de fiches de données, cherchant les résumés de millions d'articles qu'il avait lus afin de trouver une explication à ce qu'il venait de voir. La photo en apporterait la preuve.

— Vous n'avez rien remarqué de particulier quand vous avez pris la photo d'identité ? demanda-t-il.

— Non, et vous ?

— Non. Mais c'est pas important.

— Ne vous en faites pas, Nat. On va l'avoir quand elle va refaire surface, dit Amy.

— On rentre.

— Vous ne voulez pas à nouveau essayer de la mesurer ?

Afin de compléter l'échantillon de données, ils avaient besoin d'une photo d'identité, d'un enregistrement d'au moins un cycle de chant dans sa globalité, d'un bout de peau pour l'ADN, des chiffres des toxines et enfin de la taille. Sans cette dernière caractéristique, le travail de la matinée n'avait servi à rien.

— Rentrons à Lahaïna, dit Nat, le regard fixé sur ses cuisses où reposait l'appareil photo. C'est vous qui allez piloter.

CHAPITRE 2

Mauï No Ka Oi

(Mauï, c'est le meilleur)

À l'origine, bien calé dans sa pirogue, c'était ce vieux filou de Mauï qui avait lancé sa ligne et remonté les îles du fond de l'océan. Après avoir pêché, il avait considéré sa prise. Au beau milieu de l'archipel, il avait trouvé cette île composée de deux énormes volcans, installés là, côte à côte, comme les deux seins de la mer, sympathiques et de guingois. Entre eux deux se creusait une profonde vallée que Mauï prit davantage pour une gorge, gorge pour laquelle il s'était mis à nourrir un penchant certain. Il avait alors baptisé de son propre patronyme cette île rebondie tout en lui donnant le sobriquet d'Entreseins, un petit nom qui perdura jusqu'à l'arrivée des missionnaires qui la rebaptisèrent île de la Vallée. (S'il existe un domaine où les missionnaires excellent, c'est bien celui de l'éradication de l'humour.) Puis Mauï échoua sa pirogue sur une gentille petite plage de la côte ouest de cette nouvelle terre immergée et se dit à lui-même : « Quelques cocktails et une partie de jambes en l'air feraient l'affaire. Je vais aller me chercher ça à Lahaïna. »

Et le temps passa. Et les chasseurs de baleines arrivèrent, qui apportèrent des outils en acier, la syphilis et d'autres merveilles du monde occidental. Avant que qui que ce soit ne se rende compte de ce qui arrivait, les baleiniers se dirent qu'eux non plus ne cracheraient pas sur une partie fine arrosée de quelques cocktails. Alors, au lieu de remettre les voiles vers Nantucket, via le cap Horn, pour y lever le coude et les jupes des nombreuses Hester, Millicent ou Prudence (à une telle vitesse que les pauvres femmes pensaient qu'après être tombées dans un conduit de cheminée elles avaient atterri sur une courgette), ils firent escale à Lahaïna, attirés par la magie avinée du stupre de ce vieux Maüi. Ils n'étaient pas venus à Maüi pour les baleines, ils étaient venus pour y faire la fête.

C'est ainsi que Lahaïna devint une ville de baleiniers. Ce qu'il y a d'ironique dans tout cela c'est que même si les baleines à bosse avaient commencé, quelques années plus tôt, à venir donner naissance à leurs petits et à pousser leur chant (et à cette époque les passes hawaïennes grouillaient de chanteurs aux grandes nageoires), ce n'était pas pour elles que les chasseurs étaient venus. Les baleines à bosse, comme leurs cousins les rorquals : la baleine bleue, les baleines de Fin, de Sei, de Minke, de Bryde, toutes étaient bien trop rapides pour être capturées avec des voiliers ou des baleinières à rames. Non, les chasseurs étaient venus à Lahaïna pour se reposer et s'amuser sur la route qui devait les conduire vers les eaux japonaises où ils traquaient le gros cachalot, celui qui flottait littéralement comme un énorme tronc d'arbre stupide pendant que vous ramiez autour et lui plantiez un harpon dans la tête. Il faudra attendre l'avènement de la vapeur et la décimation des bonnes grosses baleines flottantes (ainsi nommées parce qu'une fois mortes elles flottaient en surface, ce qui en faisait les « bonnes » baleines à tuer) pour que les chasseurs détournent leurs harpons vers les baleines à bosse.

À la suite des baleiniers débarquèrent les missionnaires, puis les planteurs, les Chinois, les Japonais, les Philippins et les Portugais, qui tous développèrent les plantations de canne à sucre. Et enfin arriva Mark Twain. Si Mark Twain rentra chez lui, tous les autres restèrent. Dans le même temps, le roi Kamehameda Ier unifia les îles contre l'emploi intelligent des armes à feu face aux lances en bois et déplaça la capitale d'Hawaï vers Lahaïna. Quelque temps après ces événements, Amy arriva dans le port de Lahaïna à la barre d'une vedette rapide de sept mètres, de marque Mako, avec un docteur, un type de grande taille, tout ébaubi et écroulé sur le siège de proue.

La radio crachota. Amy prit le micro.

— Je vous écoute, Clay.

— Quelque chose ne va pas ?

Il semblait évident que Clay Demodocus se trouvait sur le port et qu'il les voyait arriver. Il n'était pas encore huit heures du matin et sans doute était-il en train de préparer son bateau pour sortir en mer.

— Je n'en sais trop rien. Nat a dit que ça suffisait pour aujourd'hui. Je vais lui demander pourquoi.

Puis elle dit à Nat :

— Clay voudrait savoir la raison de notre retour.

— Relevés fantaisistes, fit Nat.

— Relevés fantaisistes, répéta Amy dans la radio.

Il y eut un blanc, puis Clay dit :

— Ah, d'accord, compris. Ça arrive.

Le port de Lahaïna n'était pas bien grand. Seuls une centaine de bateaux environ pouvaient trouver refuge derrière la jetée. La plupart, de belle taille, étaient surtout des yachts, des catamarans de quinze à vingt mètres, des bateaux remplis de touristes beurrés de crème solaire, tous prêts à sortir pour aller dîner au large, pêcher, plonger en apnée dans le demi-cratère de Molokini ou admirer les cétacés. De décembre à avril, pendant que les baleines à bosse investissaient les eaux, on avait interdit le jet-ski, le parachutisme ascensionnel et le ski nautique, de sorte que beaucoup de petits bateaux qui, en temps normal, au nom de l'amusement, terrorisaient la vie marine étaient loués pour la saison à des fins scientifiques par les chercheurs. Par n'importe quel matin d'hiver, dans le port de Lahaïna, il était impossible de lancer une noix de coco sans assommer un quelconque docteur en biologie marine (voire, grâce aux rebonds, de toucher deux titulaires de maîtrise en pleine discussion).

Clay Demodocus se trouvait en pleine expérimentation de poker

23

menteur avec un docteur et un officier de marine quand Amy recula dans la cale qu'ils partageaient avec les trois Zodiac de voiliers ancrés au large de la jetée, une vedette de neuf mètres et le *Toujours Confus*, l'autre bateau de la Fondation de recherche sur les baleines de Mauï, un Grady White Fisherman de sept mètres à barre centrale. (Les cales étaient difficiles d'accès à Lahaïna et cette saison-ci les circonstances contraignaient quotidiennement la Fondation de recherche sur les baleines de Mauï — en fait Clay et Nat — à un ballet nautique impossible au milieu de six autres petites embarcations. Il fallait en passer par là si vous vouliez aller piquer les baleines du bout de votre gaffe.)

— C'est bien dommage tout ça, dit Clay quand Amy lui jeta le cordage de proue. Il fait si beau en plus.

— On a tout sauf la taille d'un chanteur, dit Amy.

Le docteur et l'officier de marine, restés sur le quai en arrière de Clay, hochèrent tous deux la tête comme s'ils avaient entièrement compris ce qu'Amy venait de dire. Clifford Hyland, un type grisonnant originaire de l'Iowa, qui effectuait des recherches sur les baleines, se tenait aux côtés du jeune capitaine L.J. Tarwater, impeccable dans son uniforme immaculé, venu constater que Hyland dépensait de façon approprié l'argent de la marine. Hyland parut quelque peu gêné et s'arrangea pour ne pas croiser les regards de Nat et d'Amy. L'argent, c'est de l'argent, et un chercheur va le chercher là où il le trouve, mais tout de même, l'argent de la marine... Ça la foutait mal.

— Bonjour Amy, dit Tarwater, en montrant un sourire éclatant de blancheur.

Élancé, mat de peau, il offrait l'image d'un type à l'efficacité redoutable. Près de lui, Clay et les autres scientifiques semblaient sortir du sèche-linge après y avoir tourné en compagnie d'un sac de pierres volcaniques.

— Bonjour, capitaine. Bonjour, Cliff.

— Salut, Amy, répondit Hyland. Salut, Nat.

Nat Quinn sortit de sa rêverie avec l'air d'un chien de chasse qui s'aperçoit que quelqu'un vient de murmurer son nom en parlant de bouffe.

— Hein ? Quoi ? Ah, salut, Cliff. Tu disais quoi ?

Hyland et Quinn avaient tous deux appartenu à un groupe de chercheurs qui avaient débarqué pour la première fois à Lahaïna dans les années soixante-dix (« les Tueurs d'élite » comme les appelait encore Clay, car ils s'étaient chacun distingués dans leur champ d'études respectifs). En fait, à l'origine, ils n'avaient jamais eu l'intention de former un groupe, mais ils en avaient néanmoins constitué un après s'être aperçus que, pour pouvoir financièrement rester sur l'île, ils devaient mettre leurs ressources en commun et vivre ensemble. Alors, pendant des années, treize d'entre eux (parfois davantage quand ils pouvaient s'offrir des assistants, des femmes ou des petites amies) avaient passé la saison dans une maison à deux chambres de Lahaïna. Hyland comprenait cette tendance qu'avait Quinn à s'immerger dans ses recherches au point d'en oublier tout le reste. Il ne fut donc pas surpris de voir que le grand type élancé était encore dans la lune.

— Des données fantaisistes, hein ? demanda Cliff qui pensait que c'était ce qui avait expédié Nat dans la stratosphère.

— Ben, j'en sais encore trop rien. En fait, je crois que c'est le magnéto qui marche mal. Comme s'il se traînait. Il doit avoir besoin d'un nettoyage.

Tous, y compris Amy, regardèrent Quinn un moment avec l'air de lui dire : « Tu es aussi menteur qu'un arracheur de dents. C'est le prétexte le plus nul que j'aie jamais entendu. Qui espères-tu convaincre avec ça ? »

— C'est moche, dit Clay. Dommage de manquer une si belle journée. Peut-être que tu peux prendre l'autre magnéto et repartir avant que le vent se lève.

Clay comprit que quelque chose embarrassait Nat, mais il faisait aussi confiance à son jugement pour ne pas le presser. Nat lui avouerait tout quand il jugerait utile de le faire.

— À propos de partir, dit Hyland en longeant le quai vers son propre bateau, on ferait bien d'y aller.

Tarwater fixa Nat du regard, suffisamment longtemps pour lui faire comprendre son dégoût, avant de tourner les talons et d'emboîter le pas à Hyland.

Quand ils furent partis, Amy lâcha :

— Quel con, ce Tarwater.

— C'est un gars bien. C'est juste qu'il a un boulot à faire, dit Clay. Qu'est-ce qui se passe avec le magnéto ?

— Le magnéto marche bien, dit Nat.

— Ben alors ? C'est quoi qui ne va pas ? Il fait très beau.

Clay aimait enfoncer les portes ouvertes lorsqu'elles donnaient sur l'évidence. Il faisait soleil, la mer était d'huile, le vent nul et la visibilité sous l'eau de soixante mètres. C'était de fait un jour idéal pour effectuer des recherches sur les baleines.

Nat commença à passer à Clay les containers étanches qui renfermaient l'équipement.

— Je ne sais pas trop. Je crois avoir vu quelque chose, Clay. Je dois analyser et voir les photos. Je vais porter des films au labo, puis retourner à Papa Lani pour rédiger mes notes en attendant que le film soit développé.

Clay tressaillit. Deux fois rien. C'était le travail d'Amy de porter la pellicule et de rédiger les notes.

— Très bien. Et vous, la môme, vous faites quoi ? demanda Clay à Amy. J'ai l'impression que mon nouveau mousse ne va pas venir et j'ai besoin de quelqu'un en surface pendant que je plongerai.

Amy chercha Nat du regard pour qu'il lui donne son accord, mais il continuait simplement à décharger les caisses sans réagir. Alors elle haussa les épaules en disant :

— Bien sûr, pas de problème.

Clay revint à moitié à la réalité. Il traîna les pieds dans ses tongs, ce qui, le temps d'une seconde, lui donna davantage l'allure d'un gamin de cinq ans que celle d'un type de cinquante ans au torse nu.

— Vous savez, en vous appelant « môme », je ne voulais pas vous rajeunir ou quoi que ce soit.

— Je sais, dit Amy.

— Pas plus qu'il ne fallait y voir un commentaire sur vos compétences.

— Ça va de soi, Clay.

Clay s'éclaircit inutilement la gorge et dit :

— C'est bien.

— Il n'y a pas de problème, dit Amy.

Elle prit deux containers étanches remplis d'équipement, sauta sur le quai et commença à trimbaler le matériel sur le parking d'où on le chargerait dans la camionnette de Nat. Elle leur lança par-dessus son épaule :

— Tous les deux, vous avez sacrément besoin de tirer un coup.

— Je crois qu'il faut mettre ça sur le contrecoup de la fatigue, dit Clay à Nat.

— Je dois souffrir d'hallucinations, fit Nat.

— Non, non, elle a vraiment dit ça, dit Clay.

*

Après le départ de Quinn, Amy monta à bord du *Toujours Confus* et commença à détacher l'amarre de poupe. Elle jeta un œil par-dessus son épaule à la vedette rapide de douze mètres où le capitaine Tarwater prenait la pose sur la proue. On aurait dit une publicité pour une lessive particulièrement décapante, peut-être Bonux, celle qui vous en met plein la vue.

— Clay, vous aviez déjà entendu parler d'officiers de marine qui accompagnaient des chercheurs en mer ?

Clay leva le nez du GPS dont il vérifiait les piles.

— Non, à moins que le chercheur ne travaille sur un bâtiment de la marine. Une fois, je suis allé à bord d'un destroyer pour une étude sur les effets des explosifs surpuissants sur les populations australes des lions de mer des Malouines. Ils voulaient savoir ce qui se passe quand on fait sauter cinq tonnes d'explosifs à côté d'une colonie de lions de mer. C'était un officier qui supervisait ça.

Amy jeta l'amarre sur le quai et se retourna vers Clay.

— Et ça a quel effet ?

— Ben, ça leur a explosé le cul. Je veux dire par là que la charge était très puissante.

— Ils vous ont autorisé à filmer *ça* pour le *National Science* ?

— Seulement à prendre des photos, dit Clay. Je ne crois pas qu'ils avaient pensé que ça se passerait comme ça. J'ai fait d'excellents clichés d'averses de viande de lion de mer.

Clay mit le moteur en route.

— Beurk.

Amy détacha les pare-battages et les rentra à l'intérieur du bateau.

— Mais ici, vous n'avez jamais vu travailler un officier en tenue ? Avant aujourd'hui, je veux dire.

— Pas plus ici qu'ailleurs, dit Clay.

Il descendit la manette des gaz. Le bateau hoqueta et commença à avancer. Amy l'éloigna des autres embarcations à l'aide d'une gaffe à l'extrémité crochue et protégée.

— Qu'est-ce que vous croyez qu'ils font ?

— C'est ce que je me demandais ce matin quand vous êtes rentrés. Ils ont chargé un énorme container à bord. J'ai demandé ce que c'était et Tarwater est resté très évasif. Cliff a dit que c'était des machins acoustiques.

— Comme des dispositifs directionnels ? demanda Amy.

Parfois, les chercheurs embarquaient d'énormes hydrophones qui, à la différence d'un simple appareil, pouvaient détecter dans quelle direction le son se déplaçait.

— Peut-être, dit Clay. Sauf qu'à bord, ils n'ont pas de winch.

— Comment ça, Clay, qu'ils n'ont pas de miches ? dit Amy en feignant d'être offensée. Vous me comparez à une paire de miches ?

Clay lui répondit par un sourire.

28

— Amy, je suis vieux, j'ai une petite amie, je suis immunisé, votre sex-appeal me laisse froid. Et de grâce, arrêtez vos tentatives pour me mettre mal à l'aise.

— Si on les suivait ?

— Ils vont travailler à Lanaï, sur la côte sous le vent. Je n'ai aucune envie d'exposer le *Confus* au vent du large.

— Alors comme ça vous vous demandiez ce qu'ils mijotent ?

— Je suis allé à la pêche aux renseignements, mais ça n'a pas mordu. Cliff n'allait pas me dire quoi que ce soit avec Tarwater à côté.

— Suivons-les alors.

— Mais on a du travail. C'est une belle journée sans vent et il se pourrait que dans toute la saison on n'en ait pas plus d'une douzaine comme celle-ci. On ne peut pas s'offrir le luxe de perdre une journée, Amy. À propos, qu'est-ce qui se passe avec Nat ? Ce n'est pas dans ses habitudes de gâcher une pareille journée.

— Oh, vous savez, il est timbré, fit Amy comme si c'était là une chose entendue. C'est à force de ne penser qu'aux baleines.

— Ah, c'est vrai. J'avais oublié.

Comme ils sortaient du port, Clay salua un groupe de scientifiques qui s'étaient rassemblés près de la station-service pour s'offrir un café. Une vingtaine d'universités et une douzaine de fondations se trouvaient représentées dans ce groupe. Clay était seul responsable de la convivialité des membres de la communauté scientifique de Lahaïna. Il les connaissait tous. C'était plus fort que lui, il ne pouvait s'empêcher d'aimer les gens qui travaillaient auprès des baleines, et il aimait les voir s'estimer mutuellement.

Il avait mis en place des réunions hebdomadaires et des présentations d'articles à la Maison du Sanctuaire des baleines du Pacifique de Kiheï, là où se rassemblaient tous les scientifiques pour faire connaissance, échanger des renseignements et, pour certains, essayer d'extirper des informations de collègues déchargés du fardeau des recherches.

Amy salua aussi le groupe tout en fouillant dans un des caissons étanches de couleur orange.

— Allez, Clay, suivons Tarwater pour voir ce qu'il fabrique.

Elle prit une énorme paire de jumelles qui grossissaient vingt fois et les montra à Clay.

— On pourra les observer à distance.

— Amy, vous pourriez aussi aller à la proue et chercher les baleines.

— Les baleines ? C'est gros et c'est mouillé. Qu'est-ce que vous voulez savoir de plus ?

— Vous, les scientifiques, vous n'aurez jamais fini de me surprendre, dit Clay. Venez prendre la barre pendant que je cherche un stylo pour noter ça.

— Suivons Tarwater.

CHAPITRE 3

Un petit fil de rasoir
autour du paradis

Quand Nat arriva en voiture, il trouva la porte du camp Papa Lani ouverte. Pas bon, ça. Clay restait inflexible : le gros cadenas devait absolument être refermé quand ils quittaient le camp.

Au nord-est de Lahaïna, sur un hectare, au beau milieu d'une demi-douzaine de champs de canne offerts à la Fondation de recherche sur les baleines de Maüi par une femme richissime que Clay et Nat avaient surnommée, par affection pour elle, « la Vieille Peau », on trouvait le camp de Papa Lani, un groupe de bâtisses en bois. Les six petits bungalows, autrefois hébergement des ouvriers de la plantation, avaient depuis longtemps été reconvertis en maison, laboratoire et bureaux pour Clay, Nat et les éventuels assistants, chercheurs ou équipes de tournage qui les accompagnaient dans leur travail le temps d'une saison. Compte tenu du coût des loyers et du stockage de matériel à Lahaïna, ce don avait constitué une sacrée aubaine pour la fondation. Clay lui avait donné ce nom de Papa Lani (« paradis » en hawaïen) en souvenir de ce coup de chance. Mais quelqu'un avait laissé la porte du paradis ouverte, et de ce que Nat put en voir à son arrivée, des anges étaient venus chier dans le ventilo.

Avant même de sauter de la camionnette, Nat aperçut une BMW, verte et en sale état, ainsi qu'une espèce de chemin constitué de feuilles de papier éparses, qui partait du bâtiment servant de bureau.

Il ramassa quelques feuilles tout en remontant l'allée de sable et en gravissant les marches du petit bungalow. À l'intérieur, il trouva le chaos : les tiroirs étaient sortis des meubles où étaient stockées les archives, les racks de cassettes sans dessus dessous, les bandes magnétiques déroulées en longs rubans, les ordinateurs renversés, les caches latéraux des unités centrales démontés, les câbles qui traînaient partout. Nat resta figé au milieu de cette pagaïe, ne sachant que faire, ne sachant même plus où regarder ; comme s'il avait été violé. Il était à deux doigts de vomir. Même si rien ne manquait, un typhon venait de ravager une vie entière de recherches scientifiques.

— Par la grâce de Jah, fit une voix dans son dos, v'là un sacré bel exemple de haine, moi je te le dis, mec.

Nat pivota à toute vitesse et se mit en position de combat sans tenir compte du fait qu'il ignorait tout des arts martiaux, et qu'en faisant cela, il avait poussé un cri de jeune fille. Une silhouette gorgonesque à la chevelure de serpents se détachait dans l'entrée et Nat aurait poussé un nouveau cri si elle ne s'était pas avancée dans la lumière, révélant un adolescent maigrelet, torse nu, en short de surfeur et en tongs, et qui portait un fouillis de dreadlocks blondes et un bon demi-millier d'anneaux dans le nez.

— Garde la tête froide, mon frère, c'est le truc à faire, fit le gamin presque en chantonnant.

Sa voix évoquait la marijuana, les tambours faits avec d'anciens fûts en ferraille, la stupéfaction et la jeunesse. La valeur de deux bons joints la séparait du reste de la réalité.

En une seconde, Nat passa de la peur à l'embarras.

— Mais bordel de merde, je pourrais savoir de quoi tu parles ?

— Cool, mon frère, te mets pas dans un état pareil. Kona et moi on est venus pour t'aider.

Nat se dit qu'il se sentirait mieux s'il étranglait le gamin. Il n'y aurait rien eu de mieux qu'une petite strangulation, même pas un véritable étranglement, pour évacuer le choc du labo dévasté. Mais il dit :

— Tu es qui ? Et que fais-tu ici ?

— Je m'appelle Kona, dit le gamin. Le patron, celui qui s'appelle Clay, il m'a embauché hier pour bosser sur les bateaux.

— Tu es le gamin que Clay a embauché pour travailler avec nous sur les bateaux ?

— Correct, mec, c'est ce que je viens de dire, non ? Dis-moi, mon frère, tu serais pas un ninja, des fois ?

Le gosse hocha la tête, ses dreadlocks balayèrent ses épaules et Nat était sur le point de lui hurler dessus à nouveau quand il se rendit compte qu'il était resté en position de combat et qu'il devait avoir l'air d'un parfait demeuré.

Il se redressa, haussa les épaules, puis fit semblant de détendre son cou et de rouler sa tête avec l'assurance d'un boxeur, comme s'il venait de désarmer un ennemi dangereux ou quelque chose dans ce goût-là.

— Tu n'avais pas rendez-vous avec Clay sur le quai il y a une heure ?

— Ouais, mais de super-trucs m'ont retenu sur la côte nord ce matin.

Le gamin haussa les épaules. Que pouvait-il faire si des super-trucs l'avaient retenu ?

Nat considéra le surfeur et se rendit compte que ce dernier s'exprimait dans un mélange de parler rasta, de pidgin, de langage de surfeur et de… de truc incompréhensible.

— Arrête de parler comme ça ou tu es viré sur-le-champ.

— Alors comme ça, c'est toi l'autre kahuna[1] de grosses baleines ? Tu fais comme Clay, hein ? C'est ça ?

— Ouais, répondit Nat. Je suis le meilleur kahuna de baleines. Et toi tu es viré.

— Tchao, mec, dit le gamin qui haussa à nouveau les épaules, se tourna et prit la direction de la sortie avant de se mettre à chantonner : Que l'amour de Jah soit avec toi. Sois cool.

1. Chasseur.

33

— Attends, dit Nat.

Quand il se retourna, les dreadlocks enveloppèrent le visage du gamin comme une pieuvre en furie s'en prend à un crabe. Le môme recracha une mèche et s'apprêta à dire quelque chose.

Quinn leva un doigt pour lui intimer le silence.

— Je ne veux plus un seul mot de pidgin, de hawaïen ou de rasta, ou tu es viré.

— OK, dit le gosse qui attendait la suite.

Quinn se calma, regarda les dégâts, puis le gosse.

— Il y a des papiers éparpillés à l'extérieur, sur les clôtures et dans les buissons. J'aurais besoin que tu les ramasses et que tu en fasses une pile aussi propre que possible. Ramène-les ici. Tu es capable de faire ça ?

Le gamin hocha la tête.

— Excellent ! Je m'appelle Nat Quinn, fit Nat en tendant sa main.

Le gamin traversa la pièce et serra la main de Nat avec vigueur. Le scientifique retint une grimace et répondit en essayant de lui retourner cette vigueur en souriant.

— Je m'appelle Pelekekona, fit le môme. Appelez-moi Kona.

— Bienvenue à bord, Kona.

Le gamin regarda autour de lui. Soudain, il parut très faible, comme si d'avoir dit son nom l'avait vidé de sa force, malgré ses muscles qui roulaient sur sa poitrine et son abdomen.

— Qui a fait ça ?

— J'en ai aucune idée.

Nat ramassa une cassette dont la bande avait été déroulée de son bobineau. Il la jeta dans un panier de plastique marron.

— Va ramasser les papiers. Moi je vais appeler la police. Tu n'y vois pas d'inconvénient ?

— Pourquoi j'y verrais un inconvénient ? fit Kona en hochant la tête.

34

— Pour rien. Allez, va ramasser ces papiers. Tu ne balances rien avant que je n'aie vérifié, d'accord ?

— Compris, mon frère, dit Kona qui renvoya son sourire à Nat en sortant au soleil.

Une fois dehors, il se retourna et demanda en forçant la voix :

— Dis-moi un truc, kahuna Quinn.

— Quoi donc ?

— Les « bosseuses », pourquoi elles chantent ?

— D'après toi ? répliqua Nat avec de l'espoir dans la question.

Bien que le gamin fût jeune, agaçant et probablement défoncé, le biologiste espéra sincèrement que Kona, qui croulait sous le savoir, lui apporterait une réponse. Il se moquait bien de savoir de qui elle pouvait venir, comment elle pouvait venir (de toute façon, il faudrait encore en apporter la preuve), il voulait juste savoir. C'était là ce qui le différenciait des besogneux, des ambitieux, de ceux qui vous poignardent dans le dos, et des princes de l'ego qui peuplaient son milieu professionnel.

— Je crois qu'elles chantent pour conspuer Babylone.

— Il faudra que tu m'expliques ce que ça veut dire.

— On range ce bordel, on s'allume un pétard et on en recause. D'accord, mon frère ?

*

Cinq heures plus tard, Clay entra en disant :

— Tu sais, Nat, on a vu des trucs surprenants aujourd'hui. Les plus beaux spécimens de baleineaux que j'aie jamais photographiés.

Clay semblait si excité qu'il entra presque dans la pièce en dansant.

— C'est bien, dit Nat avec un manque d'enthousiasme digne d'un zombie.

Il s'assit à l'un des bureaux, face à son ordinateur en morceaux. La pièce avait pratiquement retrouvé sa normalité, mais l'unité centrale éventrée qui trônait sur la table avec ses fils partant vers une diaspora de drivers en déroute racontait l'histoire de données devenues folles.

— On a eu de la visite. Quelqu'un a saccagé le bureau.

La chose ne sembla pas concerner Clay. Il avait une bande vidéo à éditer. Mais soudain, en tombant sur les ventilateurs et les fils électriques, il lui apparut que quelqu'un lui avait peut-être cassé sa machine. Il se retourna brusquement pour regarder son écran plat de quarante-deux pouces appuyé contre le mur, dont le verre était cassé en deux par le travers.

— Oh ! dit-il. Mon Dieu !

Amy entra en souriant.

— Nat, vous n'allez jamais le croire mais…

Elle s'arrêta net, vit Clay qui regardait l'écran cassé, l'ordinateur éclaté sur le bureau de Nat, les dossiers empilés ici et là où ils n'auraient pas dû se trouver.

— Oh, fit-elle.

— Quelqu'un est entré, dit Clay avec tristesse.

— Aujourd'hui ? En plein jour ? demanda-t-elle en posant un main sur l'épaule de Clay.

Nat pivota dans sa chaise et dit :

— Ils ont aussi visité nos appartements. La police est déjà venue.

Il vit Clay qui fixait son écran.

— Oh, et ça aussi. Désolé, Clay.

— Vous êtes assurés, hein ? dit Amy.

Clay ne détachait pas son regard de l'écran en morceaux.

— Docteur Quinn, vous avez bien payé la prime d'assurance ?

Clay donnait du « docteur » à Nat uniquement quand il voulait lui rappeler la manière officielle et professionnelle dont ils auraient dû se comporter.

— La semaine dernière. En même temps que l'assurance du bateau.

— Eh ben alors ? On est sauvés, dit Amy en bousculant Clay,

36

pressant son épaule, frappant son bras et pinçant ses fesses. On peut commander un nouvel écran dès ce soir, ô grand chef.

Elle émit quelques gazouillis qui lui donnèrent l'air d'être la version gothique de l'oiseau bleu du bonheur.

— Ouais ! fit Clay tout sourire. Ouais, on est sauvés.

Il se tourna vers Nat en souriant et demanda :

— Il n'y a rien d'autre de cassé ou qui manquerait ?

Nat lui désigna la corbeille à papiers où un fatras de bandes magnétiques se trouvaient entremêlées.

— Ça, c'était éparpillé dans tout le camp, avec les dossiers. On a perdu la plus grande partie des bandes. Deux ans de boulot.

Du côté d'Amy, l'excitation retomba et elle prit un air consterné plus approprié.

— Et les enregistrements numériques, qu'en faites-vous ? dit-elle en donnant un coup de coude à Clay, toujours hilare, qui se rallia à sa gravité.

Ils se renfrognèrent. (Nat transposait tous les enregistrements magnétiques sur des supports numériques, puis il les transférait dans l'ordinateur pour les analyser. Théoriquement, il aurait dû y avoir des copies numériques de tout.)

— Les disques durs ont été effacés. Je ne peux rien en tirer.

Nat prit une profonde respiration, soupira, fit un tour complet sur sa chaise pivotante et écrasa son front sur le bureau dans un bruit mat qui ébranla tout le bungalow.

Amy et Clay en tressaillirent. Il y avait un tas de vis sur le bureau. Clay dit :

— Allez, Nat, ça aurait pu être pire. Tu as tout nettoyé en un rien de temps.

— Le gars que tu as embauché est arrivé en retard et il m'a donné un coup de main, fit Nat, le visage toujours écrasé contre le bureau.

— Kona ? Où est-il ?

— Je l'ai expédié au labo. Il y a des épreuves que je voulais voir tout de suite.

37

— Je savais qu'il ne nous ferait pas faux bond dès le premier jour.

— Clay, il faut que je te parle. Amy, vous pourriez nous laisser une minute, s'il vous plaît ?

— Bien sûr, dit Amy. Je vais aller vérifier si rien ne manque dans mon bungalow.

Et elle partit.

— Tu vas refaire surface ? demanda Clay, ou faut-il que je me mette à genoux pour voir ton visage ?

— Tu pourrais prendre la trousse de secours pendant qu'on cause ?

— Tu as des vis qui te sont entrées dans le front ?

— Au moins quatre, peut-être cinq.

— Heureusement, c'est que de minuscules vis d'assemblage.

— Clay, faut toujours que tu essaies de me remonter le moral.

— Je suis comme ça, répondit Clay.

CHAPITRE 4

Les hommes baleines de Mauï

Quel qu'il fût par ailleurs, Clay était un gars qui aimait des trucs, comme les gens, les animaux, les voitures ou les bateaux, et qui disposait de cette capacité quasi surnaturelle de déceler la sympathie presque au cœur de chacun ou de chaque chose. Dans les rues de Lahaïna, d'un signe de tête, d'un « Salut ! », il disait bonjour aux couples de touristes bronzés vêtus de paréos assortis (des gens que la majorité de la population locale considérait comme le rebut de l'humanité), mais, tout en faisant ce geste, sur le parking de la supérette, il était capable d'échanger un *shaka* décontracté (pouce et doigts en extension, les trois doigts du milieu repliés, et la main toujours retournée si vous étiez du coin) avec une bande de jeunes indigènes, sans être l'objet de sales coups d'œil en retour ou d'injures en pidgin comme on en adressait à la plupart des étrangers. Les gens sentaient que Clay les aimait, tout comme les animaux d'ailleurs. Et c'était pour cela qu'il était encore en vie. Il avait passé vingt-cinq ans dans l'eau au milieu des prédateurs et des géants, et la pire chose qui lui était arrivée avait été de recevoir, à bout portant, un bon coup de queue de baleine, qui, comme dans un dessin animé, l'avait expédié dans l'hélice arrêtée d'un moteur de Zodiac. (Oh ! il y avait également eu ces deux fois où il avait connu la noyade et l'hypothermie, mais là, les animaux n'y étaient pour rien ; c'était la faute de la mer, qui vous tuerait, que vous aimiez ça ou non. Et Clay, lui, il aimait ça.) Faire ce qu'il voulait et afficher cette sympathie sans borne faisaient de Clay Demodocus un type heureux, qui demeurait néanmoins assez habile pour ne pas trop montrer sa joie. Si les animaux s'accommodaient de son sourire béat, des êtres humains pouvaient vous tuer à cause de lui.

— Comment il est, le nouveau gamin ? demanda Clay qui cherchait à détourner l'attention de Nat du Mercurochrome qu'il lui appliquait sur le front et calculait le temps que cela prendrait pour faire acheminer son nouvel écran depuis le magasin à prix réduits de Seattle jusqu'à Maüi. (Clay avait un faible pour les gadgets.)

— C'est un délinquant, dit Nat.

— Il va s'y faire, c'est un « gars de l'eau ».

Pour Clay, cela voulait tout dire. Soit vous étiez un « gars de l'eau », soit vous n'en étiez pas. Et si vous n'en étiez pas, eh bien… autant dire que vous n'étiez qu'un bon à rien. Cela vous va comme explication ?

— Il est arrivé avec une heure de retard et pas au bon endroit.

— Il est d'ici. Il nous sera utile pour nous arranger les coups avec les flics maritimes.

— Clay, le gamin n'est pas d'ici. Il est blond. Il fait plus Blanc que toi.

— Il s'y fera ! N'ai-je pas eu raison au sujet d'Amy ? dit Clay qui aimait Kona, ce nouveau gosse, malgré l'entretien d'embauche qui s'était déroulé à peu près ainsi :

Clay était assis, le dos tourné à son écran géant d'ordinateur qui diffusait un diaporama de ses photos de baleines et de pinnipèdes, photos célèbres dans le monde entier. Pour conduire cet entretien d'embauche, il avait enfilé ses tongs à cinq dollars quatre-vingt-dix-neuf achetées à la supérette locale. Kona, lui, était resté au centre du bureau. Il portait des lunettes de soleil, un short très ample qui lui descendait aux genoux, et, comme c'était pour décrocher un boulot, il avait passé une chemise brun-rouge.

— Dans votre lettre de motivation, vous dites que vous vous

40

appelez Pelke, non, Pelekekona Ke, avait fait Clay en jetant les bras au ciel en signe de renoncement.

— On m'appelle Pelekekona Keohokalole. Ça veut dire l'espèce de guerrier, le Lion de Sion. Tu piges, mon frère ?

— Je peux t'appeler Pele ?

— Non, Kona, avait répondu Kona.

— Sur ton permis de conduire, je constate que tu t'appelles Preston Applebaum et que tu es originaire du New Jersey.

— Moi être hawaïen à cent pour cent. Kona, meilleur matelot de toute l'île. Ouais ! Pas mieux que moi pour traquer gros bonnets scientifiques qui causent rien qu'en *ismes* et qui oppriment mes frangins indigènes, nous piquent nos terres et nos plus chouettes vahinés. La souveraineté, j'veux bien, mais après que les frangins comme moi ils aient gagné de quoi payer leur loyer, tu piges ?

Clay avait ri et dit :

— En fait, tu n'es bon à rien, n'est-ce pas ?

Kona avait perdu sa décontraction de rasta.

— Écoutez-moi bien. Je suis né dans le New Jersey parce que mes parents y étaient en vacances. Je suis vraiment hawaïen. Enfin... une espèce d'Hawaïen, mais j'ai absolument besoin d'un boulot. Je vais me faire virer de là où je vis si je gagne pas d'argent cette semaine. Et je ne veux plus aller vivre sur la plage de Païa. La dernière fois, je me suis tout fait voler.

— Je lis que ton dernier boulot c'était calligraphe légiste. C'est quoi, ça ? Expert en écritures ?

— Euh... Non. En fait, c'était une activité commerciale que je voulais démarrer. J'aurais écrit les dernières lettres pour les gens qui se suicident. (Il n'y avait plus la moindre trace de pidgin dans son discours, pas un brin de reggae.) Mais ça n'a pas vraiment bien marché. Les gens refusent de se suicider à Hawaï. Je crois que si je m'étais lancé là-dedans au New Jersey, ou même à Portland, j'aurais sûrement fait un malheur. Le business, vous savez ce que c'est, ça dépend énormément de l'endroit où vous le pratiquez.

41

— Je croyais que ça, c'était surtout valable pour les agents immobiliers.

En fait, Clay avait ressenti une espèce de remords, le sentiment d'avoir manqué une opportunité, car, après une vie à courir l'aventure, à faire exactement ce qu'il avait toujours eu envie de faire, et bien qu'il ait souvent eu le sentiment de passer pour le con de service (sans doute parce qu'il s'était entouré de scientifiques), c'est en parlant avec Kona qu'il se rendait vraiment compte qu'il n'avait pas pris conscience du potentiel dont il disposait pour se faire pigeonner. Il en éprouva des regrets teintés de mélancolie. Clay aimait le gamin.

— 'coutez-moi bien. Je suis un gars de l'eau, avait dit Kona. Je connais les bateaux, je connais les marées, les vagues, j'adore l'océan.

— Tu en as peur ? avait demandé Clay.

— Terriblement.

— Parfait ! Alors retrouve-moi demain matin à huit heures et demie sur le quai.

*

Nat frotta son sparadrap collé en croix sur son front pendant que Clay, sous la table, à l'autre bout de la pièce, farfouillait dans les boîtes qui contenaient le matériel photographique. Le vandalisme, et le merdier qui l'accompagnait, lui avaient fait oublier ce dont il avait été le témoin le matin même. La chose lui revint à l'esprit comme un nuage noir de doute personnel. Il se demanda s'il devait même en parler à Clay. Dans l'univers de la biologie comportementale, rien n'existait tant qu'on n'avait pas écrit dessus. Peu importait ce que vous pouviez connaître sur le sujet, ce dernier ne pouvait exister que si on en avait parlé dans une revue scientifique. Mais quand cela faisait référence au quotidien, la publication n'avait guère d'importance. Si Nat confiait à Clay ce qu'il avait vu, alors ça deviendrait vrai. Mais la chose devait-elle être révélée ? Il n'en était plus très sûr, tout comme de son attirance pour Amy ou le fait que le fruit d'années de recherches venait de disparaître.

— Pourquoi as-tu besoin d'envoyer Amy aux cinq cents diables ? demanda Clay.

— Clay. Je ne vois plus les choses que je ne vois pas. Tu comprends ? Je veux dire par là que, depuis que nous travaillons ensemble, je n'ai jamais affirmé quoi que ce soit sans avoir l'appui de données scientifiques, tu es d'accord ?

Clay leva le nez de son inventaire pour regarder l'expression de consternation qui se lisait sur le visage de son camarade.

— Écoute, Nat, si c'est la présence du gamin qui te perturbe autant, on peut trouver quelqu'un d'autre...

— Le gamin n'y est pour rien.

Nat sembla peser chaque mot de ce qu'il allait dire, sans encore être certain qu'il allait en parler, avant de laisser échapper :

— Clay, je crois que ce matin j'ai vu des choses écrites sur la queue de cette baleine qui chantait.

— Tu veux dire... comme des cicatrices qui avaient la forme de lettres ? Oui, j'ai déjà vu ça. J'ai une photo de dauphin où l'on voit des traces de dents sur le flanc de l'animal. On peut y lire le mot « vlan ! ».

— Non, là, c'était autre chose. Ça n'était pas des cicatrices, il y avait écrit MORDS-MOI.

— Oh-oh, dit Clay, tout en modulant sa réponse pour qu'elle ne donne pas l'impression qu'il prenait son ami pour un dingue. Tu sais, Nat, je crois que le vandalisme dont nous venons d'être l'objet nous perturbe pas mal.

— C'est arrivé *avant* le cambriolage. Oh, je sais plus. Je crois que c'est sur la pellicule que j'ai prise. C'est pour ça que je suis rentré, pour envoyer le film au labo. Et puis j'ai trouvé ce bordel. Alors j'ai expédié le gamin au labo avec ma camionnette, même si je suis persuadé que c'est un délinquant. On réglera ça quand il sera de retour avec le film, d'accord ?

43

Nat se retourna pour regarder le bureau qui débordait de câbles et de pièces détachées. Il semblait à nouveau plongé dans ses pensées.

Clay hocha la tête. Il avait passé des journées entières avec son grand collègue, dans le même bateau de six mètres, des journées où ils ne s'étaient rien dit de plus que : « Sandwich ? », « Merci ».

Quand Nat éprouverait le besoin de lui en dire davantage, il le ferait. En attendant, il serait stérile de vouloir lui tirer les vers du nez. On ne bouscule pas un penseur, on évite de lui parler quand il réfléchit. Sinon, ce serait tout simplement déplacé.

— À quoi tu penses ? demanda Clay.

Bon, d'accord, à l'occasion, cela pouvait lui arriver d'avoir une conduite déplacée. Son grand écran d'ordinateur était cassé et cela le traumatisait.

— Je me disais qu'en ce qui concerne la plupart de ces études, nous allons devoir tout reprendre à zéro. Toutes les sauvegardes ont été piétinées. Mais d'après moi, rien ne manque. Selon toi, Clay, pourquoi quelqu'un ferait-il une chose pareille ?

— Ça doit être des mômes, répondit Clay en regardant si l'objectif de son Nikon n'avait pas subi de dommages. Apparemment, il ne manque rien dans mes affaires, et à part le moniteur de l'ordi, tout semble intact.

— Tu parles pour *tes* affaires.

— Ouais, je parle de *mes* affaires.

— De *tes* affaires qui valent quelques centaines de milliers de dollars. Clay, pourquoi des mômes ne les auraient-ils pas volées ? Tout le monde connaît le prix d'un Nikon, tout le monde sur cette île sait combien coûtent ces boîtiers qui vont sous l'eau. Alors explique-moi qui avait intérêt à détruire les bandes et les disques durs et à ne rien emporter ?

Clay reposa l'objectif et se leva.

— Tu ne poses pas la bonne question.

— Parce que c'est quoi, la bonne question ?

— La bonne question, c'est : dans le monde entier, qui nos

44

recherches peuvent-elles intéresser, mis à part nous deux, une douzaine de biologistes de la communauté scientifique et quelques cinglés des baleines ? Essaie de voir les choses en face, Nat, les baleines chanteuses, les gens s'en foutent comme de l'an quarante. Ça n'a aucun intérêt. La question est donc : qui justement y trouve un intérêt ?

Nat s'effondra dans sa chaise. Clay avait raison. Les baleines, tout le monde s'en foutait. Les gens ne s'intéressaient qu'à leur nombre, donc pas aux gars qui les surveillaient, les comptaient et rassemblaient les seules données susceptibles de les intéresser. Pourquoi ? Parce que si vous connaissez le nombre de baleines dont vous disposez, vous savez combien vous pouvez en tuer ou en épargner. Les gens adorent ça, ils s'imaginent qu'ils peuvent prouver des choses et faire de l'argent avec les chiffres. Tout est dans la manière, cette manière toute mielleuse qui impressionne tant les mômes de seconde sur la chaîne câblée du lycée[1].

— On était vraiment près du but, Clay, dit Nat. Il nous manquait juste un truc dans le chant. Forcément, sans les bandes magnétiques...

— Les chants, t'en as entendu un, tu les as tous entendus, fit Clay en haussant les épaules.

Ce qu'il venait de dire reflétait la vérité. Chaque saison, les mâles poussaient tous la même chanson, une mélopée qui pouvait différer d'une saison à l'autre ou quelque peu évoluer au fil du temps, mais au sein d'une population donnée de baleines à bosse, tous les mâles chantaient la même chose. Et personne ne savait pourquoi.

— On va aller chercher de nouveaux échantillons.

— J'avais déjà nettoyé, filtré et analysé les spectrographes, tout était sur les disques durs. C'était pour des échantillons spécifiques.

---

1. Allusion à cette grande firme de boisson gazeuse qui, aux États-Unis, a équipé les classes de la plupart des écoles afin que les élèves puissent chaque matin regarder un journal télévisé concocté par des journalistes payés par cette même firme de boisson gazeuse, journal diffusé entre deux spots de publicité pour la marque.

— On va recommencer, Nat. On a le temps. Personne ne nous attend. Tout le monde s'en fout.

— Ne te sens pas obligé de répéter ça sans arrêt.

— Oui, ça commence à m'énerver, moi aussi, répondit Clay. Ça intéresse qui, nom de Dieu, que tu te passionnes ou non pour le chant des baleines à bosse, tu peux me le dire ?

Une tong traversa la pièce, bientôt suivie par le rythme rasta de Kona, qui était de retour.

— Salut, Clay. Moi y en a être terrible. Moi y en a rapporter les films et l'herbe pour ce soir, pour rendre grâce à Jah. La paix soit avec toi, mec.

Kona était là, avec dans une main une enveloppe contenant les négatifs et les planches contact, et dans l'autre, droit au-dessus de la tête, une boîte de pellicule photo qu'il regardait comme si elle contenait l'élixir de jouvence.

— Tu as une idée, toi, de ce qu'il vient de dire ? demanda Nat qui traversa rapidement la pièce pour arracher les négatifs de la main de Kona.

— Je crois que c'est du javanais, répondit Clay. Tu lui as donné de l'argent pour le labo photo ? Faut pas lui en donner.

— Et comment moi y en a faire pour rapporter herbe sacrée dans petite planque de pellicule photo ? dit Kona. Mec, moi y en a dégoter feuilles et nous embarquer sur bateau en partance pour Sion.

— Nat, faut pas lui filer de l'argent et une boîte de pellicule vide, il se croit investi d'une mission religieuse.

Nat examinait à la loupe la planche contact qu'il avait sortie de l'enveloppe. Il la regarda à deux reprises, compta chaque photo en vérifiant les chiffres marqués sur le bord. Il manquait la vingt-six. Il porta les négatifs dans la lumière, examina à nouveau les images et les chiffres de repères à trois reprises avant de les jeter, puis il scruta les négatifs des photos de la nageoire caudale qu'Amy avait prises auparavant avant de traverser la pièce et d'empoigner Kona par les épaules.

— Bordel de merde ! Où est la vingt-six ? Qu'est-ce que tu en as fait ?

— On m'a donné ça comme ça, mec. J'ai touché à rien.

— Clay, ce type est un délinquant, fit Nat avant de décrocher le téléphone pour appeler le labo.

Tout ce qu'on put lui répondre, c'est que le film avait été traité normalement après avoir été trouvé dans la boîte de dépôt située devant le magasin, qu'une machine avait coupé les négatifs avant qu'ils ne soient glissés dans les pochettes — peut-être la machine avait-elle tranché le cadre ? — et que la maison serait heureuse d'offrir un rouleau neuf pour le tracas causé à Nat.

*

Deux heures plus tard, assis au bureau, un crayon à la main, Nat regardait une feuille de papier. Il ne faisait que la regarder. À l'exception de la lampe de bureau, la pièce était plongée dans l'obscurité, une obscurité réfugiée dans les coins et où le mystère pouvait trouver refuge. On trouvait une table de chevet, le bureau, la chaise et un lit à une place avec une cantine dans un bout et une couverture posée sur un coussin. Nat Quinn était un grand gaillard et ses pieds dépassaient du lit. Il s'était aperçu que s'il bougeait la cantine, il sombrerait dans le grand bleu et se réveillerait en manquant d'air. Cette cantine était remplie de livres, de revues et de couvertures. Aucune d'entre elles n'avait été utilisée depuis qu'il les avait fait venir neuf ans plus tôt. Un mille-pattes de la taille d'une Cadillac avait longtemps squatté le coin inférieur droit de la cantine, mais il était parti le jour où il avait compris que personne ne viendrait jamais le déranger, qu'il ne se hisserait jamais sur ses cent pattes arrière en sifflant comme un chat en colère et qu'il ne mordrait jamais mortellement le moindre pied nu. Il y avait aussi une petite télé, un radio-réveil, une minuscule kitchenette avec deux feux et un four à micro-ondes, deux étagères remplies sous la fenêtre qui donnait sur le camp et une reproduction jaunissante de Tahitiennes de Gauguin, accrochée entre les fenêtres et le lit. À une époque, avant que les plantations ne soient automatisées, une dizaine de personnes avait peut-être dormi dans cette pièce. À l'université de Santa Cruz, en dernière année, Nat Quinn avait vécu dans une chambre sensiblement de la même taille. C'était donc ça qu'on appelait le progrès.

Sur le bureau de Nat, la feuille était vierge et, à côté, la bouteille de vieux rhum Myer's à moitié vide. Par la porte et les fenêtres ouvertes, Nat entendait l'alizé agiter les feuillages des deux immenses cocotiers de devant. On frappa à la porte et Nat, en levant les yeux, reconnut la silhouette d'Amy dans le couloir. Elle s'avança dans la lumière.

— Je peux entrer, Nat ?

Elle portait une robe tee-shirt qui lui arrivait à mi-cuisse.

Nat posa sa main sur la feuille, gêné qu'il n'y ait rien d'écrit dessus.

— J'essayais de faire un projet pour…

Son regard passa de la feuille à la bouteille, avant de revenir à Amy.

— Vous voulez boire quelque chose ?

Il saisit la bouteille, regarda autour de lui pour trouver un verre et finalement tendit la bouteille à Amy qui fit non de la tête et demanda :

— Ça va ?

— J'avais votre âge quand je me suis lancé dans ce boulot. Je me demande si je vais avoir l'énergie de tout recommencer.

— C'est un énorme travail. Je suis vraiment désolée de ce qui est arrivé.

— Pourquoi ? Vous n'y êtes pour rien. J'étais près du but, Amy. J'ai raté quelque chose, mais j'étais près de trouver.

— C'est toujours là. Vous savez, on a encore les notes des recherches de terrain de ces deux dernières années. Je vais faire mon possible pour vous donner un coup de main afin de tout remettre en place.

— Je sais que vous le ferez, mais c'est Clay qui a raison quand il

48

dit que tout le monde s'en fout. J'aurais dû faire biochimiste ou militant écolo ou autre chose.

— Moi, je ne m'en fous pas.

Nat regarda les pieds d'Amy, préférant éviter de la regarder dans les yeux.

— Je sais. Mais sans les enregistrements… Enfin… On verra…

Il haussa les épaules et sirota une lampée de rhum.

— Vous n'avez pas le droit de boire, vous savez, dit-il une fois redevenu le professeur, le docteur, le maître de recherches. Vous n'avez le droit de ne rien faire ou de ne rien avoir en votre possession qui ait un rapport avec les recherches sur les baleines.

— Ça va, dit Amy, j'étais juste passée voir si tout allait bien.

— Eh ben je vais bien.

— On commencera à tout remettre en ordre demain matin. Bonne nuit, Nat, dit-elle en prenant la porte.

— Bonne nuit, Amy.

Nat remarqua qu'elle ne portait rien sous son tee-shirt et il se sentit minable. Pour penser à autre chose, il revint à sa feuille blanche et avant qu'il ait pu en comprendre la raison il écrivit MORDS-MOI en lettres capitales, qu'il souligna si fort qu'il en déchira le papier.

CHAPITRE 5

Hé, mon pote,
pourquoi t'as la grosse tête ?

Le lendemain matin, ils étaient tous les quatre, en rang d'oignon, devant le vieux Pioneer Hotel, à regarder les vagues écumeuses du chenal, au-delà du port de Lahaïna. L'alizé fouettait les palmiers. Du côté de la digue, deux petites filles, que le vent forçait à faire le dos rond, essayaient de surfer sur des vagues. En explosant, la crête de leurs ondulations volait comme les cheveux d'un sprinter.

— Il se pourrait bien que le vent mollisse, dit Amy avant de penser à Kona qui se tenait à ses côtés et dont elle se dit : « Ce mec-là, on pourrait coincer des cartes de visite sous ses pectoraux, qu'elles tomberaient même pas. Et bon Dieu qu'il est bronzé ! »

D'où Amy était originaire, personne n'était bronzé, et elle n'était pas à Hawaï depuis assez longtemps pour savoir que le bronzage n'y était qu'une forme de frime.

— Ils ont dit que ça allait souffler comme ça pendant trois jours, dit Nat.

S'il paraissait déçu, l'annulation de leur sortie en mer de ce matin le soulageait au-delà du possible. Il avait une sévère gueule de bois et cachait ses yeux injectés de sang derrière ses lunettes de soleil. Il se dégoûtait. « J'ai un boulot merdique. Si nous étions sortis en mer, j'aurais passé la matinée à gerber par-dessus bord et à me demander si la noyade ne serait pas encore la meilleure des solutions. » Il aurait

50

mieux fait de penser aux baleines, ce à quoi il pensait en temps normal. Quand il remarqua qu'Amy jetait des regards par en dessous au torse nu de Kona, Nat se sentit encore plus moche.

— T'sais, mec, Kona, il en connaît un rayon en sciences nouvelles. Laisse-le allumer un tarpé et il va te calmer vite fait cette flotte déchaînée. Le vent, c'est pas un problème, on va pouvoir sortir le rafiot, dit Kona tout en pensant : « Mais bordel, j'ai aucune idée de quoi je cause, moi. En revanche, j'ai vachement envie d'aller voir les baleines. »

— Petit déj au Longee et après on verra bien le temps qu'il fera, trancha Clay tout en pensant : « Nous allons prendre le petit déjeuner au Longee et après nous verrons bien le temps qu'il fera. »

Personne ne bougea. Ils restèrent tous là, à regarder la passe que le vent déchaînait. De temps en temps, une baleine soufflait son jet auquel le vent, en le rabattant sur l'eau, donnait la forme d'un spectre.

— Bon, ben, moi, j'y vais, dit Clay.

Ils se mirent alors tous à remonter la rue du Front de Mer, vers le restaurant Longee, un immeuble gris et blanc à deux étages, d'architecture très Nouvelle-Angleterre, avec une voie de garage pour les bateaux et d'immenses fenêtres qui, par-dessus le muret de pierre, regardaient au-delà vers la passe d'Au'au. En guise de chemise, Kona passa un coupe-vent marqué du logo NAUTICA qu'il avait noué plus tôt autour de la taille.

— Tu fais beaucoup de voile ? lui demanda Amy en remarquant le logo.

C'était une manière de lui rendre la monnaie de sa pièce, de répondre au « C'est qui cette Blanche-Neige ? » qu'il lui avait lancé lors de leur première rencontre. À ce moment-là, Amy venait juste de se présenter. À la réflexion, elle s'était dit qu'elle aurait dû se rebiffer en s'entendant qualifier à la fois de Blanche et de Neige. Ces choses étaient objectivantes, n'est-ce pas ?

— Tu sais, Blanche-Neige, ça y en a appartenir à appât pour requin, répondit Kona, voulant dire par là que le coupe-vent avait

51

autrefois été la propriété d'un touriste. La communauté des surfeurs de la plage de Païa, sur la côte nord, là d'où arrivait Kona, avait développé une économie basée sur le minable larcin, notamment le vol dans les voitures de location.

Comme la serveuse les conduisait à travers la salle à manger bondée vers une table située près des fenêtres, Clay se pencha par-dessus l'épaule d'Amy pour lui murmurer :

— C'est bon… la neige, vous savez.

— Je sais, lui susurra Amy en retour, la tomate aussi, c'est bon.

— Tête… droite ! dit Clay à l'instant même où Amy emplafonnait un tas de couleur kaki que la calvitie gagnait et plus connu sous le nom de Jon Thomas Fuller, le directeur général de la Compagnie baleinière d'Hawaï, une ONG au capital de dizaines de millions de dollars qui aurait aimé faire croire qu'elle s'occupait de recherche scientifique.

Fuller avait volontairement reculé sa chaise pour barrer la route à Amy.

— Jon Thomas ! dit Clay tout sourire en passant sa main devant Amy, énervée, pour serrer celle de Fuller.

Fuller ignora Clay et prit Amy par la taille. La jeune femme se raidit.

— Hé là ! dit Fuller. Puisque vous vouliez faire ma connaissance, pourquoi ne vous êtes-vous pas présentée ?

Amy prit les poignets de Fuller et les posa sur la table, face à lui, avant de se reculer et de dire :

— Salut. Je m'appelle Amy Earhart.

— Je sais, répondit Fuller qui s'était levé.

À peine plus grand qu'elle, il était très bronzé et très maigre, avec un nez aquilin et un front dégarni à l'implantation capillaire très marquée.

— Ce que je n'arrive pas à comprendre, c'est pourquoi vous n'êtes pas directement venue me voir pour un travail.

Pendant ce temps, Nat, qui avait la tête à ses baleines, tira une chaise, ouvrit un menu, commanda un café et oublia complètement qu'il était seul à sa table. C'est en levant les yeux qu'il vit que Jon Fuller tenait son assistante par la taille. Il en lâcha son menu pour aller voir ce qui se passait.

— Eh bien, fit Amy en regardant les trois jeunes hommes assis à la table de Fuller, d'une part parce j'ai un certain respect de moi-même, et d'autre part, ajouta-t-elle d'un ton cassant, parce que vous êtes un salaud et un fumier.

Le large sourire de Fuller perdit quelques degrés sur son échelle de magnitude. Les femmes assises à sa table, toutes vêtues de tenues de safari kaki (afin d'être au plus près de l'image que la chaîne de télé Discovery se fait d'un scientifique), firent de réels efforts pour regarder ailleurs, s'essuyer la bouche, boire un peu d'eau, bref, ne rien voir de la claque verbale que leur patron venait de recevoir de la part d'une petite chercheuse vicelarde.

— Nat, dit Fuller en voyant que celui-ci avait rejoint le groupe, j'ai entendu parler du saccage dont vous avez été victime. J'espère qu'on ne vous a rien volé d'important.

— On a juste perdu quelques enregistrements. Mais ça va.

— À la bonne heure! Il faut constater qu'il y a beaucoup de racaille sur cette île à présent, dit Fuller en regardant Kona.

Ce qui fit répondre au surfeur, tout sourire :

— Arrête, mon pote, tu vas me faire rougir.

— Comment vas-tu, Kona? fit Fuller en souriant.

— Tout baigne, mon pote. Bwana Fuller fait son mauvais esprit?

Autour d'eux, on se cassait le cou dans tous les sens. Fuller hocha la tête avant de regarder à nouveau Quinn.

— Nat, il n'y a rien qu'on ne puisse faire? On trouve dans le commerce pas mal de chants de baleines enregistrés par nos soins. Si cela peut vous aider. Comme vous êtes des professionnels, on vous ferait un rabais sur le prix. Entre gens du même milieu…

— Merci, fit simplement Nat alors que Fuller se rasseyait avant de leur tourner le dos et de reprendre le cours de son petit déjeuner.

À sa table, les femmes prirent un air gêné.

— Alors ? Et ce petit déjeuner ? dit Clay en prenant la tête de son équipe pour gagner la table qu'on leur réservait.

Nat se tourna vers Amy pour lui dire :

— Vous l'avez traité de fumier. Vous vous croyez où ? Dans un film avec James Cagney ?

— Mais c'est qui ce type ? demanda Amy en arrachant un morceau de son toast avec une frénésie exagérée.

— Un fumier, c'est quoi ? interrogea Kona.

— C'est pas un parfum de dessert glacé ? proposa Clay.

Nat regarda Kona.

— Mais, Fuller, comment se fait-il que tu le connaisses ?

Le doigt tendu, Nat prit un air de mise en garde, pour signifier à Kona qu'il évite son langage et ses conneries rastas.

— J'ai tenu sa concession de jet-ski à Kaanapali.

Nat regarda Clay avec un air qui voulait dire : « Tu étais au courant de ça, toi ? »

— Mais qui c'est ce type ? demanda Amy.

— Il a un doctorat en biologie, mais je ne dirais pas pour autant que c'est un scientifique. Les femmes qui sont avec lui sont ses naturalistes. Aujourd'hui, il doit y avoir trop de vent pour qu'ils puissent sortir en mer. Fuller a des magasins dans toute l'île, où il vend des pacotilles qui ont rapport avec les baleines, tout cela à but non lucratif. La Compagnie des baleines d'Hawaï a été le seul groupe de scientifiques à s'opposer à l'interdiction des jet-skis pendant la saison où les baleines sont ici.

— Parce que Fuller a des intérêts dans l'activité du jet-ski, ajouta Nat.

— Je me faisais six dollars de l'heure, fit Kona.

— Le travail que fait Nat était pour quelque chose dans l'interdiction du jet-ski, dit Clay. Fuller ne nous porte pas dans son cœur.

— Le sanctuaire pourrait même un jour lui interdire toute recherche, ajouta Nat. Ce qu'ils font n'a rien de scientifique.

54

— Et c'est pour ça qu'il vous en veut? questionna Amy.

— J'ai, enfin... nous avons procédé aux études sur les changements de comportement dus aux nuisances sonores. Le sanctuaire nous avait donné de l'argent pour savoir si les jet-skis et les vedettes qui remorquent les parachutes ascensionnels avaient des conséquences sur le comportement des baleines. Nous sommes arrivés à la conclusion que les animaux en sont affectés. Fuller n'a guère apprécié. Ça lui a coûté de l'argent.

— Il va bientôt construire un delphinarium du côté de la baie de La Pérouse, dit Kona.

— Quoi? fit Nat.

— Quoi? fit Clay.

— Tu veux dire un de ces parcs où on nage avec les dauphins? demanda Amy.

— Ouais. Les gens viendront de coins comme l'Ohio, et pour deux cents dollars ils auront le droit de nager avec les machins à gros nez.

— Et vous, vous n'en saviez rien? dit Amy en regardant Clay qui semblait être toujours au courant de tout ce qui touchait au monde des baleines.

— Si, j'en ai entendu parler, mais on ne va pas le laisser faire sans quelques études préalables, n'est-ce pas? ajouta-t-il en regardant Nat.

— Ça ne verra jamais le jour s'il perd son autorisation de recherches, fit Nat. Elle sera révisée.

— Par vous? demanda Amy.

— Il est certain que le nom de Nat ajouterait du sérieux à la chose, dit Clay. Il sera sûrement sollicité.

— Et pas vous? demanda Kona.

— Je ne suis que le photographe, répondit Clay en jetant un œil à l'écume des crêtes des vagues de la passe. J'ai bien l'impression qu'on ne va pas sortir aujourd'hui. Finis ton petit déjeuner et après on ira payer ton loyer.

Nat regarda Clay d'un œil interrogateur.

— Je ne peux pas lui donner d'argent, dit Clay. Il va le fumer. Je vais aller moi-même payer son loyer.

— C'est la vérité, fit Kona en hochant la tête.

— Dis-moi, Kona, tu ne travailles plus pour Fuller? demanda Nat.

— Nat! fit Amy d'un ton de réprobation.

— Quoi? Il était là quand je suis arrivé et que j'ai trouvé le bureau mis à sac.

— Fichez-lui la paix, dit Amy. Il est trop mignon pour être méchant.

— C'est la vérité, dit Kona. Miss Blanche-Neige dit toujours la vérité. Moi y en a être beaucoup mignon.

Clay laissa un paquet de billets sur la table.

— Au fait, Nat, tu as une conférence au sanctuaire prévue mardi, dans quatre jours. Amy et toi, vous ne voudriez pas mettre à profit notre période d'immobilisation à terre pour faire quelque chose ensemble?

Cela fit sur Nat l'effet d'une gifle.

— Dans quatre jours? Mais j'ai plus rien, tout était sur les disques durs.

— C'est bien ce que je disais, tu pourrais peut-être mettre à profit ton temps libre.

CHAPITRE 6

La baleine vahiné

En tant que biologiste, Nat avait une fâcheuse tendance à comparer les humains et les animaux. Par exemple, considérant son attirance pour Amy, il se demanda pourquoi les choses étaient si compliquées, pourquoi le rituel d'accouplement, chez les humains, était aussi subtil. «Pourquoi ne pouvons-nous pas nous comporter comme de vulgaires céphalopodes?» Le calmar mâle, pour prendre cet exemple, se contente d'approcher la femelle calmar à laquelle il tend un joli paquet de sperme, qu'elle fourre comme elle veut sous sa jupe, et ils se séparent avec la satisfaction d'avoir assuré la survie de l'espèce. C'est simple, élégant et sans nuance...

Nat donna une tasse en carton à Amy.

— Je vous ai servi du café.

— Je ne bois plus de café, répondit Amy.

Nat posa alors le gobelet près du sien, sur le bureau. Il prit place devant l'ordinateur. Amy, perchée sur un haut tabouret, à sa gauche, feuilletait les classeurs de notes des quatre dernières années.

— Dans tout ce fatras, vous allez bien réussir à trouver de quoi faire une conférence? demanda-t-elle.

Nat se frotta les tempes. Après avoir avalé une poignée de comprimés d'aspirine et une demi-douzaine de tasses de café, son mal de tête lui causait encore du souci.

— Quelle conférence ? Sur quel sujet ?

— Ben… avant que le bureau ne soit saccagé, de quoi aviez-vous envisagé de parler ? On pourrait peut-être rebâtir quelque chose à partir de vos notes de brouillon et de vos souvenirs.

— Je n'ai pas une bonne mémoire.

— Mais si. Tout ce qu'il vous manque, c'est des moyens mnémotechniques. On va bien trouver ça dans les notes.

Le visage d'Amy offrait la candeur de celui d'un enfant. Elle espérait quelque chose de Nat, rien qu'un mot qui puisse orienter ses recherches vers ce dont il avait besoin. Le problème, c'était que ce dont Nat avait présentement besoin ne se trouvait pas dans les notes de biologie. Il avait besoin de réponses d'un autre ordre. Le fait que Fuller ait été au courant du saccage du bureau le perturbait. Comment avait-il pu en être informé si tôt ? Ce qui le souciait également était cette espèce de dédain que Fuller lui montrait ouvertement. Nat était né et avait grandi en Colombie-Britannique. Il faut savoir que, par-dessus tout, les Canadiens répugnent à froisser les gens. Ce trait fait partie de la conscience nationale du pays. « Restez poli » est une règle tacite, que l'on ne trouve écrite nulle part mais qui figure dans l'inconscient collectif de la nation. (Il en va naturellement comme avec toutes les règles : il y a des exceptions, comme dans certaines régions du Québec par exemple, où les gens, avec cet esprit revanchard bien caractéristique des Français, poussent l'indifférence jusqu'à la confrontation, notamment au hockey où là, tout Canadien a le droit, avec une totale impunité, de mettre des claques, rouer de coups, boxer, filer des coups de manchette, rentrer dedans, faire rendre gorge à coups de crosse, tout en proférant des insanités, des propos orduriers, des insultes sur les ancêtres, des accusations de bestialité, généralement, comme c'est étrange, n'est-ce pas, en français.) Nat n'était pas plus québécois que joueur de hockey ; alors l'idée qu'il puisse ressentir de l'inimitié pour une personne, qui en représailles avait peut-être pu détruire ses recherches, le mortifiait.

— Amy, dit-il après avoir pris ses distances quelques secondes

58

avant de revenir dans le bureau, y aurait-il quelque chose qui me manquerait pour nos travaux ? Y aurait-il quelque chose qui m'échapperait dans les données ?

Sur son tabouret, Amy prit la pose du *Penseur* de Rodin, menton sur le poing et sourcils froncés en signe de réelle contemplation.

— Voyez, docteur Quinn, j'aurais pu vous répondre si vous aviez partagé vos informations avec moi, mais étant donné que je ne dispose que de ce que j'ai moi-même collecté ou personnellement analysé, je dois vous informer que, scientifiquement parlant, tout cela me dépasse.

— Merci, dit Nat qui ne put se retenir de sourire.

— Vous avez dit qu'il y avait un truc que vous étiez près de découvrir. Au sujet du chant des baleines, naturellement. De quoi s'agissait-il ?

— Si je savais, je l'aurais trouvé, vous ne croyez pas ?

— Mais vous devez bien avoir un doute. Vous avez certainement une théorie. Dites-moi ce que c'est et appliquons les données à la théorie. Je suis partante pour faire le boulot et retrouver les informations, mais pour ça, vous devez me faire confiance.

— Amy, aucune théorie ne s'est jamais vérifiée grâce à la pertinence des statistiques. Les stats tuent les théories. Une théorie n'est jamais au mieux de sa forme que lorsqu'elle gît, là, par terre, vierge, sans la moindre souillure des faits. Pour le moment, si on pouvait en rester là.

— Vous ne disposez donc pas vraiment de théorie ?

— J'en ai pas la queue d'une.

— Vous êtes aussi menteur qu'un arracheur de dents.

— Je peux vous virer, vous savez. Même si c'est Clay qui vous a recrutée. Je ne suis pas encore totalement inutile. Je suis responsable du projet. Et si je vous vire, de quoi vivrez-vous ?

— Je ne suis pas payée.

— Qu'est-ce que je vous disais ? Voilà un excellent concept sabré par la pertinence des données.

— Virez-moi alors, fit Amy en délaissant sa pose de penseur pour redevenir cette espèce de lutin maléfique.

— Il me semble qu'elles communiquent entre elles, dit Nat.

— Évidemment qu'elles communiquent entre elles, vous êtes idiot ou quoi ? Vous pensez qu'elles chantent parce qu'elles aiment le son de leur propre voix ?

— C'est un peu plus compliqué que ça.

— Dites-moi tout alors !

— Qui a traité l'autre d'idiot ? Et c'est quoi un idiot, au fait ?

— Un con avec un doctorat. Ne changez pas de sujet.

— Bon, oublions ça. Sans les statistiques, je ne peux même pas vous expliquer ce à quoi je pensais. En outre, je me demande si mes capacités cognitives ne sont pas en train de me lâcher.

— Que voulez-vous dire ?

« Ça veut dire que je commence à voir des choses, pensa-t-il, qu'en dépit du fait que vous me vomissez dessus, j'ai très envie de vous prendre dans mes bras et de vous embrasser. Putain que je suis mal ! »

— Je veux dire que j'ai encore un peu la gueule de bois. Je suis désolé. Voyons ce qu'on peut reconstruire à partir des notes.

Amy descendit du tabouret et prit les cahiers en main.

— Où allez-vous ? demanda Nat.

Lui avait-il manqué de respect ?

— On a quatre jours pour préparer une conférence. Je vais dans mon bungalow. Pour l'écrire.

— Mais comment ça ? Ça va porter sur quoi ?

— Je pensais à : « Les baleines à bosse, ces merveilleux compagnons humides des grands fonds marins : pourquoi devrions-nous... »

— Vous savez qu'il y aura de nombreux chercheurs à cette conférence ? Des biologistes..., l'interrompit Nat.

— « Pourquoi devrions-nous leur donner des coups de gaffe » ?

— Ah, c'est mieux, dit Nat.

— Je m'occupe de tout, fit Amy avant de partir.

Sans trop savoir pourquoi, le temps d'une seconde, il avait retrouvé sa vitalité, il s'était senti excité. Et puis, après qu'il l'eut vue s'éloigner, la mélancolie l'envahit et, pour la trentième fois de la journée, il se demanda pourquoi il n'avait pas fait pharmacien, ou skipper de charter, enfin un de ces trucs qui pimentent l'existence. Comme pirate par exemple.

*

La Vieille Peau, qui habitait sur les flancs d'un volcan, était persuadée que les baleines lui parlaient. Elle appela vers midi et Nat sut que c'était elle avant de décrocher, parce qu'elle appelait toujours quand il y avait trop de vent pour sortir en mer.

— Nat, comment se fait-il que vous ne soyez pas à naviguer dans la passe ? demanda-t-elle.

— Bonjour, Elizabeth, comment allez-vous ?

— Ne changez pas de sujet. Elles m'ont dit qu'elles voulaient vous parler. Aujourd'hui même. Alors pourquoi n'êtes-vous pas sortis ?

— Vous le savez très bien, Elizabeth. Parce qu'il y a trop de vent. Vous pouvez apercevoir l'écume des vagues aussi bien que moi.

Depuis les pentes du Haleakala, la Vieille Peau surveillait l'activité de la passe à l'aide d'un télescope céleste, qui grossissait deux cents fois, et d'une paire de « gros yeux », ces espèces de jumelles qui ressemblent à des bazookas en stéréo et que l'on scelle avec précision dans une tonne de béton.

— Elles sont très fâchées que vous ne soyez pas sortis. C'est pour ça que j'appelle.

— J'apprécie votre geste, Elizabeth, mais je suis très occupé.

Nat se dit qu'il avait peut-être été un peu brutal. C'est que la Vieille Peau était quelqu'un d'important. Dans un sens, ils étaient tous dépendants de sa générosité. Et si elle leur avait « donné » le

61

camp de Papa Lani, là où ils travaillaient, elle n'en avait pas cependant signé l'acte notarié, ce qui faisait qu'ils se trouvaient dans une situation de location permanente. Mais Elizabeth Robinson était généreuse et très gentille, même si elle était complètement givrée.

— Nat, je ne suis pas totalement barjo, dit-elle.

« Oh que si ! » pensa-t-il.

— Bien sûr que non, dit-il. Mais j'ai du boulot que je dois terminer aujourd'hui.

— Sur quoi travaillez-vous ?

Nat pouvait l'entendre frapper son stylo sur le bureau. Car elle prenait des notes lorsqu'ils se téléphonaient. Il ignorait ce qu'elle pouvait en faire, mais la chose le dérangeait.

— Dans quatre jours je donne une conférence au sanctuaire.

Mais pourquoi lui avait-il dit ça ? Pourquoi ? À présent, elle allait débarquer dans sa vieille Mercedes aux allures de command-car de l'époque nazie, s'asseoir dans l'assistance et poser des questions auxquelles il ne pourrait pas répondre.

— Ça ne va pas être bien difficile. Vous l'avez déjà fait auparavant. Combien de fois ? Une vingtaine ?

— C'est vrai, mais hier quelqu'un a saccagé le camp. Mes notes, les bandes magnétiques, les analyses, tout est perdu.

Il y eut un silence au bout du fil. Nat entendit la respiration de la Vieille Peau qui finalement demanda :

— Vous m'en voyez vraiment désolée, Nat. Est-ce que tout le monde va bien ?

— Oui, c'est arrivé quand nous étions à l'extérieur.

— S'il y a quoi que ce soit que je puisse faire... Je veux dire, je ne peux pas vous envoyer grand-chose, mais si...

— Non, non, ça va. C'est rien qu'une question de travail que je dois reprendre à zéro.

À une certaine époque, la Vieille Peau avait dû être pleine aux as, et elle pouvait à coup sûr le redevenir en vendant le terrain où se trouvait le camp de Papa Lani. Depuis la baisse des marchés boursiers, Nat se disait qu'elle n'avait plus autant d'argent à dépenser. Mais même si elle l'avait fait, son problème n'était pas du genre à se régler à coups de fric.

— Dans ce cas, retournez à vos travaux, mais je compte sur vous pour sortir demain. Il y un grand mâle qui m'a dit qu'il voulait que vous lui apportiez un sandwich au bœuf fumé.

Nat sourit et faillit s'étrangler de rire au téléphone.

— Elizabeth, vous savez bien qu'ils ne s'alimentent pas quand ils sont dans nos eaux.

— Je ne fais que transmettre le message, Nat. Ce n'est pas la peine de vous moquer de moi. C'est un gros mâle, très gros, qui doit juste arriver d'Alaska. Franchement, je comprends pas comment il peut avoir faim, il est aussi gros qu'une maison. Mais n'oubliez tout de même pas le gruyère et la moutarde anglaise, il a été très clair là-dessus. Il porte des marques très inhabituelles sur la queue. D'où je suis, je n'ai pas pu les voir, mais il a dit que vous le reconnaîtriez.

Nat sentit que son visage prenait un air idiot, avec un soupçon de grande surprise.

— Elizabeth…

— Nat, appelez-moi si vous avez besoin de quoi que ce soit. Transmettez mes amitiés à Clay. Aloha.

Nathan Quinn laissa le téléphone lui échapper des doigts, puis, tel un zombie, il sortit du bureau en trébuchant pour regagner son bungalow personnel où il prit la décision de faire un somme, et de dormir jusqu'à ce qu'il se réveille dans un monde qui ne soit pas aussi bizarrement agaçant.

*

Juste sur le bord d'un rêve, à la barre d'une vedette de soixante pieds de long, il descendait la 2e Rue à Seattle, labourant de part et d'autre les voitures les moins rapides pendant qu'Amy, contrairement à son habitude, très bronzée et vêtue d'un bikini argent, debout à la proue, saluait les gens agglutinés aux fenêtres du premier étage des bureaux, émerveillés de la liberté et du pouvoir de Super Quinn. Et à la limite de ce qui aurait pu être un rêve parfait, Clay entra dans la pièce.

— Kona va occuper le bungalow numéro six.

— Amy, jetez quelques lignes à l'eau, dit Nat du fin fond des profondeurs de son sommeil. On va bientôt arriver au marché de la place Pike et il y a du poisson à prendre.

Clay attendit, sans vraiment sourire, pendant que Nat se relevait et se frottait les yeux.

— Tu conduisais un bateau en pleine rue, c'est ça ? demanda Clay en hochant la tête car tous les skippers faisaient ce rêve.

— J'étais à Seattle, dit Nat. Le bungalow numéro six, c'est celui du Zodiac.

— On s'est pas servi du Zodiac une seule fois en dix ans, il est sûrement poreux.

Clay alla dans le débarras qui servait de séparation entre d'un côté l'espace où ils vivaient et dormaient, et de l'autre la cuisine. Il sortit une pile de draps, puis des serviettes.

— Nat, tu n'imagineras jamais où ils forçaient ce gamin à vivre : dans un bâtiment industriel en ferraille, près de l'aéroport. Ils étaient vingt ou trente dans des petits boxes, avec des bannettes, où ils pouvaient à peine se retourner. L'installation électrique, c'est des rallonges qui courent par-dessus les cloisons des boxes. Et ils paient six cents dollars par mois pour ça.

Nat haussa les épaules.

— Et alors ? Les premières années, toi et moi, on a vécu dans des trucs comme ça. Concernant ce que tu es en train de faire, on pourrait avoir besoin du bungalow numéro six pour stocker du matériel ou je ne sais quoi.

— Sûrement pas, répondit Clay. Là où il vivait c'était une étuve et le feu pourrait prendre à tout moment. Il ne va pas rester là-bas. Il bosse pour nous à présent.

— Mais Clay, il bosse pour nous depuis vingt-quatre heures. Et c'est probablement un délinquant.

— Il bosse pour nous, dit Clay.

Pour lui, qui avait un sens aigu de la loyauté, cela voulait tout dire, puisqu'il avait décidé que Kona était des leurs, c'est qu'il l'était.

— D'accord, dit Nat qui se sentait comme s'il venait juste d'inviter une méduse pour aller manger un sandwich. La Vieille Peau a appelé.

— Comment va-t-elle ?

— Toujours aussi cintrée.

— Et toi ? Comment tu vas ?

— Je suis pas loin derrière.

CHAPITRE 7

Le sanctuaire ! Le sanctuaire !
criait la baleine

Quand le visiteur arrive pour la première fois à Hawaï, au sanctuaire des baleines à bosse, en fait cinq garages à bateaux de couleur bleu bébé (teinté de cobalt), tassés sur la rive de l'immense baie de Maalaea, et surplombant les ruines d'une ancienne piscine d'eau salée, sa première réaction est généralement de dire : « C'est ça, leur sanctuaire ? On pourrait tout juste mettre trois baleines dans les bâtiments. Et encore… » Puis il se rend enfin compte que ces bâtisses ne sont en fait que les bureaux et le musée, et que le sanctuaire proprement dit couvre les passes qui vont de Molokaï à la grande île d'Hawaï, entre Mauï, Lanaï et Kahoolawe, ainsi que les côtes septentrionales d'Oahu et de Kauaï, suffisamment vastes pour abriter une forte colonie de baleines, ce qui explique pourquoi on les garde là.

Quand Nat et Amy arrivèrent dans le parking avec la camionnette, il y avait à peu près une centaine de personnes à faire le pied de grue à l'extérieur de la salle de conférences.

— On dirait qu'il y a pas mal de monde, dit Amy.

Elle n'avait assisté qu'à une seule des conférences hebdomadaires du sanctuaire, celle qu'avait donnée Gilbert Box, un biologiste rabat-joie qui faisait des études grâce à une bourse de la Commission baleinière internationale. Box, d'une voix monocorde, avait marmonné des litanies de chiffres et présenté des graphiques jusqu'à ce que les dix personnes du public n'aient plus qu'une idée en tête : tuer une baleine pour le faire taire.

— C'est la moyenne pour nous, dit Nat en souriant. L'étude de terrain attire plus de monde que les enquêtes théoriques. On est plus sexy.

— Je vois le genre, répondit Amy en manquant de s'étrangler. Vous vous prenez pour les Mae West de la conjuration des imbéciles.

— Des imbéciles actifs, corrigea Nat. Des imbéciles aventuriers. Romantiques.

— Des imbéciles quand même, fit Amy.

Nat aperçut le squelettique Gilbert Box à l'écart de la foule. Il portait un chapeau de paille dont les bords étaient si larges qu'il eût pu abriter trois autres personnes et une paire d'énormes lunettes de soleil enveloppante comme en ont les soudeurs à l'arc ou ceux qui veulent se protéger d'une explosion atomique. Son visage émacié avait encore des traces blanches de l'oxyde de zinc dont il se servait pour se préserver du soleil quand il sortait en mer. En chemise à manches longues et pantalon kaki, il était appuyé sur son éternelle ombrelle blanche. Il restait une demi-heure de jour avant le coucher du soleil, une douce brise montait de la baie de Maalaea et Gilbert Box avait tout de la Mort prête à faire sa balade d'après-dîner, juste avant qu'elle n'entame une nuit bien remplie de courriers électroniques annonçant des attaques cardiaques et des tumeurs à quelques millions d'heureux élus.

Vu son besoin compulsif de tout compter, Nat l'avait surnommé Box Mordicus, comme le personnage dans la série télé *Rue Sésame*. (Nat était déjà trop âgé quand *Rue Sésame* avait été diffusé à la télé mais il l'avait vu quand il était en classe de seconde et qu'il gardait alors Sam, son petit frère.) Les gens trouvaient que le nom de Mordicus allait comme un gant à un type qui avait une aversion pour l'eau et le soleil, et le sobriquet s'était répandu bien au-delà de la sphère immédiate d'influence de Nat et de Clay.

Un frisson de panique parcourut l'échine de Nat.

— Ils vont s'apercevoir que nous avons tout bidonné. Vous pouvez être certaine que Mordicus va intervenir dès que nous n'allons pas donner les chiffres adéquats pour étayer le discours.

— Mais comment pourrait-il les connaître ? Il n'y a que vous qui les aviez il y a une semaine. Et c'est quoi ce « nous » ? Moi je m'occupe seulement du projecteur.

— Merci beaucoup.

— Tarwater est là, dit Amy. Qui sont ces femmes avec lesquelles il s'entretient ?

— Probablement quelques amoureuses des baleines, répondit Nat en faisant semblant de faire croire que garer la camionnette au milieu de quatre emplacements vacants nécessitait l'intégralité de ses facultés intellectuelles.

Les femmes auxquelles Tarwater parlaient étaient les docteurs Margaret Painborne et Elizabeth « Libby » Quinn. Elles travaillaient ensemble avec un couple de jeunes gouines, plutôt hommasses, qui étudiaient le comportement des baleines femelles et de leur baleineau et les vocalisations sociales. Nat pensait qu'elles faisaient du bon boulot, même si dans leur agenda la mixité des genres faisait défaut. Margaret approchait de la cinquantaine. Petite et boulotte, elle avait de longs cheveux gris qu'elle portait toujours nattés. Libby, de presque dix ans sa cadette, mince, avec de longues jambes, les cheveux blonds virant au gris coupés court. Elle avait été, et la chose ne datait pas beaucoup, la troisième femme de Nat Quinn. C'était la première fois que Nat revoyait Libby depuis qu'Amy avait rejoint son équipe.

— Elles n'ont pas l'air d'amoureuses des baleines, dit Amy. Elles ont plutôt l'air de chercheurs.

— À quoi vous voyez ça ?

— Elles ont l'air d'imbéciles portées sur l'action, répondit Amy manquant à nouveau de s'étrangler en descendant de la camionnette.

— Votre rire moqueur, ce n'est pas très confraternel.

Mais Amy s'éloignait déjà vers la salle de conférences, son carrousel de diapos sous le bras.

En fendant la foule, Nat compta plus d'une trentaine de chercheurs. Pour ne parler que de ceux qu'il connaissait. Tout au long de la saison, des nouveaux : étudiants venant de passer leurs diplômes, équipes de cinéastes, reporters, gens des pêcheries, protecteurs et mécènes de la nature, tous viendraient des États-Unis avec l'espoir de décrocher une des rares autorisations délivrées chaque année de pratiquer des recherches dans le sanctuaire.

Bizarrement, Amy alla directement voir Cliff Hyland et son chien de garde, Tarwater. Il avait délaissé son uniforme pour un pantalon Dockers et une chemise Tommy Bahama. Malgré cela, on ne voyait que lui à cause de ses plis impeccablement faits au fer à repasser. Quant à ses mocassins Topsiders, on se serait vu dedans. Il se tenait raide comme la justice et donnait l'impression d'avoir une barre à mine dans la colonne vertébrale.

— Salut, Amy, dit Cliff. J'ai été désolé d'apprendre que vous avez été cambriolés. Beaucoup de dégâts ?

— On va arranger ça, répondit Amy.

Nat arriva derrière son assistante.

— Salut, Cliff. Capitaine, fit-il en hochant la tête.

— Désolé d'apprendre pour le cambriolage, Nat, redit Cliff. J'espère que vous n'avez rien perdu d'important.

— On est bien emmerdés, dit Nat.

Tarwater sourit. Pour Nat, c'était la toute première fois qu'il le voyait sourire.

— Tout va bien, dit Amy en souriant tout en brandissant son carrousel de diapos comme s'il s'agissait d'un talisman.

— Je pense sincèrement à prendre un boulot chez Starbucks[1], dit Nat.

---

1. Chaîne de restauration bon marché.

— Et vous, Cliff, sur quoi travaillez-vous ? demanda Amy après s'être approchée si près de Cliff Hyland que, pour le regarder, elle dut lever vers lui ses grands yeux bleus de jeune fille sous le charme.

Nat eut un mouvement de recul. C'était… comment dire, pas la chose à faire. On ne demandait pas ce genre de chose de façon aussi directe.

— Sur des trucs pour la marine, dit Cliff qui cherchait à s'écarter d'Amy tout en sachant que s'il le faisait il perdrait la face.

Nat regarda Amy s'approcher encore d'un pas supplémentaire, ce qui égratigna son manque d'à-propos contre l'ego masculin de son ami entre deux âges. Il y eut également une réaction de Tarwater alors que le plus jeune des deux hommes semblait prendre ombrage du fait qu'Amy portait de l'attention à Cliff. Ou peut-être était-il alors irrité parce que Amy était, justement, irritante. Parfois, Nat se faisait la remarque qu'il ne devait pas toujours penser en biologiste.

— Vous savez, Cliff, dit Amy, je regardais la carte l'autre jour, et, tenez-vous bien, car ça pourrait vous faire un choc, mais l'Iowa n'a pas de frontière maritime. Cela ne constitue-t-il pas un obstacle pour étudier les mammifères marins ?

— Puisque vous abordez le sujet : si, c'en est un, dit Cliff. Mais où étiez-vous il y a dix ans quand j'ai accepté le poste ?

— Au collège, répondit Amy. Dites-moi, c'est quoi, cette grosse caisse sur votre bateau ? Un sonar ? Vous allez effectuer une nouvelle étude en eaux profondes ?

Tarwater toussota.

— Amy, interrompit Nat, on ferait bien d'aller nous préparer.

— Vous avez raison, dit Amy. Enchantée de vous avoir rencontrés.

Elle s'éloigna. Nat sourit, le temps d'une seconde.

— Désolé, vous savez comment ça se passe ?

— Oui, sourit Cliff Hyland, nous avons deux étudiants qui travaillent avec nous cette saison.

— Mais nous avons laissé le menu fretin à la maison, à analyser les données, ajouta Tarwater.

Nat et Cliff se regardèrent comme deux vieux lions aux dents brisées et depuis longtemps mis à l'écart de la meute, fatigués, mais convaincus que s'ils se serraient les coudes ils feraient mordre la poussière au jeune mâle. Cliff haussa les épaules d'une façon presque imperceptible qui voulait dire : « Désolé, Nat, je sais bien que c'est un con, mais qu'est-ce que je peux faire d'autre ? C'est lui qui finance. »

— Je ferais mieux d'y aller, dit Nat en tapotant ses notes dans sa poche de chemise.

Il salua des gens qu'il connaissait en passant près d'eux, puis, derrière la porte, il se trouva face à un petit cauchemar : Amy en train de parler avec Libby, son ex-femme, et sa partenaire Margaret.

Ça s'était passé comme ça : ils s'étaient rencontrés dix ans plus tôt, un été, en Alaska, dans une cabane perdue de l'île de Baranof dans le détroit de Chatham, là où les scientifiques avaient le droit d'accoster avec deux Zodiac à coque rigide, là où ils pouvaient avaler à satiété toutes les boîtes de conserve de haricots et de saumon fumé et boire autant de vodka russe qu'ils voulaient. Nat était venu pour observer les comportements de ses chères baleines à bosse en matière d'alimentation et pour enregistrer les sons qu'elles émettaient lorsqu'elles étaient en groupe, ce qui pourrait l'aider à interpréter leurs chants quand elles migraient à Hawaï. Libby, elle, pratiquait des biopsies sur la population des baleines tueuses (des mangeuses de poisson) qui résidaient dans la zone, dans le but de prouver que toutes les espèces étaient unies par le sang et issues d'un même clan. Nat était divorcé de sa deuxième épouse depuis deux ans. Libby, à trente ans, était à deux mois de terminer sa thèse de doctorat en biologie des cétacés. Ce qui signifiait que, depuis le lycée, elle avait consacré tout son temps à l'étude, n'ayant que des aventures passagères avec des skippers, des chercheurs d'âge mûr, des étudiants récemment diplômés, des pêcheurs et le photographe ou le cinéaste animalier de passage. Ce n'était pas à proprement parler une fille facile mais si vous vous destiniez à l'étude des baleines vous vous retrouviez ballottée sur un océan de mâles et, si vous ne vouliez pas vivre seule, il arrivait que, de temps à autre, vous relâchiez dans un port, parfois miteux, mais à défaut bien pratique. Le caractère éphémère du travail écartait un grand nombre de femmes. D'un autre côté, Nat essayait de résoudre l'aspect masculin de l'équation en épousant des chercheuses en baleines, partant du principe que seule une personne aussi obsédée, distraite et tenace que lui pourrait tolérer ces mêmes qualités chez son partenaire. Bien évidemment, cette sorte de raisonnement témoignait de la victoire du romantisme sur la raison, de l'ironie sur la rationalité et de la folie pure sur le bon sens. Être marié à une scientifique n'offrait aux yeux de Nat qu'un seul avantage : celui de ne pas se voir demander à quoi il pensait, allongé sur le lit, lors de l'étreinte post-coïtale. Les filles savaient à quoi il pensait, parce qu'elles pensaient à la même chose que lui, c'est-à-dire aux baleines.

Ils étaient l'un et l'autre grands, blonds et hâlés par le vent. Un soir, alors qu'ils vidaient le matériel de leur Zodiac respectif, Libby avait dégrafé le haut de sa combinaison de survie et en avait noué les manches autour de la taille de façon à être plus à l'aise dans ses mouvements. Nat lui avait dit :

— Tu es vraiment belle comme ça.

Aucune femme, je dis bien, aucune, ne peut être belle en combinaison de survie (à moins, bien entendu, que votre idéal féminin pour un rendez-vous cochon ressemble à un bonhomme Michelin orange fluo). Libby n'avait pas pris la peine de rouler des yeux. Elle avait dit :

— Dans mon bungalow, j'ai de la vodka et une douche.

Ce à quoi Nat avait répondu :

— Ben moi aussi j'ai une douche dans mon bungalow.

Libby avait simplement secoué la tête et pris la direction de son bungalow en traînant les pieds. Puis elle avait crié par-dessus son épaule :

— Dans cinq minutes, il va y avoir une nana à poil sous ma douche. Ça aussi, t'en as une ?

— Oh, avait fait Nat.

*

Ils étaient toujours grands l'un et l'autre, mais ils n'étaient plus blonds. Nat avait les cheveux entièrement gris et Libby n'en était pas loin. Elle sourit quand elle le vit approcher.

— On a appris au sujet du saccage, Nat. Je voulais t'appeler.

— Pas grave, dit-il, tu n'aurais pas pu faire grand-chose.

— C'est vous qui le dites, fit Amy qui, se balançant sur les talons, donnait l'impression qu'elle allait exploser à tout moment.

— Je crois que ces trucs-là vont minimiser ce que vous avez perdu, dit Libby.

Elle prit alors le sac qu'elle portait sur l'épaule, plongea la main dedans pour en sortir une poignée de CD glissés dans des pochettes en papier.

— Je suis sûr que tu les avais oubliés. Tu nous les avais prêtés la saison dernière de manière à ce que nous en extrayons quelques bruits de groupe qu'on entend en fond sonore.

— Ce sont tous les chants enregistrés ces dix dernières années, fit Amy. C'est pas génial, ça ?

Nat eut le sentiment qu'il allait se sentir mal. Il avait perdu dix ans de travail, et voilà qu'on les lui rendait, comme ça, simplement. Il posa la main sur l'épaule de Libby pour assurer son équilibre.

— Je ne sais trop quoi dire. Je croyais que tu nous les avais rendus.

— On avait fait des copies, dit Margaret en s'avançant vers Quinn.

Ce faisant, elle mit un pied entre Nat et son ex-femme.

— Tu avais dit qu'on pouvait, ajouta-t-elle. On les a juste utilisées pour les comparer avec nos échantillons.

73

— C'est très bien, dit Nat.

Il faillit lui tapoter l'épaule mais dès qu'il tendit le bras vers elle, elle se détourna et il laissa donc retomber sa main.

— Merci, Margaret.

Elle s'était à présent complètement interposée entre Nat et Libby, faisant une barrière de son corps (une attitude qu'elle avait de toute évidence copiée en étudiant les relations baleines/baleineaux et que les femelles reproduisaient avec les bateaux ou les mâles amoureux qui approchaient leur petit).

Amy prit la poignée de CD des mains de Libby.

— Je ferais mieux de m'occuper de ça. Si je fais vite, je peux sûrement choisir quelques échantillons qu'on va pouvoir passer pendant la projection de diapos.

— Je viens avec vous, dit Margaret en regardant Amy, mon écriture laisse à désirer, je ne sais pas si vous allez pouvoir déchiffrer les repères sur la liste.

Elles partirent vers la salle de projection située dans le milieu de la salle, abandonnant Nat face à Libby, se demandant ce que cela allait donner au juste.

— Tu sais, Nat, elle a vraiment un cul extraordinaire, dit Libby en regardant Amy s'éloigner.

— Ouais, fit Nat, voulant à tout prix éviter ce sujet. Elle est aussi très intelligente.

Au cours de la semaine écoulée, il avait perçu une toute petite voix dans sa tête, qui avait commencé à lui demander : « Est-ce que ça pourrait être encore plus étrange ? » En deux minutes, il était passé de l'angoisse à l'embarras, à nouveau à l'angoisse, puis au soulagement et à la gratitude en voyant des filles avec son ex-femme. « Oh que oui, toute petite voix, ça peut toujours être encore plus étrange. »

— J'ai l'impression que Margaret recrute, dit Libby. J'espère qu'elle a vérifié notre budget avant de lancer l'opération.

— Amy travaille gratos, dit Nat.

Libby se hissa sur la pointe des pieds et murmura :

— J'ai le sentiment que l'équipe des filles est dans les starting-blocks.

Puis elle l'embrassa sur la joue avant de lui dire :

— Nat, ce soir, tu vas leur en mettre plein la vue, OK ?

Là-dessus, elle partit sur les traces d'Amy et de Margaret.

Clay et Kona arrivèrent sur ces entrefaites et, de façon très dérangeante, Kona examina Libby par-derrière.

— Salut, Patron Nat. C'tait qui c'te tante gâteuse qui te léchait la tronche ? (Comme de nombreux indigènes d'Hawaï, Kona appelait « tante » toute femme d'une génération plus vieille que la sienne, même si elle le faisait bander.)

— Il a fallu que tu l'amènes ici, dit Nat à Clay sans même regarder Kona.

— Il faut bien qu'il apprenne, répondit Clay. On dirait que Libby est dans ses meilleurs jours.

— Elle donne la chasse à Amy.

— Oh ! La voleuse au cœur sombre veut becqueter la Blanche-Neige ? La Blanche-Neige de notre tribu ?

— Libby a été la troisième épouse de Nat, osa Clay, comme si cela pouvait éclairer le fait que la Libby au cœur sombre essayait de voler la Blanche-Neige de leur tribu.

— Sans déc ? dit Kona en secouant son énorme concrétion de dreadlocks telle une poupée de chiffon en pleine confusion. T'as été marié à une lesbienne ?

— Z'ont des sexes de baleine, dit Clay, ce qui n'ajoutait ni explication ni illumination au propos.

— Je ferais mieux d'aller relire mes notes, moi, fit Nat.

CHAPITRE 8

Une conversation déchirante

— La biologie? fit le faux Hawaïen, c'est une salope tout juste bonne à nous transformer en marionnette sexuelle.

Clay venait juste de lui raconter l'histoire. Une histoire qui disait :

Au bout de cinq ans de mariage avec Nat, Libby était partie passer l'été dans la mer de Béring, poser des puces électroniques sur les baleines femelles, de façon à suivre les migrations par satellite. Elle travaillait déjà avec Margaret Painborne qui, à l'époque, cherchait à en savoir davantage sur la cohabitation et la gestation des baleines franches. La meilleure façon de le faire était de garder en permanence des puces sur les femelles. Il faut cependant savoir que définir le sexe des baleines reste une tâche des plus ardues, leur appareil génital, pour des raisons hydrodynamiques, étant essentiellement interne. Il n'existe que la biopsie ou l'accompagnement de l'animal en plongée (ce qui signifie la mort en moins de trois minutes dans la mer de Béring) pour déterminer le sexe, à moins de tomber sur une femelle avec son baleineau ou encore sur un accouplement. Libby et Margaret avaient décidé de marquer les animaux pendant la formation des couples. Le bateau qui leur servait de base était un schooner de quatre-vingts pieds prêté par Scripps[1], mais, pour effectuer le mar-

---

1. Institut de recherche basé à La Jolla en Californie.

76

quage proprement dit, elles se servaient d'un léger Zodiac de douze pieds équipé d'un moteur de quarante chevaux.

Elles avaient repéré une femelle qui tentait de repousser les avances de deux très gros mâles. La baleine franche est l'un des rares animaux de la planète qui a recours à une stratégie de balayage pour s'accoupler. Les femelles s'accouplent à plusieurs mâles, mais c'est celui qui peut chasser la semence des autres le plus efficacement possible qui transmettra ses gènes à la génération suivante. En conséquence, le vainqueur est en général celui qui est doté de l'appareil de levage le plus impressionnant, et les mâles, chez les baleines franches, ont les plus gros sexes de la Création, dotés de testicules qui peuvent peser une tonne et d'un pénis de trois mètres qui, non content d'être long, est également préhensile, et les rend capables de prendre une femelle par le côté ou de s'autopénétrer sournoisement.

Muscles bandés, Libby, était à la proue du bateau avec en main une perche de fibre de verre de cinq mètres de long, équipée à son extrémité d'un barbillon d'acier lui-même relié à un satellite. Ballottée par des vagues glacées de deux mètres de hauteur, Margaret avait amené le hors-bord à l'endroit où Libby pouvait effectuer le marquage. Si les baleines franches ne sont pas des animaux particulièrement rapides (les chasseurs les capturaient autrefois avec des bateaux à rames), elles sont grosses et larges et, dans l'affolement d'une chasse à l'accouplement, un petit Zodiac offre autant de protection contre leurs corps de soixante tonnes qu'une armure en papier d'alu dans une joute des temps anciens. Et la noble Libby, en bonne couillonne avide d'action qu'elle était, la lance prête à frapper, avait tout d'un galant chevalier dans sa combinaison de survie orange fluo, alors qu'Evinrude, son fidèle destrier, chevauchait les flots.

Elles s'étaient approchées de la grosse femelle qui, prise en sandwich entre deux mâles dont elle ne pouvait se libérer, s'était retournée sur le dos, offrant ainsi son appareil génital au ciel. Ce faisant, la baleine ralentit sa course, ce qui permit à Margaret d'aller se poster entre les deux queues des mâles de façon à ce que Libby puisse effectuer son marquage. Margaret avait coupé les gaz pour ne pas blesser l'animal avec l'hélice.

— Merde! avait crié Libby. Écarte-toi! Écarte-toi!

Un grand coup de queue d'une des baleines pouvait les jeter à l'eau où les deux femmes mourraient d'hypothermie en quelques instants. Libby avait roulé sa combinaison de survie autour de la taille pour être plus à l'aise avec le harpon. Elle risquait d'être balayée à tout moment.

Soudain, deux énormes pénis avaient émergé de chaque côté du bateau. Il s'agissait des mâles qui cherchaient à marquer leur territoire en s'approchant de la femelle. Ils provoquèrent des vagues qui jetèrent les deux femmes au fond de leur embarcation. Au-dessus, les deux tours roses, en quête de leur but, décrivaient des cercles, frôlaient les bords du bateau, déposaient de la bave sur le caoutchouc, sur les biologistes elles-mêmes, fouaillant l'eau, tapant ici et là. Le Zodiac se trouvait exactement à l'aplomb des parties génitales de la femelle qui voyait dans l'embarcation de caoutchouc le diaphragme idéal. Puis les deux sexes géants s'étaient rencontrés au milieu du Zodiac, chacun, évidemment, pensant que l'autre avait atteint son but et refusant d'être tenu à l'écart. Ils avaient lâché leur prise en éjaculant plusieurs jets bouillonnant de sperme, remplissant le bateau, engloutissant les équipements, les deux scientifiques, lessivant le harpon, inondant le moteur, recouvrant tout de foutre, à l'exception de la femelle. Mission accomplie, ils s'étaient écartés pour digérer le choc post-coïtal hors de la zone de la joute. Margaret souffrait d'une commotion et d'un décollement partiel de la rétine, Libby d'une épaule luxée et de diverses égratignures et bleus. Mais leur véritable traumatisme ne se soignerait pas avec le bruit sec d'un membre qu'on remet en place, avec un bras en écharpe ou de la Bétadine.

Quelques semaines plus tard, Libby avait retrouvé Nat dans le détroit de Chatham où Clay filmait le comportement des baleines en matière d'alimentation. Libby était entrée dans le bungalow, avait donné l'accolade à Nat, fait un pas en arrière et dit:

— Nat, je ne pense pas que je veuille encore me marier.

Mais ce qu'elle voulait effectivement dire, c'était : « J'en ai soupé des pénis, Nat, et malgré tout ton charme, je n'ignore pas que tu en possèdes un. J'ai eu ma dose, si je peux m'exprimer ainsi. Je me tire. »

— Je comprends, avait dit Nat.

Plus tard, il avait dit à Clay que cela faisait plusieurs heures qu'il avait faim et qu'il se disait à lui-même qu'il devrait arrêter de travailler pour aller manger, mais après l'arrivée, puis le départ de Libby, il s'était finalement rendu compte qu'il n'avait plus faim du tout. Le vide qu'il ressentait en lui avait la solitude pour origine. Depuis ce jour Nat était resté relativement solitaire, avec le cœur brisé (bien qu'il ne fût pas du genre à se plaindre, se contentant de porter son fardeau). Clay n'avait pas parlé de cela à Kona. Les confessions que l'on faisait autour d'un whiskey ou d'un feu de camp avaient un caractère privilégié et portaient la marque de la loyauté.

*

— Donc, dit Nat, puisque dans la plupart des cas le chant apparaît pour attirer l'attention des autres mâles qui viennent souvent se joindre au chanteur, il semblerait que le chant ne soit pas directement lié à l'activité d'accouplement proprement dite, nonobstant le fait qu'il se produise pendant la saison des amours. Et puisque personne n'a assisté à l'accouplement des baleines à bosse, même cette affirmation pourrait être fausse. Si le chant constitue effectivement un moyen pour le mâle de marquer son territoire, il semblerait inefficace, attendu que les autres mâles cherchent à se rapprocher des chanteurs, y compris de ceux qui escortent des mères et leur petit. L'étude recommande des approfondissements afin de trouver s'il y a, comme on a pu le penser précédemment, une corrélation directe entre le chant des baleines à bosse et l'activité d'accouplement. Je vous remercie et me tiens prêt à répondre à vos questions.

Des mains se levèrent. Tous étaient venus : ceux qui lisent dans les boules de cristal, les amoureux des baleines, les hippies, les chasseurs, les touristes, les promoteurs immobiliers, les cinglés, les chercheurs (que Dieu nous aide, nous, les chercheurs) et les badauds. Nat n'avait rien contre ces derniers. C'était les seuls qui n'avaient pas d'agenda. Tous les autres espéraient des confirmations, pas des réponses. Devait-il en premier répondre à un chercheur ? Éviter la chose ? Autant se jeter dans la gueule du loup.

— Oui, Gilbert, dit-il en désignant Mordicus.

Le grand scientifique (par la taille) avait ôté ses lunettes de soleil mais rabattu les bords de son chapeau afin de masquer les pupilles rouges de ses yeux. À moins que ce ne fût le fruit de l'imagination de Nat.

— Donc, fit Mordicus, à partir de ces petits échantillons — car en fait, qu'avons-nous ? cinq exemples d'interaction entre les chanteurs et les autres —, vous ne pouvez pas tirer de véritable conclusion concernant la relation à la reproduction ou à la robustesse de la population, n'est-ce pas ?

Nat soupira. « Connard ! » pensa-t-il. Puis il s'adressa aux visages inconnus de l'assistance, aux profanes.

— Comme vous ne l'ignorez pas, docteur Box, les échantillons d'études relatifs au comportement sont en général peu nombreux, ce qui implique que nous devons extrapoler davantage à partir des statistiques sur les baleines que pour tout autre animal plus facilement observable. De petits échantillons constituent une limite acceptée du champ d'étude.

— Si je comprends bien ce que vous êtes en train de dire, reprit Box, vous essayez d'extrapoler le comportement d'un animal qui passe moins de trois pour cent de son temps à la surface. C'est comme si vous extrapoliez sur le mode de vie des humains en observant leurs jambes sous l'eau quand ils vont à la plage. Comment vous y prendriez-vous ?

Nat jeta un regard sur l'assistance, espérant qu'un autre chercheur allait se lever, venir à son aide, jeter un os à ronger, mais apparemment tous trouvaient passionnants et irrésistibles l'agencement des messages

80

du tableau d'affichage, les ventilos du plafond et les lattes du parquet de bois.

— Récemment, nous avons consacré plus de temps à l'observation sous-marine des animaux. Clay Demodocus dispose de plus de six cents heures d'enregistrements vidéo sur le comportement sous-marin des baleines à bosse. Mais ce n'est que récemment, grâce à la technologie du numérique, que l'observation sous-marine est devenue praticable sans limite véritable. Mais nous avons à solutionner le problème de la propulsion. Aucun plongeur ne peut nager aussi vite que les baleines en déplacement. Je pense que tous les scientifiques ici présents comprennent la valeur de l'observation des animaux sous l'eau et il va sans dire que toute étude réalisée sans l'observation des comportements sous-marins est incomplète. Je suis sûr que vous comprenez cela, docteur Box, n'est-ce pas ?

Il y eut quelques hennissements de suffocation dans l'assistance. Nat Quinn sourit. Mordicus ne pouvait aller sous l'eau, quelles que soient les circonstances. Soit il avait très peur, soit il était allergique à l'eau et il apparaissait évident, quand on le voyait dans son bateau, qu'il refusait tout contact avec l'élément marin. Malgré cela, s'il voulait percevoir des fonds de la Commission baleinière internationale, il lui fallait sortir en mer pour compter les animaux. *Sur* l'eau, jamais *dans* l'eau. Quinn pensait que Box dévoyait la science, qu'il en était la face cachée, et que pour cette raison il était devenu consultant. Il réalisait des études et fournissait des chiffres au plus offrant, et Nat ne doutait pas que les chiffres destinés au programme des sponsors étaient faussés. Certains pays affiliés à la CBI voulaient lever le moratoire sur la pêche à la baleine, mais ils devaient auparavant prouver qu'elles étaient redevenues assez nombreuses pour être à nouveau chassées. C'est Gilbert Box qui leur procurait ces chiffres. Nat n'était pas mécontent d'avoir mis Box dans l'embarras. Il attendit que le scientifique maigrelet ait hoché la tête pour passer à la question suivante.

— Oui, Margaret.

— Votre étude semble se concentrer sur les animaux mâles sans prendre en compte le rôle joué par les femelles dans le comportement. Pourriez-vous expliquer cela ?

« Tiens, comme c'est étonnant que ce soit elle qui demande ça ! » pensa Nat.

— En fait, je crois que d'excellents travaux ont été réalisés sur le comportement mère-baleineau, ainsi que sur les groupes actifs en surface. Nous pensons qu'il s'agit là d'une activité liée à l'accouplement, mais puisque mes travaux portent sur les chanteurs, et qu'à preuve du contraire tous les chanteurs sont des mâles, je me concentre davantage sur le comportement de ces derniers.

« Bon, ben, ça devrait lui aller comme réponse. »

— Donc vous ne pouvez pas affirmer à cent pour cent que les femelles sont étrangères au contrôle du comportement ?

— Margaret, comme mon assistante me l'a fait remarquer, la seule chose dont je suis certain au sujet des baleines à bosse, c'est qu'elles sont grosses et mouillées.

Rire général. Quinn regarda Amy qui lui fit un clin d'œil, puis, quand il regarda à nouveau Margaret, il aperçut Libby à ses côtés, qui lui fit également un clin d'œil. Au moins, la tension était retombée parmi les scientifiques et Quinn remarqua que le capitaine Tarwater, Jon Thomas Fuller et son entourage ne levaient plus le doigt pour poser des questions. Sans doute venaient-ils de se rendre compte qu'ils n'apprendraient rien et ils ne voulaient certainement pas étaler leurs propres programmes devant cette foule pour se faire moucher comme Gilbert Box. Quinn prit les questions des béotiens.

— Peut-être que les baleines ne font que se saluer, n'est-ce pas ?

— Oui.

— Si elles ne mangent pas quand elles sont ici, et si ce n'est pas lié à l'accouplement, pourquoi chantent-elles alors ?

— C'est une bonne question.

— Pensez-vous qu'elles savent que nous avons été contactés par des extraterrestres et qu'elles tentent d'entrer en contact avec le vaisseau principal ?

« Ah ! Ça fait toujours du bien d'entendre les cinglés », pensa Nat.

— Non, je ne crois pas.

— Peut-être utilisent-elles leur sonar pour contacter d'autres baleines ?

— Autant que nous puissions le savoir, les baleines édentées comme les baleines à bosse, celles qui tirent leur nourriture de la mer à travers des rangées de fanons, n'utilisent pas l'écho pour repérer leurs congénères comme peuvent le faire les baleines pourvues de dents.

— Pourquoi sautent-elles tout le temps ? Les autres baleines ne sautent pas comme ça.

— Certains pensent qu'elles muent ou essaient de se débarrasser de parasites, mais après des années passées à les observer, je crois qu'elles aiment seulement faire de gros splash et sentir l'air sur leur peau, tout comme vous pouvez aimer laisser vos pieds pendre dans l'eau d'une fontaine. Je crois qu'elles font seulement les folles.

— J'ai entendu dire qu'on avait cambriolé votre bureau et détruit l'intégralité de vos recherches. D'après vous, qui aurait pu vouloir faire ça ?

Nat marqua un temps d'arrêt. La femme qui venait de poser la question tenait un bloc de sténo comme en ont les journalistes. Il se dit qu'elle travaillait peut-être pour le *Maui Times*. Elle s'était levée pour poser sa question, comme si elle assistait à une conférence de presse plutôt qu'à une banale conférence tout court.

— La question que vous devriez vous poser, dit Nat, c'est : qui peut bien s'intéresser aux recherches sur le chant des baleines ?

— Et de qui pourrait-il s'agir ?

— De moi, de quelques personnes ici présentes, et peut-être d'une douzaine à tout casser de scientifiques éparpillés dans le monde entier. Au moins pour le moment. Peut-être que si nos recherches s'étoffent cela intéressera-t-il plus de monde.

— Vous êtes donc en train de dire que quelqu'un dans cette salle est entré dans vos bureaux par effraction et a détruit vos travaux ?

— Non. En tant que biologiste, une des choses contre lesquelles vous devez vous prémunir, c'est de vouloir trouver des raisons là où il n'y en a pas et de voir plus de choses dans le comportement que dans les annexes chiffrées, un peu comme pourrait l'être la réponse à la question : « Pourquoi sautent-elles ? » On pourrait répondre que c'est là un élément d'un système incroyablement compliqué de communication, et vous auriez peut-être raison, mais la réponse la plus évidente c'est que les baleines s'amusent. Je crois que le saccage est un simple acte de vandalisme qui a l'apparence de quelque chose de prémédité.

« Foutaises », pensa Quinn.

— Merci, docteur Quinn, dit la journaliste qui se rassit.

— Je vous remercie d'être venus, fit Nat.

Il y eut des applaudissements. Nat mit de l'ordre dans ses notes pendant que les gens s'attroupaient autour du podium.

— Quel tas de conneries ! dit Amy.

— Entièrement d'accord, dit Libby Quinn.

— Quel merdier ! dit Cliff Hyland.

— Z'avez dérapé, toubib, dit Kona. Le fantôme de Bob Marley vous habitait.

CHAPITRE 9

En toute relativité

Les filles des bars, à la peau toute tannée, travaillaient sur le port, dans les baraques de location de bateaux. Elles fumaient des cigarettes Basic de cent millimètres et parlaient avec des voix qui évoquaient le son que fait du rhum de mauvaise qualité versé sur de la graisse encore fumante : une mesure de gentillesse pour un litre de rugosité. Elles avaient trente-cinq ans, ou soixante-cinq, la peau couleur acajou, elles étaient minces et fortes à force de vivre sur les bateaux, d'alcool, de poisson et de déceptions. À bord de coquilles de noix, elles étaient arrivées là en provenance d'une douzaine de villes côtières, certaines des États-Unis, et avaient oublié d'économiser pour s'offrir le voyage retour. Abandonnées. De passer d'homme en homme, de bateau en bateau, d'année en année, sans parler du sel, du soleil et de l'alcool, tout cela les avait asséchées à un point tel qu'elles expectoraient de la poussière en toussant. Si elles tenaient le coup une centaine d'années (certaines y parviendraient), alors, par une nuit sans lune, un grand spectre encapuchonné fondrait sur le port et les ramènerait vers leurs îles aux rivages abrupts, ni vues ni connues, en tout cas pas par plus d'un seul être humain, et là, elles entretiendraient l'enchantement du monde de la mer : leurrant les marins perdus en les attirant sur leurs côtes, les vidant de tous leurs fluides humains avant d'abandonner leurs carcasses ratatinées sur

85

les rochers, aux bons soins des crabes et des goélands noirs. Ainsi étaient nées les sorcières de l'océan… mais c'est une autre histoire. Aujourd'hui, elles se contentaient juste de mettre Clay en boîte parce qu'il accompagnait deux filles sur le quai.

— C'est comme avec les hors-bord, Clay, faut toujours avoir deux moteurs pour être sûr qu'il y en aura au moins un qui marche, lui cria Margie, qui, une fois, après avoir descendu une dizaine de maï-taïs[1], avait essayé de niquer la statue en bois de capitaine au long cours qui montait la garde à l'entrée du Pioneer Hotel.

Debbie, qui savait où secrètement s'approvisionner en urine de petit garçon, celle qu'elle versait dans les oreilles des plongeurs qui récoltaient le corail noir quand ils attrapaient des otites, s'exclama :

— Celle-là aussi, Clay, tu l'as prise au berceau ? Laisse-la souffler un peu.

— Bonjour, mesdames, leur lança Clay par-dessus son épaule.

Il sourit et piqua un fard, ses oreilles virant également au rouge même lorsqu'elles n'étaient pas exposées au soleil. À cinquante ans, après avoir plongé dans toutes les mers du globe, subi les attaques de requins, survécu à la malaria et aux pirates de Malaisie, être descendu à cinq mille mètres dans la fosse de Tonga Trench dans un sarcophage en titane muni d'une fenêtre, il rougissait encore.

Claire, la petite amie de Clay depuis quatre ans, une prof d'une quarantaine d'années, moitié japonaise, moitié hawaïenne, et qui, lorsqu'elle bougeait, donnait l'impression de danser le hula-hop sur une marche de Sousa[2] (un surprenant mélange de majesté et de brise des îles), se fendit d'un *shaka* décontracté envers les vieilles pies et leur dit, tout sourire :

— Je l'accompagne pour aller verser des seaux d'eau sur ses moulinets… pour les empêcher de chauffer.

— Vous, alors, vous êtes vachement accro à tout ce qui touche la

---

1. Cocktail à base de rhum, de Cointreau, de citron vert, de sirop d'orgeat et de glace pilée.
2. John Philip Sousa : compositeur de marches et d'opérettes.

86

mer, dit Amy qui avait bien du mal à porter le container qui renfermait le matériel de plongée.

Le container lui échappa des mains et heurta son menton.

— Aïe! Oh la vache! On dirait que tout le monde craque pour votre charme de vieux loup de mer.

Des baraques de location de bateaux monta un chœur de caquetages qui s'étouffa en quintes de toux. Les filles retournèrent à leurs chats noirs, à leurs chaudrons, à leur huile de noix de coco, aux chansons du vénéré Jimmy Buffet[1] que l'on chante à minuit dans l'oreille des pseudo-Hemingway bourrés à barbe blanche pour que ces éponges gorgées de rhum ressuscitent une toute dernière fois d'entre les morts. Les filles au cuir tanné retournèrent à leurs affaires comme Kona arrivait.

— Salut, frangine Amy. Passe-moi ton machin, dit Kona en sautant sur le quai pour soulager Amy de l'équipement de plongée et le charger sur son épaule.

Amy se frotta le bras et dit :

— Merci. Où est Nat?

— Lui y en a aller au quai de ravitaillement de carburant chercher café pour toute la tribu. Lui y en a être un lion.

— C'est vrai, c'est un type gentil. Tu vas sortir avec lui aujourd'hui. Moi je dois aller avec Clay et Claire pour assurer la sécurité en plongée.

— Pas de chaussures à bord, dit Clay à Claire pour la énième fois.

Elle roula des yeux et envoya valser ses tongs avant de descendre à bord du *Toujours Déçu*. Elle tendit la main à Clay qui la lui prit comme s'il accompagnait une dame de la cour du roi vers la piste de danse.

Kona donna l'appareil de plongée à Clay.

— Moi pouvoir assurer sécurité en plongée.

1. Richissime chanteur de country music propriétaire de lignes de vêtements et de chaînes de boîtes de nuit.

— Tu ne parviendras jamais à te purger les oreilles. Tu peux pas te pincer les narines avec les anneaux que tu portes dans le nez.

— Eux s'enlever. Regarde, eux partis, dit-il en lançant les anneaux à Amy, qui s'écarta adroitement, de sorte qu'ils tombèrent à l'eau.

— Oups !

— Amy est un plongeur confirmé, mon garçon. Tu vas aller avec Nat aujourd'hui.

— Lui être au courant ?

— Il a raison, Nat est au courant ? demanda Claire.

— Il le sera bientôt. Amy, vous pouvez prendre ces bouts ?

— Je peux piloter le bateau, dit Kona au bord de la supplique.

— À part moi, personne ne conduit le bateau, dit Clay.

— Si, moi, je conduis le bateau, rectifia Claire.

— Il faut coucher avec Clay pour avoir le droit de piloter le bateau, dit Amy.

— Contente-toi de faire ce que Nat te dira, dit Clay, et tout se passera bien pour toi.

— Et si je couche avec Amy, je pourrai conduire le bateau ?

— Personne ne conduit ce bateau, dit Clay.

— Sauf moi, dit Claire.

— Personne ne couche avec Amy, fit Amy.

— Sauf moi, dit Claire.

Tous cessèrent ce qu'ils faisaient pour regarder Claire.

— Vous voulez de la crème ? demanda Nat qui arrivait à ce moment-là avec un plateau en carton et des tasses de café. Chacun mettra du sucre comme il l'entend.

— On parle bien de la même chose, dit Claire, les frangines se sucrent comme elles l'entendent.

Et Nat, déconcerté, resta en suspens, tenant une tasse, un sachet de sucre et un bâtonnet de bois.

— Je plaisantais, fit Claire en riant. Alors vous, je vous jure !

Chacun parut soulagé. On distribua les cafés et on chargea le

88

matériel. Clay sortit du port à la barre du *Toujours Déçu*, marquant une pause pour saluer Mordicus et son équipage qui chargeaient également du matériel dans un Zodiac à coque rigide de trente pieds servant en temps normal au parachute ascensionnel. Telle une statue squelettique de Washington traversant le Léthé, Mordicus rabattit le bord de son chapeau et se posta à la proue du Zodiac, son ombrelle à portée de main. L'équipage répondit à son salut, Gilbert Box se renfrogna.

— Je l'aime bien, dit Clay. Il est si prévisible.

Mais Amy et Claire n'entendirent pas le commentaire. Elles étaient à l'avant du bateau, en train de se mettre de la crème solaire, lancées dans des conversations de filles.

— Il vous arrive de parler comme une sacrée pétasse, des fois, dit Amy. J'aimerais pouvoir en faire autant.

Claire la piqua à la jambe d'un ongle long et laqué de rouge.

— Joue pas les modestes.

*

Le faux Hawaïen salua l'équipage du Zodiac, alors qu'il se tenait au bastingage de la proue du bateau, un Mako de vingt-deux pieds.

— Salut, les puits de science ! **Nous, nos** recherches, elles s'emmêlent les pinceaux !

Mais, comme Mordicus ignorait **son** salut, Kona se fendit de la réponse indigène traditionnelle :

— Comment ça que je vous dois du pognon ?

— Calme-toi, Kona, dit Nat. Et d'abord descends de là.

Kona revint vers la console de pilotage.

— Le vieux à veste blanche, il vous a jeté l'mauvais œil. Pourquoi ? Il vous prend pour un agent de Babylone ?

— Il détourne la science de ses préceptes. Il y a des gens qui viennent me questionner à son sujet, c'est ce que je leur dis.

— Et nous on fait ça dans les règles de l'art ?

— On ne corrige pas nos chiffres pour plaire à ceux qui financent nos recherches. Les Japonais veulent à tout prix des chiffres qui montrent que la population des baleines à bosse retrouve un niveau qui permettrait à la CBI d'autoriser à nouveau la chasse. Gilbert essaie de leur fournir ces chiffres.

— Veulent tuer les bosseuses ? Non.

— Si.

— Non. Pourquoi ?

— Pour les manger.

— Non, fit le blond rastafari en secouant la tête comme s'il voulait chasser le diable de ses oreilles, ce qui eut pour effet de faire faire le ventilateur à ses épaisses dreadlocks.

Quinn se sourit à lui-même. Le moratoire avait été mis en place avant la naissance de Kona. Ce que le gamin savait, c'était que les baleines avaient été convoitées par les chasseurs mais qu'elles leur étaient aujourd'hui interdites.

Quinn ajouta :

— C'est dans la tradition japonaise de manger de la baleine, un peu comme la coutume de notre jour d'action de grâce[1]. Mais c'est en perte de vitesse.

— C'est bien alors ?

— Non. Car il y a beaucoup d'anciens qui souhaitent remettre au goût du jour le fait de manger de la baleine. L'industrie baleinière japonaise est subventionnée par l'État. C'est même pas un commerce rentable. Ils servent de la viande de baleine dans les écoles de manière à ce que les gosses y prennent goût.

— Non. Personne peut manger de la baleine.

— La CBI leur permet de prélever cinq cents baleines de Mink par an, mais ils en tuent davantage. Et sur les étals de marchés

1. Allusion au *Thanksgiving Day*.

90

japonais, les biologistes ont trouvé de la viande qui provenait d'espèces en voie de disparition. Ils ont essayé de faire croire que c'était de la baleine de Mink, mais l'ADN ne ment pas.

— Les Mink ? Le fêlé avec ses peintures de guerre blanches, y tue nos Mink ?

— Il n'y a pas de baleines de Mink ici à Hawaï.

— Évidemment, puisque Mordicus les tue. Nous, on va arrêter cette foutue engeance, fit Kona en farfouillant dans son sac rouge, or et vert.

Il en extirpa un extraordinaire et complexe assemblage de plastique, de cuivre et de tube en acier chromé dont il fit en quelques secondes ce que Quinn prit soit pour un petit et élégant accélérateur de particules, soit, plus vraisemblablement, pour le plus alambiqué des bongs jamais créé.

— Ralentis la cadence, mon frère. Faut que je ravive la liberté, mec, qu'on détruise Babylone et qu'on se batte pour la gloire de Jah. Ralentis le rafiot.

— Range-moi ça.

Kona marqua une pause, son briquet Bic en équilibre sur le bol.

— Tu veux pas qu'on rentre à Sion, mon frère ?

— Non, on a du travail.

Nat ralentit le bateau et coupa les gaz. Ils se trouvaient à environ un mille au large de Lahaïna.

— Tu refuses de détruire Babylone ? fit Kona en levant le briquet.

— Oui. Range-moi ça. Je vais te montrer comment immerger l'hydrophone.

Quinn vérifia la bande du magnétophone de la console.

— On va sauver nos Mink ? fit Kona en agitant son briquet, éteint, en décrivant des cercles au-dessus du bol.

— Est-ce que Clay t'a montré comment prendre une photo d'identité ? demanda Nat en sortant l'hydrophone et le filin de leur container.

— Tu veux pas que l'herbe de Jah te transporte vers le surnaturel?

— Non! Range ça et sors l'appareil photo du coffre qui est à la proue.

En quelques manipulations rapides, quelques bruits secs, Kona démonta le bong qu'il rangea dans son sac fourre-tout.

— Comme tu voudras, mon frère, mais quand ils auront mangé toutes tes baleines, faudra pas dire que c'est la faute de Jah.

Une heure plus tard, après qu'ils eurent écouté, se furent déplacés, eurent à nouveau écouté, ils trouvèrent leur chanteur. Dubitatif, Kona, debout sur le plat-bord, fixait du regard le gros mâle immobile sous le bateau qui produisait un son voisin de celui que fait une victime kidnappée qui essaie de crier au travers d'un bâillon de Chatterton.

Le regard de Kona allait de la baleine à Nat, il souriait, puis il regardait à nouveau la baleine, toujours juché en équilibre sur le plat-bord, telle une gargouille sur le parapet d'un édifice. Nat se dit que Kona ne tiendrait que deux minutes dans cette position avant que ses genoux ne s'ankylosent et qu'il ne termine sa vie dans la position du crapaud. Cependant, il envia le garçon, son enthousiasme pour la nouveauté, sa fascination et son excitation de se trouver pour la première fois à proximité de ces énormes créatures. Il jalousa son jeune âge et sa force physique. Pendant qu'il écoutait le chant dans le casque, le chant qui, à l'évidence, semblait être l'annonce d'un accouplement et qui se refusait encore à le laisser croire, Nat ressentit un profond manque d'à-propos; un manque d'à-propos sexuel, social, intellectuel, fiscal, scientifique, bref, un sac d'atomes empruntés et grossièrement modelés en forme de Nat. Sans effet, sans finalité, sans stabilité.

Il essaya d'écouter avec plus d'attention ce que faisait la baleine, de s'abandonner dans l'analyse de ce qui se passait réellement sous lui, mais cela ne parvint que bien difficilement à gommer l'idée que non seulement il avait pris un coup de vieux, mais qu'il sombrait aussi peut-être dans la folie. C'était la première fois qu'il ressortait en mer depuis qu'il avait lu le MORDS-MOI. Il s'était persuadé alors qu'il avait été victime d'une hallucination. Cependant, il eut un léger mouvement de recul chaque fois que la baleine sortait sa queue avant de plonger, espérant voir un message gribouillé sur son empennage.

— Chef, d'après le bruit, il va remonter.

Nat acquiesça. Le gamin apprenait vite.

— Kona, tiens-toi prêt avec l'appareil photo. Il va respirer trois, peut-être quatre fois avant de plonger, alors sois prêt.

Soudain, le chant cessa dans le casque. Nat remonta l'hydrophone et mit le moteur en marche. Puis ils attendirent.

— Il vient par là, chef, dit Kona en montrant tribord.

Nat fit lentement pivoter le bateau sur place et attendit.

Ils regardaient dans la direction dans laquelle Kona avait vu la baleine bouger sous l'eau quand elle fit surface derrière eux, à moins de trois mètres, le souffle les faisant sursauter, le nuage d'embruns les balayant dans un arc-en-ciel.

— Chef, l'enfoiré, il est sorti !

— Merci, capitaine Jean Foncelesportesouvertes, dit Nat à voix basse.

Il poussa la manette des gaz et vint se placer derrière le cétacé. Lors de sa respiration suivante, la baleine roula et frappa la surface de sa longue nageoire pectorale, trempant Kona et projetant un épais nuage de vapeur d'eau sur la console. Le gamin eut au moins la présence d'esprit de protéger l'appareil photo de son corps.

— J'adore cette baleine ! dit Kona qui, avec sa façon de parler rasta, en oubliait son accent de la classe moyenne du New Jersey. Je veux la ramener à la maison et la mettre dans une caisse avec de l'herbe et des rochers, je veux lui offrir des jouets qui font du bruit.

— Prépare-toi à prendre la photo, ordonna Nat.

— Quand ce sera fini, je pourrai la garder ? S'il vous plaît.

— La voilà qui arrive, Kona. Règle la netteté.

La baleine fit le gros dos, sa queue frappa l'eau et Kona prit quatre clichés en rafale grâce au moteur de l'appareil.

— Tu l'as eue ?

— Super-chouettes les photos, super-chouettes ! fit Kona en posant l'appareil sur le siège situé face à la console, sans oublier de le couvrir d'une serviette.

Nat dirigea le bateau vers l'endroit où la baleine avait plongé pour la dernière fois, là où, à la surface, les turbulences de la queue de l'animal avaient laissé comme une paisible lentille d'eau de six mètres de diamètre. Ce phénomène pouvait parfois durer deux minutes. Il servait de fenêtre permettant aux scientifiques de regarder la baleine en plongée. Autrefois, lorsqu'on les chassait, on racontait que ces cercles d'eau tranquille formés par la queue de l'animal qui venait de plonger étaient dus à de l'huile qu'il avait laissée. Nat coupa les gaz et le bateau dériva vers le cercle. Kona et Nat percevaient le chant qui montait des profondeurs et faisait vibrer le bateau sous leurs pieds.

Nat immergea l'hydrophone, appuya sur le bouton « enregistrement » et chaussa le casque. Kona nota le numéro des photos et les coordonnées du GPS dans un calepin, comme Nat le lui avait appris. « Un singe pourrait faire mon boulot, pensa Nat. Ce jeune défoncé dispose d'une heure d'expérience dans le métier, et le voilà déjà opérationnel. Ce gosse est plus jeune, plus costaud et plus rapide que moi, et je ne suis même pas certain que je sois plus intelligent que lui, si cela a encore de l'importance. Je suis complètement à côté de mes pompes. »

Mais peut-être que cela avait son importance. Peut-être que tout n'était pas lié à la force. La culture et la langue avaient totalement perverti l'évolution biologique normale. Pourquoi avions-nous, nous, les humains, développé de si gros cerveaux alors que l'accouplement ne reposait que sur la puissance physique et la taille ? Les femmes auraient dû choisir leurs partenaires aussi en fonction de leurs capacités intellectuelles. Si ça se trouve, les tout premiers gars dotés d'un fort QI avaient dit des choses du genre : « Là-bas, juste derrière ces rochers, se cache un paresseux goûteux à point, qui est mûr pour se faire trouer par vos lances. Allez-y, les gars. » Puis, après qu'il eut envoyé les plus costauds et les plus bêtes se jeter du haut d'une falaise à la poursuite d'un paresseux imaginaire, il était parti mélanger ses gènes avec ceux des filles les plus sexys de la tribu des Cro-Magnon.

« C'est ça, suce-moi l'arcade sourcilière, vas-y ! Suce ! » fit Nat en souriant.

Penché par-dessus bord, Kona regardait la baleine chanteuse dont la queue n'était qu'à six mètres sous la coque (alors que la tête se trouvait six mètres plus profond). Cela ne faisait que quelques instants qu'elle avait entamé son chant. Elle en avait encore pour au moins dix minutes.

— Kona, il va nous falloir un échantillon d'ADN.

— Comment on fait ça ?

De sous la console Nat tira une paire de palmes qu'il donna au surfeur, ainsi qu'un gobelet qui avait contenu du café.

— Il va falloir que tu ailles chercher un échantillon de sperme.

Le surfeur avala sa salive. Il regarda la baleine, puis le gobelet, puis se pencha par-dessus bord pour regarder à nouveau la baleine et demanda :

— Le gobelet… y a pas de couvercle ?

CHAPITRE 10
La sécurité

Ne percevant dans les oreilles que le bruit de son calme souffle, Clay Demodocus dériva en silence vers le fond dans le sillage d'une « reteneuse » de respiration. On les appelait ainsi parce qu'elles restaient en suspension, parfois pour des durées allant jusqu'à quarante minutes, la tête baissée comme un chanteur, la respiration coupée. Elles restaient seulement là, à quatre ou cinq, la queue écartelée comme les branches d'un compas, comme si quelqu'un avait lâché une poignée de baleines endormies et oublié de venir les ramasser. Sauf qu'elles ne dormaient pas. Les baleines, autant qu'on puisse en être sûr, ne dorment pas vraiment. Une théorie veut qu'elles ne mettent en sommeil qu'une moitié de leur cerveau à la fois, pendant que l'autre partie veille à éviter la noyade. Pour quelqu'un qui a besoin d'air pour vivre, dormir sous l'eau et ne pas se noyer est un vrai casse-tête. (Allez-y, essayez vous-même. J'attends…)

S'endormir, lorsqu'on est équipé du respirateur, doit être chose facile, se dit Clay. La raison pour laquelle il en avait un, c'était à cause de son aspect très silencieux. Au lieu d'utiliser une bouteille d'air, air que l'on expire au moyen d'un détendeur qui crée des bulles, le respirateur recycle l'air du plongeur à travers un filtre qui isole le dioxyde de carbone, l'envoie dans des détecteurs, puis dans un réservoir dans lequel il reçoit de l'oxygène, de façon à être à

96

nouveau respiré par son utilisateur. Il ne produit pas de bulles et est donc l'appareil idéal pour étudier les baleines (et aussi pour espionner les bâtiments ennemis, ce qui explique qu'il fut d'abord créé à des fins militaires).

Les baleines à bosse utilisent les bulles pour communiquer entre elles, notamment les mâles pour s'impressionner l'un l'autre. De sorte qu'il est quasiment impossible de s'approcher d'une baleine avec un appareil de plongée classique, tout particulièrement d'un animal statique comme un chanteur ou une « reteneuse ». En rejetant ses bulles, et sans avoir la moindre idée de ce qu'il raconte, un plongeur baragouine en langage des baleines. Dans le passé, équipé de bouteilles classiques, il était arrivé à Clay de plonger sur des « reteneuses », juste pour les voir s'éloigner, dès qu'il les approchait à moins d'une quinzaine de mètres. Il les imaginait se disant : « Hé, vous avez vu ? Le môme, l'attardé mental enflé comme une ablette, il raconte encore n'importe quoi. Partons d'ici. »

Mais cette saison, ils avaient touché le respirateur, et Clay tentait sa toute première descente auprès d'une « reteneuse ». S'approchant de la queue, il vérifia ses compteurs, jeta un œil vers la surface, là ou Amy nageait avec un tuba, sa silhouette gonflée d'une petite bouteille, prête à plonger à son secours si quelque chose se passait mal. Le gros inconvénient du respirateur (comparé à l'étonnante simplicité de bouteilles reliées à un vulgaire tuyau) était sa complexité. En cas de panne, le plongeur avait de fortes chances d'y rester. (L'expérience avait enseigné à Clay que la seule chose dont on dépendait était une chose qui pouvait tomber en panne.)

Autour de lui, mis à part la baleine, tout n'était que bleu ciel. Dessous, il n'y avait rien que le bleu. Même avec l'excellente visibilité, Clay ne pouvait apercevoir le fond, quelque cinq cents pieds plus bas.

Après avoir dépassé la queue de l'animal, il se retrouva à cent pieds de profondeur. La marine avait testé le respirateur jusqu'à plus de mille pieds (et, puisqu'en cas de besoin, il pouvait théoriquement rester seize heures au fond, la décompression n'était pas un problème), mais Clay se méfiait de descendre trop bas. Le respirateur n'était pas conçu pour mélanger les gaz à de grandes profondeurs, de sorte qu'il y avait des risques de narcose d'azote, une espèce d'intoxication due à l'azote pressurisé dans la circulation sanguine. Clay en avait été atteint deux ou trois fois, dont une lorsqu'il filmait des bélugas sous la glace de l'Arctique, et s'il n'avait pas été relié au trou percé à la surface par un filin de nylon, il serait mort noyé.

Encore quelques pieds et il pourrait bientôt déterminer le sexe de l'animal, une opération qu'ils n'avaient pas souvent faite précédemment et jusqu'alors effectuée avec une arbalète et l'ADN. La question que les chercheurs se posaient était de savoir si les « reteneuses » étaient toutes des mâles, comme les chanteurs, et dans l'affirmative, s'il y avait un lien pour une baleine entre le fait de retenir sa respiration et celui de chanter. Clay et Nat étaient tombés d'accord sur la question de déterminer le sexe des chanteurs, dix-sept ans plus tôt, à une époque où les tests d'ADN étaient très rares, voire inexistants.

— Tu es capable d'aller sous la queue ? avait demandé Nat. Et de prendre des photos des parties génitales ?

— Ce sera coton, avait répondu Clay, mais fais-moi confiance, je vais tenter le coup.

Naturellement, à l'exception de quelques occasions où il avait pu retenir sa respiration suffisamment longtemps pour aller sous l'animal, soit environ une fois sur trois, Clay avait échoué et n'avait jamais rapporté de photos pornos de baleines. Mais à présent, avec ce respirateur…

Comme il dérivait sous la queue, si près que le grand angle n'aurait pris qu'un tiers de l'empennage, Clay nota l'existence de marques. Il détourna le regard à l'instant même où la baleine commençait à bouger. Trop tard. L'animal exécuta un mouvement brusque et l'énorme caudale vint frapper la tête de Clay, l'expédiant, d'un coup, six mètres plus bas. Les mouvements des nageoires le repoussèrent à trois reprises avant que, inconscient, il n'amorce une lente descente vers le fond.

Alors qu'il regardait le soi-disant Hawaïen tenter pour la huitième fois de descendre vers la baleine chanteuse, Nat Quinn se dit qu'il s'agissait là d'un rite initiatique, qu'on lui avait fait subir des choses identiques quand il était étudiant de dernière année. «Le docteur Ryder ne m'a-t-il pas envoyé prendre des gros plans d'une baleine grise qui souffrait d'un affreux rhume de cerveau? N'ai-je pas été victime de mollards gros comme des ballons de basket chaque fois que la baleine faisait surface? Et tout compte fait, n'ai-je pas été reconnaissant d'avoir pu participer à cette campagne et d'y effectuer de véritables travaux? Bien sûr que si. En conséquence, je ne me comporte ni avec cruauté ni avec amateurisme en expédiant ce jeune garçon au fond de l'eau branler une baleine chanteuse. »

La radio crachota, signalant un appel du *Toujours Déçu*. Nat appuya sur le bouton du micro du radio-téléphone dont ils se servaient pour se parler d'un bateau à l'autre.

— Je t'écoute, Clay.

— Nat, c'est Claire. Clay est descendu il y a un quart d'heure, mais Amy a plongé à sa suite avec la bouteille de sécurité. Je ne sais pas quoi faire. Ils sont trop loin, je ne les vois pas. La baleine est partie et je ne peux les voir.

— Où es-tu, Claire?

— Droit devant, à environ deux milles du dépotoir.

Nat prit les jumelles et balaya l'île. Il trouva le dépotoir et repartit de là. Il aperçut deux ou trois bateaux dans la zone. En mettant pleins gaz, il y serait en six ou huit minutes.

— Claire, continue à regarder. Prépare-toi à descendre une bouteille si tu en as une de prête, pour le cas où ils auraient besoin de décompresser. Je sors le gamin de l'eau et j'arrive.

— Qu'est-ce qu'il fait dans l'eau?

— Une connerie dont je suis responsable. Tiens-moi informé,

Claire. Essaie de repérer Amy avec les bulles si tu ne peux pas la voir. Il faudra que tu sois le plus près d'eux possible quand ils feront surface.

Nat démarra le moteur à l'instant où Kona réapparaissait, soufflant l'eau par le tuba et prenant une grande goulée d'air. Kona fit non de la tête pour signaler qu'il avait échoué dans sa mission.

— Elle est trop profond, chef.

— Viens, viens vite, lui dit Nat en l'invitant du geste à remonter à bord.

Quinn approcha son bâbord de Kona avant de se pencher, les mains tendues.

— Viens.

Kona saisit les mains et Quinn tira le surfeur par-dessus le plat-bord. Kona atterrit en boule dans le fond du bateau.

— Chef…

— Tais-toi, Clay a des problèmes.

— Mais, chef…

Quinn écrasa la manette des gaz, fit pivoter le bateau et gueula comme un putois quand le filin de l'hydrophone se prit dans l'hélice, cisailla la goupille et s'enroula sur lui-même pour former un gros paquet de morceaux de réglisse aussi étanches qu'onéreux.

— Merde ! fit Nat en frappant la console de sa casquette de joueur de base-ball.

L'hydrophone coula tranquillement vers le fond, heurtant la baleine chanteuse en chemin. Nat coupa les gaz et empoigna le micro.

— Claire ? Est-ce qu'ils sont remontés ? Je ne vais pas pouvoir venir.

*

Amy avait l'impression qu'on lui enfonçait des pics à glace dans les tympans. Elle se pinça les narines et souffla pour égaliser la pression, même lorsqu'elle donna un coup de palme pour descendre plus profond, mais elle allait trop vite pour pouvoir égaliser.

Elle était à cinquante pieds de profondeur à présent. Clay était cent pieds plus bas qu'elle, ce qui voulait dire que la pression triplerait quand elle descendrait jusque-là. Elle avait vu la queue de la baleine frapper Clay et l'éjecter. La bonne nouvelle, c'était qu'elle n'avait pas vu de bulles s'échapper de la bouche de Clay. Il y avait donc une chance que le détendeur soit resté entre ses lèvres et qu'il respire encore. Évidemment, ça pouvait aussi signifier qu'il était mort ou qu'il avait le cou brisé et qu'il était paralysé. Quoi qu'il en soit, le fait qu'il ne bouge pas devait être bien involontaire. Il sombrait lentement, inexorablement.

Amy combattit la pression, la résistance de l'eau et se lança dans des problèmes mathématiques tout en nageant vers le fond. La bouteille de secours ne contenait que mille livres d'air, soit le tiers de la capacité d'une bouteille normale. Elle se dit qu'elle allait rejoindre Clay à une profondeur de cent soixante-quinze à deux cents pieds. Il lui resterait donc juste assez d'air pour le remonter à la surface sans s'arrêter pour décompresser. Même si Clay n'était pas blessé, il aurait alors toutes les chances d'être victime de problèmes de décompression, de la maladie des caissons, et s'il y survivait, il devrait passer trois ou quatre jours dans une chambre de décompression hyperbare d'Honolulu.

«Bah! De toute façon, le grand *palooka* est déjà probablement mort», se dit-elle, histoire de se remonter le moral.

*

Bien que Clay Demodocus ait eu une vie pimentée d'aventures, il n'avait rien d'un aventurier. Tout comme Nat, il n'allait pas au-devant du danger ou du risque et ne cherchait pas l'accomplissement de lui-même en mettant son courage à l'épreuve contre la nature. Il recherchait le calme en matière de météo, les mers d'huile, les conditions d'hébergement confortables, les gens droits et aimables, la sécurité, et c'était uniquement pour le travail qu'il dérogeait à ces principes. Pour lui, le mot sécurité signifiait être le dernier à partir et être le moins

101

compromis possible. C'était la mort de son père, un plongeur sca-phandrier, qui lui avait appris cela. Son vieux touchait juste le fond, à huit cents pieds, quand un homme de pont, bourré comme une huître, s'était assis sur le starter. L'hélice avait aussitôt sectionné le tuyau qui amenait l'air au plongeur. La pression avait fait en sorte que le corps entier de Papa Demodocus soit rapatrié dans le casque de bronze, n'épargnant que ses chaussures lestées de plomb. Et c'est ratatiné dans son énorme casque qu'on l'avait enterré. Le petit Clay (qui s'appelait encore Cleandros à cette époque, en Grèce) n'avait que cinq ans. Cette dernière vision de son père devait le hanter pendant des années. Il ne pouvait jamais regarder un dessin animé de Marvin le Martien (avec son gros casque ridicule monté sur des chaussures de clown) sans réprimer une larme ou un reniflement en pensant à Papa.

Tout en sombrant dans le grand bleu salé, Clay aperçut une lumière éclatante et une forme sombre qui semblait l'attendre. De la lumière émergea une silhouette, petite, quoique familière. Si le visage était toujours plongé dans l'obscurité, Clay reconnut la voix, même après tant d'années. «Sois le bienvenu, Terrien», fit le Grec vidé de sa substance.

— Papa, dit Clay.

*

À bord du *Toujours Déçu*, Claire sortit la lourde bouteille du compartiment réservé aux appâts et essaya d'y fixer le détendeur afin de descendre l'appareil au bout d'un filin pour permettre à Amy et Clay de respirer et de décompresser avant de rejoindre la surface. Clay lui avait montré comment faire des dizaines de fois, mais elle n'y avait jamais prêté vraiment attention. C'était le boulot de Clay d'assembler ces trucs-là, elle n'avait pas besoin de savoir comment ça marchait. De toute façon, elle ne plongerait jamais sans lui. Alors elle avait pris l'habitude de le laisser radoter au sujet de la sécurité de ceci ou de la dangerosité de cela pendant qu'elle se concentrait sur l'étalage de crème solaire ou le nattage de ses cheveux afin qu'ils ne se prennent pas dans les équipements de plongée. Mais à présent, des larmes coulaient de ses yeux et elle se maudissait de ne pas avoir écouté les recommandations de Clay. Quand elle eut le sentiment d'avoir correctement vissé le détendeur, elle l'empoigna et tira la bouteille vers le bord du bateau. Le détendeur lui resta dans les mains.

— Merde! lâcha-t-elle avant de prendre le micro de la radio. Nat, j'ai besoin d'un coup de main.

— Je t'écoute, frangine, fut la réponse qui lui parvint, suivie de : Nat, il est dans le bleu à réparer l'hélice.

— Kona, sais-tu comment visser un détendeur sur une bouteille de plongée ?

— Ouais, frangine, faut qu'tu gardes le bol au-dessus de l'eau, sinon tu vas mouiller l'herbe et tu pourras plus l'allumer.

Claire prit une profonde respiration et retint un sanglot.

— Tu ne pourrais pas voir si Nat peut me parler.

Sous le *Toujours Déçu*, équipé d'un masque, d'un tuba et de palmes, Nat se bagarrait contre le poids de la demi-douzaine de clés et de douilles qui alourdissaient les poches de son short de travail. Il avait presque réussi à retirer l'hélice. Avec un peu de chance, en quelques minutes, il pourrait remettre la goupille, remonter à bord et démarrer. Ce n'était pas une tâche bien compliquée. Elle lui était juste apparue plus délicate que prévu quand il s'était rendu compte qu'il ne pouvait pas atteindre l'hélice depuis l'intérieur du bateau. Soudain, il n'eut plus d'air à respirer.

Il remonta à la surface, cracha le tuba qu'il avait dans la bouche et se trouva nez à nez avec Kona. Le faux Hawaïen était penché par-dessus bord, un pouce sur le tuba de Nat, le micro de la radio dans l'autre main, un micro qui lui avait à moitié échappé dans l'eau.

— Chef, un appel pour vous.

Haletant, Nat arracha le micro de la main de Kona et le tint hors de l'eau.

— Mais qu'est-ce que tu fous, bon Dieu ? C'est pas étanche ce truc-là.

Il essaya de chasser l'eau du micro avant d'appuyer sur le bouton.

— Claire ? Est-ce que tu m'entends ?

Aucune réponse, ni même le moindre parasite.

— Mais il est jaune, le micro, fit Kona, comme si cela pouvait tout expliquer.

— Je vois bien qu'il est jaune. Claire ? Qu'est-ce qu'elle a dit ? Clay, il va bien ?

— Elle voulait savoir comment brancher le détendeur sur la bouteille. Je lui ai dit qu'elle n'avait qu'à tenir le bol au-dessus de l'eau.

— Mais c'est pas un bong, connard. Elle parlait d'une bouteille de plongée. Aide-moi à sortir.

Nat tendit ses palmes avant de se hisser à bord en prenant appui sur les rebords de la proue. Il mit en marche la radio marine de la console et appela :

— Claire, tu m'entends ? Ici le *Toujours Déçu*. Appelle le *Toujours Confus*. Claire, tu es là ?

Le *Toujours Déçu* fut sévèrement interrompu par la voix mâle d'un officier.

— Ici le Service de la conservation et des ressources naturelles. Avez-vous déployé le drapeau qui vous autorise à travailler dans ces eaux ?

— Service de la conservation, nous avons une situation d'urgence. Un plongeur est en difficulté sur notre autre bateau. Je suis coincé avec une goupille d'hélice cassée. L'autre bateau est à peu près à deux milles au large face au dépotoir.

— *Toujours Déçu*, pourquoi n'avez-vous pas déployé votre drapeau de permis de travailler dans ces eaux ?

— Parce que j'ai oublié de déployer le foutu machin. Nous avons deux plongeurs à l'eau, les deux sont peut-être en difficulté, et la fille restée à bord est incapable de brancher une bouteille.

Nat regarda tout autour de lui. Il aperçut la vedette des flics mari-

104

times à un petit kilomètre à l'ouest, vers Lanaï, bord à bord avec un autre bateau. Nat reconnut la silhouette familière de Mordicus qui se tenait à la proue, tel un prophète de malheur. « Salaud ! » pensa Nat.

— *Toujours Déçu*, tenez bon, nous arrivons.

— Mais c'est pas vers moi qu'il faut venir. Moi, je peux pas bouger. Allez vers l'autre bateau. Je répète : ils ont une situation d'urgence et ne répondent pas sur leur fréquence marine.

Le bateau du Service de la conservation se cabra sous la poussée des deux moteurs hors-bord Honda couplés, de 125 chevaux chacun, et fit route vers eux.

— Putain !

Nat lâcha le micro et commença à trembler, non pas à cause de la température qui, dans la passe, avoisinait les vingt-sept degrés, mais de frustration et de peur. Qu'était-il arrivé à Clay pour qu'Amy parte à sa recherche ? Peut-être avait-elle mal estimé la situation et plongé pour rien. Elle avait peu d'expérience sous-marine. Enfin, c'est ce qu'il s'imagina. Mais si les choses allaient bien, pourquoi ne remontaient-ils pas ?

— Kona, Claire a-t-elle dit si elle pouvait voir Amy et Clay ?

— Non, chef, elle voulait juste savoir au sujet du détendeur, fit Kona assis dans le fond du bateau, la tête entre les mains. Je suis désolé, chef, je croyais que parce qu'il était jaune il pouvait aller dans l'eau. Je savais pas. Il m'a échappé.

Nat voulut dire au gamin que ce n'était pas grave, mais il n'aimait pas mentir.

— Kona, Clay a bien inscrit ton nom sur le permis de recherche sous-marine ? Est-ce que tu te souviens d'avoir signé un papier avec plein de noms dessus ?

— Non, mec. Et les flics, y vont s'amener ?

— Ouais. Les flics des baleines vont venir. Et si Clay n'a pas inscrit ton nom sur le permis, tu vas rentrer à la maison avec eux.

CHAPITRE II

La sirène et le Martien

Quand Amy parvint à accrocher le dessus du respirateur de Clay et à se hisser vers lui pour regarder dans son masque, le compteur affichait une profondeur de deux cents pieds. Mis à part un mince filet de sang qui s'échappait de son cuir chevelu, ce qui, dans le bleu, donnait l'illusion qu'il perdait de l'huile de moteur foncée, on aurait pu croire qu'il dormait. Amy ne put s'empêcher de sourire. « Le loup de mer est toujours en vie », pensa-t-elle. Cependant, et peut-être était-ce dû à des années de conditionnement de ses réflexes pour garder la bouche fermée, Clay avait toujours le détendeur du respirateur entre les lèvres. Il respirait régulièrement et Amy put entendre le sifflement de l'appareil.

Elle n'était pas certaine que la partie qu'il tenait entre les dents y resterait jusqu'à la surface. Si elle s'échappait, le photographe mourrait noyé à coup sûr, même si Amy parvenait à la lui remettre rapidement dans la bouche. À la différence d'un système classique de plongée, facile à purger, il est impossible de laisser l'eau pénétrer dans un respirateur sous peine d'obstruer les filtres au carbone de dioxyde et de rendre l'appareil totalement inutile. De plus, Amy aurait besoin de ses deux mains pour effectuer la remontée, l'une pour tenir Clay et l'autre pour ventiler sa veste qui lui servirait de bouée. Cette dernière se remplirait d'air, les menant à toute vitesse

106

vers la surface où ils seraient immédiatement atteints de la maladie du caisson. (Amy ne portait pas de combinaison, elle n'était pas supposée en avoir une.) Après avoir perdu trente précieuses secondes d'air à cogiter le problème, elle ôta son haut de bikini et s'en servit pour attacher le détendeur autour de la tête de Clay. Puis elle passa une main dans la veste de plongée de Clay et commença à remonter lentement vers la surface.

À cent cinquante pieds de profondeur, elle commit la bêtise de regarder vers le haut, vers la surface qui lui parut être à un kilomètre. Puis elle regarda sa montre et tira le bras de Clay pour lire l'ordinateur de plongée qu'il portait au poignet. Les chiffres de cristaux liquides clignotaient déjà, indiquant que Clay avait besoin de deux paliers de décompression avant d'atteindre l'air libre, le premier à cinquante pieds et le second à vingt, chacun d'une durée de dix à quinze minutes. Grâce à son respirateur, il disposait d'une grosse réserve d'air. Amy n'avait pas d'ordinateur de plongée mais, à vue de nez, si elle devait en croire son manomètre, elle se dit qu'il lui restait entre cinq et dix minutes de réserve d'air. Il lui manquait donc une demi-heure.

« Eh bien, ça va être coton », pensa-t-elle.

*

Les flics chargés de la protection des baleines portaient des chemises militaires bleu clair, des shorts et des lunettes miroir qui, curieusement, donnaient l'impression de leur avoir été greffées sur le nez grâce une chirurgie esthétique. Ils avaient tous les deux la trentaine et avaient fréquenté les salles de gym. Le plus costaud avait roulé ses courtes manches de chemise pour faire prendre l'air à ses biceps gros comme des pamplemousses. L'autre était maigre comme un clou. Ils s'arrimèrent bord à bord avec le bateau de Nat, prenant soin de glisser un pare-battage afin d'éviter le frottement entre les deux embarcations à cause de la houle.

— Ça boume, mes frères ? dit Kona.

— Ne commence pas, murmura Nat.

— J'aimerais voir votre permis, dit le plus gros des flics.

Nat avait sorti une enveloppe de plastique de sous la console pendant que les policiers arrivaient. Ils se livraient à ce genre de contrôles plusieurs fois par an. Il tendit l'enveloppe au flic qui s'en saisit et la déplia.

— Je peux avoir vos papiers ?

— Mais enfin, dit Nat en tendant son permis de conduire, vous savez qui je suis. Voyez vous-mêmes, nous avons cassé une goupille et sur l'autre bateau un plongeur est en danger.

— Vous voulez qu'on appelle les gardes-côtes ?

— Non, je voudrais que vous nous conduisiez là-bas.

— On n'est pas habilités à ça, docteur Quinn, fit le gringalet en étudiant le permis. Les gardes-côtes sont équipés pour les missions d'urgence, pas nous.

— C'trouduc, c'est rien qu'un *lolo pela*, dit Kona. (Ce qui signifiait : « C'est rien qu'un connard de Blanc.)

— N'emploie pas ce langage de merde avec moi, fit le plus gros des flics. Si tu veux parler en hawaïen, je vais te parler en hawaïen, mais évite ce genre de pidgin avec moi. Où sont tes papiers ?

— Dans mon bungalow.

— Docteur Quinn, votre personnel doit toujours avoir ses papiers sur un bateau qui se livre à des recherches, vous le savez.

— Il est nouveau.

— Comment t'appelles-tu, gamin ?

— Pelekekona Keohokalole, répondit Kona.

Le flic retira ses lunettes. « Ça doit être la première fois de sa vie qu'il fait ça », se dit Nat. Le flic regarda Kona.

— Ton nom ne figure pas sur le permis.

— Regardez à Preston Applebaum, dit Kona.

— Tu me prendrais pas pour un con ?

108

— Si, si, c'est ce qu'il est en train de faire, dit Nat. Embarquez-le, et en chemin déposez-moi sur notre autre bateau.

— Je crois qu'on va vous prendre tous les deux en remorque et on réglera ce problème de permis une fois rendus au port.

Soudain, au milieu des parasites de la radio de bord, la voix de Claire fit dans le lointain :

— Nat, es-tu là ? Je ne vois plus les bulles d'Amy. Je ne vois plus la trace de ses bulles. J'ai besoin d'aide ! Nat ! N'importe qui !

Nat regarda le flic qui tourna le regard vers son collègue qui regarda ailleurs.

Kona sauta par-dessus le plat-bord du bateau de la police et dit, sous le nez du flic maigrelet :

— C'est possible de remettre votre vérif de machos après qu'on aura sorti nos plongeurs de l'eau ou bien vous faut-il tuer deux personnes pour nous prouver que vous avez de grosses couilles ?

*

Claire fit le tour du bateau à la recherche des bulles que produisait Amy, avec l'espoir qu'elle les avait juste perdues de vue dans les vagues et qu'elles étaient toujours là. Elle regarda la bouteille restée sur le pont, avec son détendeur qui n'y était pas encore fixé, puis elle courut vers les transmissions, tentant sa chance, essayant de ne pas crier, avec la radio de marine et la radio cellulaire.

— Je lance un SOS. Je vous en supplie. Je suis à deux milles au large du dépotoir, j'ai deux plongeurs en difficulté.

Le capitaine du port de Lahaïna revint pour dire qu'il avait dépêché quelqu'un, et puis un bateau de plongée, qui se trouvait près des concrétions de lave en forme de cathédrale de Lanaï, dit qu'il serait là d'ici trente minutes après avoir fait remonter ses plongeurs. Ensuite, ce fut au tour de Nat Quinn de parler.

— Claire, c'est Nat. Je suis en route. Depuis combien de temps les bulles ont-elles disparu ?

— Quatre-cinq minutes, fit Claire après avoir consulté sa montre.

— Tu peux les voir ?

— Non. Rien. Nat, Amy est allée profond. Je l'ai regardée descendre jusqu'à ce qu'elle disparaisse.

— As-tu mis la bouteille de secours à l'eau ?

— Non, j'arrive pas à fixer le foutu détendeur dessus. C'est toujours Clay qui le fait, d'habitude.

— Attache les bouteilles avec les détendeurs et passe-les par-dessus bord de façon à ce que Clay et Amy puissent les attraper s'ils remontent.

— À quelle profondeur ? J'ai trois bouteilles.

— Quatre-vingt-dix, soixante, trente. Claire, contente-toi de les immerger. On s'occupera de la profondeur exacte quand je serai là. Mets-les à l'eau de façon qu'ils puissent les trouver. On devrait être là dans cinq minutes. On te voit déjà.

Claire commença à attacher le filin de nylon à la partie supérieure des lourdes bouteilles de plongée. À chaque instant elle jetait un œil aux vagues pour repérer les bulles d'Amy. En vain. Nat avait dit : « S'ils remontent. » Elle cligna des yeux pour chasser ses larmes et se concentra sur les nœuds. « Si ? » Ouais, *si* Clay s'en tirait, *quand* il remonterait, il pourrait sûrement se trouver un boulot moins risqué. Son mec n'allait pas se noyer à deux cents pieds au fond de l'océan, parce qu'à partir de maintenant il ne ferait plus que des photos de mariages, de bar-mitsvas, de gamins défilant pour JC Penney[1] ou de n'importe quoi du moment que ce soit sur la terre ferme.

*

De l'autre côté de la passe, près des côtes de Kahoolawe (l'île de la Cible), Libby Quinn avait suivi la conversation entre Claire et Nat

---

1. Chaîne de magasins de vêtements d'un classicisme austère.

sur sa radio de bord. Sans qu'on le lui demande, sa collègue Margaret avait dit :

— On n'a pas d'équipement de plongée à bord. À cette profondeur, on ne pourrait pas faire grand-chose.

— De toute façon, Clay est immortel, dit Libby, en essayant de paraître plus blasée qu'elle ne l'était en réalité. Quand il va remonter, il va bougonner en disant qu'il a pris de super-photos.

— Appelle-les. Propose-leur notre aide, fit la plus âgée des deux femmes. Si nous repoussons nos instincts naturels de concierges, nous ne sommes plus de vraies femmes.

— Oh ! Va te faire foutre, Margaret ! J'appelle pour offrir notre aide parce que c'est la moindre des choses.

Pendant ce temps, sur l'océan, du côté de Kahoolawe, Cliff Highland se trouvait dans le labo improvisé de l'entrepont de la vedette. Le casque sur les oreilles, il lisait un oscilloscope quand l'une de ses étudiantes de dernière année entra et lui prit l'épaule.

— On dirait que l'équipe de Nat Quinn a des ennuis, dit la fille, une petite brune dorée à point qui portait des peintures de guerre en oxyde de zinc sur le nez et les joues et sur la tête un chapeau de la taille d'un couvercle de poubelle.

Hyland retira ses écouteurs.

— Quoi ? Qui ? Le feu ? On coule ? Qu'est-ce qu'il y a ?

— Ils sont sans nouvelles de deux plongeurs. Ce photographe, qui s'appelle Clay, et la fille toute blanche.

— Où sont-ils ?

— À environ deux milles au large du dépotoir. Ils ne demandent pas d'aide. Je voulais juste que vous en soyez averti.

— À la bonne heure. Commencez à tout remonter. On peut être là-bas dans une demi-heure.

À cet instant le capitaine Tarwater descendit les marches de la cabine.

— Annulez cet ordre ! Nous restons en mission. Nous avons une étude à terminer et des travaux à enregistrer.

— Mais ces gens sont mes amis, dit Hyland.

— J'ai suivi la situation à la radio, docteur Hyland. Notre présence n'a pas été requise, et franchement, il n'y a rien que ce bateau puisse faire pour leur venir en aide. Il semblerait qu'ils aient perdu deux plongeurs. Ça arrive.

— Mais nous ne sommes pas en guerre, Tarwater. On ne *perd* pas des gens ainsi.

— Nous assurons notre mission. Tout retard dans les opérations que dirige Quinn ne peut nous être que bénéfique.

— Connard ! fit Hyland.

Dans la passe, Mordicus se tenait à la proue du gros Zodiac et observait le bateau du Service de la conservation qui remorquait le *Toujours Déçu*. Il se tourna vers ses trois chercheurs qui essayaient de faire semblant d'être occupés à l'arrière du bateau.

— Que cela vous serve de leçon. À chacun d'entre vous. La clé de la vraie science, c'est de s'assurer que les papiers sont en règle. Vous comprenez à présent pourquoi j'insiste tellement pour que vous ayez vos papiers d'identité sur vous chaque matin ?

— Oui, c'est pour pas qu'un autre scientifique aille moucharder auprès des flics du Service de la conservation, répondit une femme.

— La science est un sport de compétition, mademoiselle Wextler. Si vous refusez de concourir, je vous invite à reprendre votre diplôme de fin de premier cycle et à aller faire du baby-sitting sur un des bateaux qui emmènent les touristes voir les baleines. Dans le passé, Nat Quinn s'en est pris à la crédibilité de notre organisation. Ce n'est que justice de faire remarquer qu'il ne travaille pas selon les règles établies du sanctuaire.

Les jeunes assistants murmurèrent un « Connard ! » collégial que la brise océane écarta des oreilles de Gilbert Box et emporta de l'autre côté de la passe pour qu'il se fracasse contre les falaises de Molokaï.

*

Nat prit Claire dans ses bras et la tint ainsi quelques instants pendant qu'elle sanglotait. Quand il s'aperçut qu'Amy n'avait plus d'air depuis une demi-heure, Nat sentit une boule de peur, de terreur et de nausée se former dans son estomac. Rester actif, chercher des traces de Clay et d'Amy, il n'y avait que cela qui pouvait le retenir de tomber malade. Quand elle prit conscience qu'Amy n'avait plus de réserve depuis quarante-cinq minutes, Claire recommença à pleurer. Clay, équipé du respirateur, avait pu rester tout ce temps en plongée, mais il était exclu qu'il restât de l'air à Amy. Deux moniteurs d'un bateau de plongée qui passait par là avaient déjà vidé leurs bouteilles en quête des deux disparus. Le problème était que dans le bleu la recherche prenait des allures tridimensionnelles. Généralement, on cherchait au fond, mais pas lorsqu'il se trouvait à six cents pieds. En plus, avec les courants qui balayaient la passe… Bref, les recherches étaient symboliques.

En scientifique épris de vérité, après une heure d'attente, Nat dit à Claire que tout allait bien se passer. Il n'en croyait rien et déjà le chagrin lui tombait dessus comme une volée de flèches noires. Par le passé, quand il avait été confronté à la mort, à un choc ou à une peine de cœur, un mécanisme de survie s'était réveillé en lui et lui avait permis de vivre des mois entiers avant que la douleur ne s'exprime véritablement, mais là, elle se faisait déjà ressentir, profonde, dévastatrice. Son meilleur ami était mort. La femme qu'il… Bof, il n'était pas trop sûr de ce qu'il éprouvait pour Amy. Mis à part l'aspect sexuel des choses, leur différence d'âge et de position sociale, il l'aimait bien. Il l'aimait même beaucoup et s'était habitué à sa présence après seulement quelques semaines.

L'un des plongeurs fit surface, cracha son détendeur et dit :

— On sait pas où regarder. Putain ! C'est rien que du bleu jusqu'à l'infini.

— Oui, répondit Nat, je suis au courant.

*

Clay vit une paire de seins bleu-vert surgir face à lui, ce qui le convainquit qu'il s'était véritablement noyé. Il se sentit happé vers le haut, ferma alors les yeux et se laissa faire.

— Non, non, non, fiston, dit Papa. Tu n'es pas au paradis. Au paradis, les nibards ne sont pas bleus. Tu es toujours vivant.

Le visage de Papa était écrasé contre le verre de son casque de scaphandrier, comme s'il avait couru tête baissée dans une vitre à l'épreuve des balles et que quelqu'un eût pris une photo au moment de l'impact. Clay remarqua toutefois que les yeux riaient encore.

— Sais-tu, mon petit Cleandros, que ce n'est pas encore le moment de venir me rejoindre ?

Clay opina du chef.

— Quand le moment de venir me rejoindre arrivera, tu seras vieux et fatigué et prêt à partir, pas parce que la mer veut t'écrabouiller.

Clay opina à nouveau du chef, puis ouvrit les yeux. Cette fois, il ressentit une douleur lancinante à la tête. Il loucha quand il découvrit le visage d'Amy qui le fixait derrière son masque de plongée. Elle lui maintenait son détendeur dans la bouche et cramponnait l'arrière de sa tête pour le forcer à la regarder. Quand elle fut certaine qu'il était conscient et savait où il était, elle lui fit le geste qui signifie que tout va bien et attendit qu'il en fasse de même. Amy lâcha alors le détendeur de Clay et ils commencèrent à nager doucement vers le haut pour faire surface à quatre cents mètres de là où ils avaient plongé.

Clay chercha immédiatement le bateau et ne trouva rien là où il espérait voir quelque chose, les embarcations les plus proches étant un groupe de bateaux trop éloignés pour être le *Toujours Déçu*. Il consulta son ordinateur de plongée qui lui apprit qu'il était au fond depuis une heure et quinze minutes. Ce qui ne pouvait pas être vrai.

— C'est eux, dit Amy qui regarda sous elle. Oups ! Laissez-moi récupérer mon haut de maillot de bain qui vous enserre la tête.

— D'accord, marmonna Clay dans le respirateur.

114

Kona était en larmes, pleurant comme un Bob Marley pris dans un piège à ours. Inconsolable.

— Clay est mort. Blanche-Neige est morte. Moi qui m'apprêtais à lui ramoner le calmar.

— Tu n'allais sûrement pas faire ça, dit Nat.

Mais le faux Hawaïen n'entendit pas.

— Là-bas ! La vahiné blanche ! hurla-t-il en sautant sur les épaules du gros flic pour mieux voir. Gloire à Jah ! Que Sa Majesté Impériale Hailé Sélassié soit louée ! Vas-y, shérif. Y a du monde à secourir.

— Mets-moi les menottes à ce gamin, répondit le flic.

CHAPITRE 12

Tiens, voilà mon ticket, dit-il, en chantant la chanson de la rédemption

En temps normal, quand les flics des baleines trouvaient quel-qu'un de non répertorié sur un bateau scientifique, ils enregistraient simplement l'infraction, délivraient une contravention, sortaient la personne du bord et l'emmenaient au port de Lahaïna. L'amende était payée et on comptabilisait les infractions l'année suivante au moment du renouvellement de l'accréditation. Bizarrement, Kona fut conduit à la prison du comté de Mauï, pieds et poings liés et un morceau de sparadrap sur la bouche.

Nat et Amy attendaient dans le hall de la prison, à Waïluku, assis sur des chaises en métal conçues pour la promotion de l'inconfort et les culs rembourrés.

— Ce serait bien s'il devait y passer la nuit, dit Nat. Ou même une semaine ou deux, ce serait encore mieux.

Amy donna un coup dans l'épaule de Nat.

— Salaud ! Je croyais que c'était Kona qui avait obtenu des flics le droit que vous veniez nous chercher ?

— Tout de même, la prison, ça forge le caractère. J'ai entendu parler de ça. Ça ne lui ferait pas de mal de ne pas toucher à l'herbe pendant quelques jours.

Avant d'être embarqué par la police, Kona avait laissé à Nat son sac rempli d'herbe et de tout son attirail.

116

— Ça forge le caractère ? S'il commence là-dedans à tenir un de ses discours sur la souveraineté des indigènes, les vrais Hawaïens vont l'assommer.

— Il s'en sortira. En revanche, c'est vous qui me souciez. Vous êtes sûre que vous ne voulez pas être examinée ?

Claire avait emmené Clay à l'hôpital pour qu'il subisse une radiographie et se fasse recoudre le cuir chevelu.

— Mais je vais bien, Nat. J'ai juste été un peu secouée parce que je m'en suis fait pour Clay.

— Vous êtes restée longtemps en plongée.

— Oui, et je me suis fiée à l'ordinateur de Clay. Nous avons effectué les décompressions jusqu'au bout. Le pire, ça été que je me suis gelé les miches.

— Je n'arrive pas à croire que vous ayez eu la présence d'esprit de décompresser avec un Clay inconscient. Je ne sais pas si je l'aurais fait. Bon Dieu, j'aurais pas pu. J'aurais manqué d'air en dix minutes. Comment avez-vous fait pour...

— Nat, je suis menue. Je n'ai pas besoin d'autant d'air que vous. Et je savais que Clay respirait normalement et que sa blessure à la tête n'était pas grave. Pour nous, le plus sérieux des dangers restaient les risques liés à la décompression, alors j'ai suivi les instructions de l'ordinateur et j'ai pris l'air de la bouteille de survie de Clay quand j'ai été à sec, et on s'en est tirés.

— Vous m'en voyez vraiment impressionné, dit Nat.

— Je n'ai fait que ce que j'étais supposée faire. Il n'y a pas de quoi en faire tout un plat.

— J'étais mort de trouille... Je croyais que vous... Vous m'avez fait une belle peur, dit-il en tapotant le genou d'Amy comme l'aurait fait une grand-mère. (Et elle regarda sa main.)

— Faites attention, je suis encore enrhumée des genoux, lâcha-t-elle.

*

117

On emmena le surfeur vers le bloc où tout le monde, lui inclus, portait la même combinaison orange.

— Salut, mes frères, dit Kona. Si on est déguisés en grosses citrouilles, c'est qu'on a tous tué le shérif John Brown[1]. Gloire à Jah.

Tous levèrent le nez vers Kona. D'abord, un géant des îles Samoa qui avait réduit une Oldsmobile en miettes à coups de batte de softball quand la voiture avait calé au beau milieu de l'autoroute de Kuihelani, puis un Blanc, un poivrot qui s'était endormi sur la plage privée du Four Seasons Hotel de Waïlea, et qui avait eu la malencontreuse idée de faire sa grosse commission du matin dans une cabine de plage ; un bassiste également, de Lahaïna, qu'on avait coffré parce que en tout temps un bassiste n'est de toute façon bon à rien. Il y avait aussi un frère rasta en rogne qui s'était fait pincer à la baie de La Pérouse en train de voler dans une voiture de location qu'il avait fracturée, ainsi qu'un couple de chasseurs de cochons sauvages des hauteurs de l'île qui avaient essayé de reculer dans un volcan avec leur 4 × 4 rempli de pitbulls après avoir sniffé deux boîtes de peinture en bombe. Kona sut que c'étaient des sniffeurs à cause de leur regard vitreux et des grands cercles rouges qu'ils avaient autour de la bouche et du nez.

— Salut, mon frère. La peinture, c'était de la Krylon ?

L'un des chasseurs de cochons hocha la tête avant d'en perdre le contrôle.

— Rien ne vaut un rouge de qualité.

— Je sais, fit le chasseur de cochons sauvages, on m'a dit.

Puis Kona gagna le coin de la cellule. Chacun se remit à regarder le bout de ses chaussures, à l'exception du gars des Samoa qui n'attendait qu'une chose : que Kona croise son regard… avant de le tuer.

— T'sais, mon frère, lui dit gentiment Kona avec un faux accent

1. Allusion à la chanson de Bob Marley *I Shot the Sheriff*, dans laquelle il cite le nom du shérif John Brown.

jamaïcain très approximatif, la science m'a enseigné à regarder les trucs d'un œil critique. Et j'crois savoir ce qu'a été ton problème avec ce mec à Maüi.

— C'tait quoi ? demanda le géant.

— T'as remarqué, mec, qu'on vit sur une île ? Faut être con comme la lune pour faire un truc illégal sans avoir de solution pour se barrer.

— Dis donc, connard, tu serais pas en train de me traiter de débile ?

— Non, mec, je te dis juste la vérité.

— Et toi, tapette, t'es en cabane pour quoi ?

— J'crois que c'est parce que j'ai pas réussi à branler une baleine à bosse en suivant la méthode scientifique.

— J'vais t'enculer et après je vais te tuer.

— Y aurait pas moyen que tu me tues d'abord ?

— Si tu veux, dit le gars des Samoa en déployant un corps qui rivalisait avec les proportions de celui de Godzilla.

— Merci, mon frère. Que la paix de Jah soit avec toi, répondit le surfeur malheureux.

*

Trois quarts d'heure plus tard, après que Nat eut rempli les documents adéquats, le geôlier, un Hawaïen râblé aux épaules d'haltérophile, fit franchir à Kona la double porte d'acier qui donnait sur la salle d'attente. Tête basse, le surfeur arriva en traînant les pieds. Il paraissait honteux et un peu mal en point.

Amy passa sa main autour de ses épaules et lui tapota la tête.

— Oh, frangine, c'était atroce là-dedans, dit-il, enlaçant Amy avant que sa main ne glisse sur la courbe des fesses de la jeune fille. C'était vraiment abominable.

— Il a eu un petit différend avec une armoire à glace des Samoa, fit le gardien en souriant. On est intervenus avant que ça n'aille trop

119

loin. Il y a des caméras qui enregistrent ce qui se passe dans les cellules communes.

— Il m'a arraché la moitié de mes dreadlocks, fit Kona en sortant de sa poche de short de surfeur une poignée de dreadlocks orphelines. Ça va me coûter un max pour les faire remettre. Sans mes cheveux, je sens que ma force fout le camp.

Le gardien agita un doigt sous le nez de Kona.

— Écoute-moi, gamin, si le géant avait fait l'inverse, s'il avait voulu te tuer en second, je serais pas intervenu si rapidement. Tu piges?

— Ouais, shérif.

— Je ne veux plus te revoir dans ma prison, sinon la prochaine fois je dis au géant par quoi commencer, c'est bien compris?

Le geôlier se tourna alors vers Quinn et lui dit :

— Ils n'ont pas retenu de charges contre lui qui méritent une incarcération. Ils ont juste voulu marquer le coup.

Puis il se pencha vers Nat et ajouta à voix basse, leur différence de taille donnant l'impression que le gardien s'adressait à la poche de poitrine du chercheur :

— Faut aider ce gosse. Il se prend pour un Hawaïen. Des rastas des villes dans son genre, on en a plein. Bon Dieu, du côté de Païa, ça grouille. Mais celui-là, il va vraiment pas bien du tout. Si l'un de mes gosses était dans un état pareil, je le ferais voir à un psy.

— C'est pas mon gosse.

— Je sais ce que vous ressentez. En revanche, sa copine est mignonne. On se demande comment ils font pour se lever des petites comme ça, n'est-ce pas?

— Merci, chef, dit Nat.

Après avoir partagé toute la sympathie paternelle dont il était capable, Nat fit demi-tour et sortit dans le soleil aveuglant de Maui.

Amy dit à Kona :

— Tu te sens mieux à présent, mon grand?

Kona hocha la tête qu'il enfouit contre l'épaule d'Amy, comme un chien fourre son nez contre la jambe de son maître pour trouver du réconfort.

— C'est bien, ajouta-t-elle. Ôte ta main à présent.

Le surfeur fit jouer ses doigts sur le derrière de la jeune femme à la manière d'anémones de mer prises dans un courant, et qui dérivent tout en restant bien accrochées.

— C'est ça, dit Amy.

Elle attrapa une poignée de ce qui restait de dreadlocks du garçon et franchit à rapides enjambées la double porte vitrée, tirant derrière elle le surfeur courbé en deux.

— Aïe, aïe, aïe, chantait Kona sur un rythme reggae.

CHAPITRE 13

Des esprits dans la nuit

Nat passa tout l'après-midi et une bonne partie de la soirée à essayer d'analyser les spectrogrammes des enregistrements des chants des baleines. Il compara ensuite les modèles de comportements et classa les modèles de relations correspondants. Qu'est-ce qui pouvait bien définir le dialogue chez un animal de quarante tonnes ? Les animaux dialoguaient-ils à cinq cents mètres l'un de l'autre ? À un, à deux, voire à quinze kilomètres ? Le chant pouvait certainement être capté à de telles distances, les basses fréquences subsoniques pouvant littéralement couvrir des milliers de kilomètres au fond des océans.

Nat essaya de s'immerger dans leur univers sans frontières ni obstacles. Pour la plupart d'entre eux, les cétacés vivaient dans un monde sonore, même s'ils disposaient d'une excellente vue, à la fois dans et hors de l'eau, et de muscles oculaires particuliers qui leur permettaient de modifier la focale en fonction du milieu. Vous deviez composer avec des animaux que vous pouviez voir ou pas. Lorsque Clay et Nat avaient recours au marquage à l'aide de puces reliées à un satellite, chose que leurs moyens ne leur permettaient pas souvent, ou lorsqu'ils louaient un hélicoptère à partir duquel ils observaient les animaux depuis une large perspective, il apparaissait de façon évidente que, même éloignées les unes des autres par plusieurs milles marins, les baleines correspondaient entre elles. Comment pouviez-vous étudier un animal qui socialisait sur de telles distances ? La clé du mystère devait se trouver dans le chant, quelque part dans le signal. S'il n'y avait aucune autre raison que celle-ci, c'était donc là la seule manière possible de cerner le problème.

À minuit, Nat était seul dans le bureau tout juste éclairé par la lueur de l'écran de l'ordinateur. Depuis quatre heures, il en avait oublié le boire, le manger et le pisser, quand Kona entra.

— Quoi, ça ? demanda le surfeur en montrant le spectrogramme qui défilait sur l'écran.

Nat faillit tomber de sa chaise. Il se reprit et ôta son casque.

— La partie qui défile, c'est le spectrogramme du chant d'une baleine. Les différentes couleurs matérialisent les fréquences, ce qu'on appelle le pitch. La ligne qui s'agite dans ce boîtier est un oscilloscope. Il montre aussi les fréquences, mais je m'en sers pour isoler chacune d'entre elles en cliquant dessus.

Kona mangeait une banane. Il en tendit une à Nat sans quitter l'écran du regard.

— Alors c'est donc à ça que ça ressemble ? Le chant.

Kona avait oublié de prendre l'un de ses accents, Nat en oublia donc de se moquer de lui.

— C'est une des façons de le voir. Les humains sont des animaux qui voient. Notre cerveau accepte mieux une information visuelle qu'une information acoustique, alors c'est plus facile pour nous d'étudier le son en le voyant. Le cerveau d'une baleine ou celui d'un dauphin est conçu pour mieux réagir aux sons qu'aux images.

— Et vous cherchez quoi ?

— J'en sais trop rien. Je cherche un signal, un modèle d'information dans la structure du chant.

— Comme un message ?

— Oui, peut-être un message.

— Et ce ne serait pas dans les parties musicales ? demanda Kona. Dans la différence entre les notes ? Comme dans une chanson ? Vous savez, le prophète Bob Marley nous avait donné la sagesse de SMI dans une chanson.

Quinn pivota dans sa chaise et arrêta de mâcher sa banane.

— SMI ? C'est quoi ?

— Sa Majesté Impériale, Hailé Sélassié, empereur d'Éthiopie, Lion de Judas, Jésus-Christ sur terre, le fils de Dieu. Qu'il nous bénisse. Yeah, mec.

— Tu parles bien d'Hailé Sélassié, le roi éthiopien qui est mort dans les années soixante-dix. Ce Hailé Sélassié-là ?

— Ouais, mec. SMI, le descendant direct de David, comme c'est prédit dans Isaïe, le descendant de Salomon et de Makeda, la reine de Saba, dont tous les fils devinrent empereurs d'Éthiopie. Pour nous, rastas, Hailé Sélassié est Jésus-Christ vivant sur terre.

— Mais il est mort, alors comment vous faites ?

— La défonce, ça aide.

— Ah, je vois, dit Nat, ceci expliquant beaucoup cela. Pour revenir à ta question, oui, nous avons étudié les transmissions musicales, mais malgré Bob Marley, je crois que la réponse se trouve ici, dans le registre des basses fréquences, mais seulement parce qu'il se propage plus loin que les autres.

— Vous pouvez geler l'image ? dit Kona en montrant sur l'oscilloscope la ligne verte qui dansait sur un fond noir.

Nat cliqua sur la souris et gela une ligne dentelée sur l'écran.

— Pourquoi ?

— Ces dents, là, regardez, il y en a des grandes et d'autres pas si grandes.

— C'est ce qu'on appelle des micro-oscillations. On ne peut les voir que comme ça, que grâce à l'arrêt sur image.

— Il se passe quoi si l'on attribue le chiffre un aux grandes et le chiffre zéro aux plus petites ? Ça donne quoi ?

— Tu veux dire comme un rythme binaire ?

— Ouais, mec, c'est pas le langage des ordinateurs comme ça ?

Nat en fut abasourdi. Non pas parce que Kona avait raison, mais

124

parce que le gamin disposait de la réflexion intellectuelle nécessaire pour définir le problème. Nat n'aurait pas été plus surpris s'il avait vu une bande d'écureuils en train de bricoler un grille-pain. Peut-être le gamin était-il tombé dans le chaudron et que cet accès d'intelligence n'était qu'un symptôme de résurgence.

— C'est pas une mauvaise déduction, Kona, mais la seule manière pour que les baleines soient au courant de ça, ce serait qu'elles aient des oscilloscopes.

— Et elles en ont pas ?

— Non.

— Ah ? Et avec leur cerveau acoustique ? Elles ne pourraient pas voir ça ?

— Non, dit Nat, qui n'était pas certain de ne pas avoir menti, n'ayant jamais pensé à cela auparavant.

— Bon, j'vais me zoner. Autre chose à manger ?

— Non. Merci pour la banane.

— Que Jah te bénisse, mec. Merci de m'avoir sorti de prison. On sort en mer demain matin ?

— Peut-être pas tout le monde. On verra comment Clay se sentira. Il est allé directement à son bungalow quand Claire l'a ramené de l'hôpital.

— Oh, le chef Clay, il est en super-forme, mec. Il a agonisé de la plus douce des façons avec la frangine Claire. J'les ai entendus s'envoyer en l'air quand je suis rentré.

— À la bonne heure, dit Nat, imaginant au ton qu'avait employé Kona et à son sourire que, quoi que ce dernier ait pu dire, c'était positif. Bonne nuit, Kona.

— Bonne nuit, chef.

Avant que le surfeur n'ait atteint la porte, Nat s'était tourné vers l'écran et il commença à repérer les points dans le dessin de l'ondu-lation des basses fréquences du chant de la baleine. Il lui faudrait potasser quelques articles sur les chants des baleines bleues, celles qui, sur la planète, émettent les appels les plus bas et qui voyagent le plus

125

loin. Et s'assurer également que les sonars des dauphins aient été déjà analysés numériquement. C'était tout ce à quoi il pouvait penser à ce moment-là. Et pendant ce temps il lui faudrait plus d'un échantillon afin d'avoir la certitude qu'il y avait quelque chose à trouver de ce côté-là. Bien sûr, tout cela était ridicule. Ce serait tout aussi simple comme tout aussi complexe. Évidemment, attribuer des valeurs de zéro ou un aux segments du chant, c'était facile. Et ça ne voulait pas dire que cela signifiait quelque chose, ça ne répondait à aucune de leurs questions, mais c'était une manière différente de considérer le problème. L'appel des baleines, un truc binaire ? Non.

Deux heures plus tard, il était toujours en train d'attribuer des un et des zéros aux différentes micro-oscillations des modèles d'ondulations de différents chants. En vérité, étrangement, bizarrement, il avait le sentiment qu'il allait apprendre quelque chose, quand Clay passa la porte, vêtu d'un kimono brodé d'énormes chrysanthèmes blancs, qui lui tombait aux genoux. Il avait un petit pansement au front et une trace allant de la bouche à l'oreille droite de ce qui était vraisemblablement du rouge à lèvres.

— Y a de la bière par ici ? dit Clay en montrant la cuisine.

Le bungalow qui leur servait de lieu de travail, comme tous les bungalows de Papa Lani, avait été autrefois habité par une famille entière, de sorte qu'il possédait une vraie cuisine en plus de la grande pièce qui servait de bureau principal et de deux autres pièces, plus petites, utilisées comme débarras, et d'une salle de bains.

Clay entra à pas de loup et ouvrit la porte du frigo.

— Que dalle. Que de l'eau on dirait. Je suis complètement déshydraté.

— Tu vas bien, dit Nat. Comment s'est passé ton scanner ?

— Tout est normal.

Clay revint vers le bureau et s'écroula dans la chaise, face à son écran d'ordinateur.

— Je m'en tire avec treize points de suture et une éventuelle commotion sans gravité. Je vais me retaper. J'ai bien cru que ce soir

Claire allait avoir ma peau sous la forme d'une crise cardiaque, d'une apoplexie ou d'une maladie. Il n'y rien de tel que d'aller tutoyer la mort pour faire naître la passion chez une femme. Tu peux pas savoir l'effet que cette nana me fait. Quand je pense qu'elle est instit, c'est honteux, fit Clay en souriant, ce qui permit à Nat de voir que son ami avait aussi un peu de rouge à lèvres sur les dents.

— Alors comme ça c'est honteux ? fit Nat en indiquant à Clay qu'il devait s'essuyer la bouche.

Le photographe porta la main à sa joue et examina le rouge qui s'y trouvait.

— Non, je crois que c'est du rouge à lèvres couleur fraise. Tu te rends compte ? Une femme de son âge qui porte du rouge à lèvres parfumé, elle a la honte chevillée au cœur.

— Tu lui as fait très peur, Clay. À moi aussi. Si Amy n'avait pas gardé la tête froide… eh bien…

— J'ai merdé. Je le sais. Je ne me suis occupé que du viseur, j'en ai oublié où j'étais. Connerie de débutant. Mais tu ne peux imaginer la séquence que j'ai pu filmer avec le respirateur. Ça va être étonnant pour étudier les baleines chanteuses. Je suis enfin capable d'aller dessous, sur le côté, où je veux. Il faut seulement que je n'oublie pas où je suis.

— Tu as eu une incroyable veine de pendu.

Nat savait que tout ce qu'il pouvait dire, Clay l'avait déjà entendu une bonne dizaine de fois. Mais il fallait le lui dire tout de même. Sans tenir compte du dénouement, il avait vécu la perte de son ami, même si cela n'avait duré qu'une quarantaine de minutes.

— Rester inconscient, à cette profondeur, si longtemps, tu as usé un sacré paquet de vies sur ce coup-là. Le fait que tu aies gardé le détendeur dans la bouche, c'est un vrai miracle.

— C'est pas un hasard. Je serrais le tuyau parce que le respirateur n'aime pas du tout que de l'eau rentre dans le circuit. Au fil des années, combien de fois ça m'est arrivé qu'on me retire violemment des trucs de la bouche ? Cent fois. Que ce soit par un coup de pied d'un autre plongeur, un appareil qui s'accroche dans le détendeur, un dauphin qui te rentre dedans. Mais puisque de toute façon, la plupart du temps, tu dois rester l'œil collé à l'objectif, avec le tuyau le plus court possible pour que ça adhère bien à ta bouche, le truc, c'est de seulement sauvegarder l'étanchéité. La succion, c'est le seul instinct que possède l'homme.

— Et toi, tu suces, c'est ça que tu es en train de me dire ?

— Regarde-moi, Nat, je sais que tu es en colère, mais je vais bien. Il se passait quelque chose avec cette baleine. Elle a détourné mon attention. Ça ne se reproduira plus. Je dois une fière chandelle à la gamine.

— Elle aussi, on a cru qu'elle était morte.

— Elle est bonne, Nat, vraiment bonne. Elle a gardé son sang-froid, elle a fait ce qu'il fallait. J'aimerais bien savoir comment elle s'y est prise pour remonter ma vieille carcasse à la surface sans choper de problèmes de décompression. Je n'aurais jamais dû faire ces paliers, mais il s'est avéré que c'était pourtant la seule chose à faire. On peut pas apprendre aux gens à réagir comme elle a réagi.

— Tu changes de sujet.

De fait, Clay essaya de changer de sujet.

— Dis donc, le match Toronto-Edmonton, ça a donné quoi ?

« Je le vois venir, se dit Nat, il essaie de me prendre par le point faible inhérent à tout Canadien : le hockey. Comme si jouer la carte du hockey allait me faire oublier... »

— Je ne sais pas. Regardons le résultat.

Du dehors, derrière la moustiquaire, la voix de Claire demanda :

— Clay Demodocus, est-ce toi qui as mon kimono ?

— Oui, chérie, c'est moi, pourquoi ? dit Clay en lançant un regard gêné à Quinn, comme s'il venait tout juste de remarquer qu'il portait un kimono de femme.

— Parce que ça signifie que je suis toute nue, dit Claire.

Elle n'était pas assez près pour qu'il puisse vraiment la voir à travers

128

la moustiquaire, mais Quinn n'avait aucun doute sur le fait qu'elle soit nue, en train de taper du pied sur le sable, les mains sur les hanches.

— Je sais, dit Clay. On s'apprêtait à jeter un œil aux résultats des matchs de hockey, ma chérie, tu veux entrer ?

— Clay, il y a ce gamin avec la moitié des dreadlocks arrachées et une belle érection, qui est en train de me regarder. Il m'intimide.

— Je me suis réveillé comme ça, chef, dit Kona. Y a pas offense.

— Il travaille pour nous, ma chérie, fit Clay d'un ton rassurant avant de murmurer à Quinn : Je ferais mieux d'y aller.

— T'as intérêt, dit Quinn.

— À demain.

— Tu devrais prendre ta journée.

— Non, je te verrai demain matin. Au fait, tu travailles sur quoi en ce moment ?

— Je transcris en rythme binaire la partie subsonique du chant d'une baleine.

— Ah ? Intéressant.

— Dis donc, je me sens vulnérable moi ici, dit Claire. Vulnérable et en colère.

— Je ferais bien de filer, dit Clay.

— Bonne nuit.

*

Une heure plus tard, à l'instant même où Nat jugeait qu'il disposait de suffisamment d'exemples transcrits en binaire pour élaborer des espèces de modèles, le troisième esprit de la nuit poussa la porte. C'était Amy, en tee-shirt d'homme qui lui descendait à mi-cuisse ; elle bâilla et se frotta les yeux.

— Qu'est-ce que vous foutez à cette heure-ci ? Il est trois heures du matin.

— Et vous ? Vous travaillez ?

Pieds nus, Amy s'approcha à pas feutrés et regarda l'écran sur lequel Quinn travaillait, tout en essayant de chasser la fatigue de ses yeux.

— C'est la partie basse fréquence du chant, n'est-ce pas ?

— Ouais, c'est ça, et aussi des chants de baleines bleues que j'avais. Je compare.

Quinn sentit l'espèce d'odeur de shampooing aux fruits des bois qu'Amy dégageait. Il prit vraiment conscience de la chaleur de son corps qu'elle appuyait contre son épaule.

— Je ne comprends pas. Vous digitalisez manuellement ? Ça me semble un peu primitif comme méthode. Le signal ne l'est pas déjà puisqu'il est enregistré sur le disque ?

— Je l'étudie d'une manière différente. Il s'effacera probablement, alors je me concentre uniquement sur la forme de l'ondulation de la partie inférieure. Dans ce contexte, il n'y a pas de méthodologie, ce qui fait que c'est certainement une perte de temps.

— Mais je vous trouve quand même debout à trois heures du matin en train de répertorier des un et des zéros sur l'écran. Cela vous gêne si je vous demande pourquoi ?

Quinn attendit quelques secondes avant de répondre, essayant d'imaginer ce qu'il fallait faire. Il voulait se tourner vers elle, pour la regarder, mais elle était si près de lui qu'il se serait trouvé nez à nez avec Amy, ce qui n'était pas le moment. Alors, il posa les mains sur ses cuisses et lâcha un profond soupir comme si tout cela était vraiment trop ennuyeux. Les yeux sur l'écran, il fit :

— D'accord, Amy, je vais vous répondre. Voilà. C'est à cause du paiement en retour, pour la beauté de ce que nous faisons. Vous comprenez ?

— Ouais, dit-elle, devinant un malaise dans ce qu'il venait de dire et s'écartant de lui.

Nat se tourna et la regarda droit dans les yeux.

— Ça peut arriver sur le bateau, au moment où le matin vous montez à bord. Ça peut arriver au labo, à quatre heures du mat', alors que cela fait cinq ans que vous travaillez sur les mêmes données

130

et que vous mettez le doigt sur quelque chose, que vous découvrez quelque chose, ou que des éléments vont soudain s'assembler et que vous vous rendez compte que vous savez quelque chose que le monde entier ignore encore. Il n'y a que vous à savoir. Personne d'autre. Et vous prenez conscience que tout ce que vous valez se trouve dans cette chose, qui ne va vous appartenir que pour un temps très court, jusqu'à ce que vous l'appreniez à quelqu'un d'autre. Mais pendant ce laps de temps, vous êtes plus vivant que vous ne l'avez jamais été. C'est ça le truc, Amy. C'est pour cela que les gens font ça, qu'ils conjuguent des salaires de misère avec de grands risques, des conditions de vie merdiques et des relations avec les autres tout aussi merdiques. On fait ça pour ce moment si unique.

Amy était debout, les bras baissés et les mains jointes, comme une petite fille qui essaie d'ignorer un discours. Elle fixait le sol.

— Donc, vous dites que vous êtes sur le point de vivre l'un de ces instants-là et moi je débarque comme un cheveu sur la soupe, c'est ça ?

— Non, non, ce n'est pas ce que j'ai voulu dire. Je ne sais pas ce que je suis en train de faire. Je vous explique seulement pourquoi je le fais. Et cela vous concerne aussi. Vous ne savez pas encore ce que vous faites.

— Et si quelqu'un vous disait que plus jamais vous ne connaîtrez l'un de ces instants-là ? Vous continueriez à chercher ?

— Ça n'arrivera pas.

— Alors vous êtes à deux doigts de trouver quelque chose ? Avec ce rythme binaire ?

— Peut-être.

— Ryder n'a-t-il pas analysé le chant autant que cela peut être fait pour arriver à la banale conclusion d'un point six bits par seconde ? C'est pas assez pour être significatif, n'est-ce pas ?

Véritable *kahuna*[1], Ronchon Ryder avait été le directeur de thèse de

---

1. Mot hawaïen signifiant « gardien des secrets et de la tradition ».

Quinn à l'université de Santa Cruz, l'un des premiers grands chercheurs du domaine concerné, avec Ken Norris et Roger Payne. En fait, son prénom était Gerard, mais tous ceux qui l'avaient connu l'avaient toujours appelé Ronchon à cause de sa nature perpétuellement bougonne. Une dizaine d'années plus tôt, au large des îles Aléoutiennes, il était parti en solitaire à bord d'un Zodiac pour aller enregistrer les chants des baleines bleues et n'en était jamais revenu. Quinn sourit en pensant à lui.

— Si, mais Ryder a disparu avant de terminer cette étude et il s'intéressait aux notes musicales et aux thèmes. Moi, j'étudie la forme des ondulations. Si on considère ce que j'ai fait ce soir, il apparaît qu'on peut monter jusqu'à cinquante ou soixante bits par seconde. C'est beaucoup d'informations.

— Ça ne peut pas être vrai, ça ne marchera jamais, dit Amy.

Elle sembla considérer cette information de façon plus émotionnelle que Nat pouvait se l'imaginer.

— Si vous pouviez tirer autant d'informations subsoniques, la marine s'en servirait pour les sous-marins. De plus, comment les baleines pourraient-elles utiliser la forme des ondulations ? Il leur faudrait un oscilloscope.

Elle dit cela presque en criant, juchée sur la pointe des pieds.

— Calmez-vous, j'étudie juste cette possibilité. Les dauphins et les chauves-souris n'ont pas besoin d'oscilloscope pour obtenir une image sonore. Peut-être qu'il faut creuser cela. Ce n'est pas parce que j'utilise un ordinateur pour étudier ces données que j'en conclus que les baleines sont digitalisées. Bon Dieu, c'est rien qu'une hypothèse.

Il allait lui tapoter l'épaule pour la réconforter, mais se souvint de la réaction qu'elle avait eue à la prison face à ce genre de geste.

— Vous n'étudiez pas des données, Nat, vous les créez de toute pièce. Vous perdez votre temps et je ne suis pas certaine que vous ne me fassiez pas perdre le mien. Tout ce boulot ne constitue peut-être qu'une énorme bourde.

— Amy, je ne comprends pas pourquoi…

Mais elle n'était pas décidée à le laisser se justifier.

— Allez vous coucher, Nat. Vous délirez. Demain, il y a un vrai boulot qui nous attend et vous ne serez bon à rien si vous ne dormez pas un peu.

Elle tourna les talons et disparut en furie dans la nuit. Pendant qu'elle traversait la cour pour rejoindre son bungalow, Nat l'entendit fulminer. Les mots « barjo », « pauvre type », « looser pathétique » se détachèrent de sa tirade pour aller se planter dans l'ego de Nat.

Assez bizarrement, un sentiment de soulagement l'envahit quand il se rendit compte que les désillusions de grandeur romantique qu'il avait abandonnées, voire combattues, au sujet de son assistante de recherches, n'étaient que des désillusions. Elle le prenait pour un charlot. En paix avec lui-même pour la première fois depuis qu'Amy était arrivée à bord, il sauvegarda son travail, éteignit l'ordinateur et alla se coucher.

CHAPITRE 14

Sur le port

Pour aller sur le port, ils longèrent les appartements résidentiels, les champs de canne, le terrain de golf, le Burger King, le cimetière bouddhiste et son grand Bouddha vert béatifié par la mer, ils passèrent devant les restaurants où l'on servait de la viande et les boutiques à touristes. Dans la rue du Front de Mer, ils croisèrent le vieil homme avec un perroquet sur la tête, qui chevauchait un vélo de fille. Bref, ils allèrent au port. À la station-service réservée aux bateaux, ils saluèrent les chercheurs, d'un signe de tête ils dirent bonjour aux harpies des barques de location de bateaux, firent des *hakas* en direction des moniteurs de plongée et des capitaines et se coltinèrent le matériel scientifique avant de commencer leur journée.

Assis à l'arrière de son bateau, Tako Man prenait son petit déjeuner composé de riz et de pieuvre alors que passa l'équipage de la Fondation de recherche sur les baleines de Mauï, c'est-à-dire Clay, Quinn, Kona et Amy. Tako Man était un Malaisien râblé et costaud avec de longs cheveux noirs et une barbichette filasse qui, avec les hameçons en os qu'il portait dans les oreilles, lui donnaient un air distingué de pirate. C'était l'un des pêcheurs de corail noir qui vivaient sur le port et ce matin, comme d'habitude, il avait revêtu sa combinaison de plongée.

— Salut, Tako, dit Clay.

Le plongeur leva les yeux de son bol. On aurait juré que quelqu'un lui avait versé du sang dans les yeux. Kona remarqua que, dans le bol, les petites pieuvres bougeaient encore. Il se mit à trottiner sur le ponton, sentant la trouille émerger de sa moelle épinière.

— Hier soir. Y avait des gars qui zonent la nuit, habillés en gris, sur votre bateau. Je les ai vus, dit Tako Man. Pas la première fois.

— Pas fâché de l'apprendre, dit Clay en traitant le plongeur avec condescendance tout en continuant son chemin.

Il fallait être bien vu de tous ceux qui vivaient sur le port, tout particulièrement des pêcheurs de corail noir qui brûlaient la chandelle par les deux bouts. Ils se shootaient à l'héroïne, buvaient comme des trous et plongeaient toute la journée à deux cents pieds de profondeur pour rapporter les gemmes de corail ayant une valeur marchande, avant d'aller claquer leur argent dans des fêtes qui duraient tout le week-end, fêtes qui plus d'une fois s'étaient terminées par la mort de l'un d'eux que l'on retrouvait sur le port. Ils habitaient sur leurs bateaux et mangeaient du riz mélangé à tout ce qu'ils pouvaient pêcher. Tako Man, lui, tenait son nom du fait que chaque après-midi, après que tous les pêcheurs étaient rentrés, on pouvait voir le Malais grisonnant rapporter un filet plein de takos (pieuvres) qu'il avait harponnées sur le récif pour le dîner des autres.

— Salut, dit timidement Amy à Tako Man quand ils passèrent devant lui.

Il la fixa de ses yeux injectés de sang et sa tête se fendit d'une petite révérence comme il piquait du nez dans son petit déjeuner. Amy pressa le pas et le container qu'elle portait heurta l'arrière de la cuisse de Quinn.

— Amy, merde..., dit Quinn qui faillit perdre l'équilibre.

— Ces gars, là, demanda Amy dans un murmure, collant Quinn comme son ombre, ils plongent même quand ils sont dans cet état-là ?

— Pire que ça. Ça vous ennuierait de reculer un peu ?

— Il est effrayant. Vous savez que vous êtes supposé me protéger. Comment s'y prennent-ils pour ne pas avoir de problèmes ?

— Chaque année, il y en a un ou deux qui disparaissent. Ça peut paraître paradoxal, mais c'est généralement une overdose qui les emporte.

— Dur boulot.

— Ces gars sont des durs.

Tako Man leur cria :

— Allez vous faire mettre, les baleiniers ! Vous allez voir ce que vous allez voir. Ah, les putains de zonards ! Ils vous l'ont mis profond, bande d'enculés de votre mère !

Il leur jeta son reste de petit déjeuner qui atterrit par-dessus bord. De minuscules poissons se battirent à la surface pour en avoir les miettes.

— La faute au rhum, dit Kona. Y a trop d'hostilité dans ce truc-là. Le rhum, il provient de la canne, et la canne, c'est l'héritière de la période esclavagiste, et c't'oppression, elle se r'trouve distillée dans la bouteille et ça rend les mecs méchants comme des teignes.

— Ça alors, fit Clay à Quinn. Tu savais ça, toi, au sujet du rhum ?

— Dis donc, il est où ton bateau ? demanda Quinn.

— Quoi ? Mon bateau ?

— Oui, votre bateau, Clay, dit Amy.

— Ah non ! fit Clay.

Il s'arrêta et posa sur le quai les deux boîtes qui contenaient son matériel photographique. Le *Toujours Confus*, l'épatant, le puissant Grady White de vingt-deux pieds avec console centrale, la fierté et la joie de Clay avaient disparu. Là où s'était trouvé le bateau, un gilet de sauvetage, une bouteille d'eau et quelques objets personnels dodelinaient gentiment à la surface dans une nappe d'essence arc-en-ciel.

Chacun pensa que l'autre allait dire quelque chose, mais pendant une bonne minute personne ne dit rien. Ils restèrent plantés là, regardant ce qui aurait dû être le bateau de Clay, c'est-à-dire une grosse masse d'air tropical dénuée de toute embarcation.

— Aïe ! dit finalement Amy à la place de tout le monde.

— On devrait aller voir la capitainerie, dit Nat.

— Mon bateau, fit Clay, face à sa place de parking vide avec l'air de celui qui découvre que le chien qui a partagé sa jeunesse vient de passer sous une voiture.

S'il avait pu, il aurait enfoui son visage dans son encolure, caressé ses petites oreilles de chien mort, mais il se contenta de repêcher le gilet de sauvetage plein d'huile et de s'asseoir sur le quai.

— Il aimait beaucoup ce bateau, dit Amy.

— Je peux avoir une consolation pour la frangine ? s'exclama le gamin aux nattes blondes.

— J'ai payé l'assurance, fit Nat en prenant le chemin de la capitainerie.

Tako Man était descendu de son bateau pour venir voir le plan d'eau désert. Il semblait triste à présent. Amy battit en retraite derrière Kona, mais Kona avait déjà lui-même battu en retraite derrière celui qui se trouvait derrière lui et qui se trouva être le capitaine Tarwater, resplendissant dans son uniforme blanc et ses souliers que Kona venait tout juste d'érafler.

— Salut, le marchand de glaces.

— Vous êtes en train de marcher sur mes chaussures.

— Que s'est-il passé ? demanda Cliff Hyland qui était arrivé à la suite du capitaine.

— Le bateau de Clay a disparu, répondit Amy.

Cliff s'avança et posa la main sur l'épaule de Clay.

— Peut-être que quelqu'un l'a emprunté.

Clay hocha la tête, comprenant que Cliff voulait lui remonter le moral, mais ce geste de réconfort lui fit l'effet d'un emplâtre sur une jambe de bois.

Quand Quinn revint de la capitainerie avec un flic de Maüi sur ses talons, il y avait une demi-douzaine de biologistes, trois pêcheurs de corail et un couple originaire du Minnesota qui prenait des photos, certain qu'il se passait là quelque chose dont il lui faudrait se souvenir, à condition, naturellement, de découvrir ce qui se passait. À l'arrivée du flic, les pêcheurs se dispersèrent dans la foule avant de disparaître.

Jon Thomas Fuller, le scientifique qui faisait également chef d'entreprise, accompagné de trois de ses naturalistes plutôt mignonnes, arriva derrière Quinn.

— C'est tout simplement tragique, Nat. Tout simplement tragique. Je suis sûr que pour vous ce bateau représentait beaucoup.

— Ouais, mais on le voyait aussi comme un truc qui flottait et qui nous trimbalait sur l'eau.

Nat avait une réelle capacité naturelle pour la moquerie, qu'il gardait généralement en réserve pour les gens et les choses qui l'irritaient au plus haut point, et Jon Thomas était des plus irritants.

— Ça va être coton de remplacer le bateau.

— On va se débrouiller. Il était assuré.

— Peut-être voudriez-vous en avoir un plus gros ce coup-ci. Je n'ignore pas qu'avec ces soixante-cinq pieds, comme celui que nous avons, il existe des mesures de sécurité particulières, mais grâce à la cabine vous pouvez installer des ordinateurs, des appareils photo de proue et un tas d'autres choses impossibles à mettre sur de petites vedettes. Un bateau de taille respectable ajouterait du sérieux à vos travaux.

— Comme qui dirait, Jon Thomas, nous avons décidé de nous accommoder de la légitimité que nous accorde la crédibilité de nos recherches.

— Nous n'avons pas encore réussi à sortir les chiffres, fit Fuller qui se surprit à hausser la voix.

Le flic qui interrogeait Clay jeta un coup d'œil par-dessus son épaule et Fuller baissa alors d'un ton et ajouta :

— C'était juste de la jalousie professionnelle à mettre sur le compte de vos détracteurs.

— Vos détracteurs se basaient sur des faits. Qu'espérez-vous quand vos publications concluent que les baleines à bosse prennent du plaisir à être heurtées par des jet-skis ?

— C'est vrai pour certaines.

Fuller repoussa son casque colonial en arrière et osa un sourire de sincérité qui s'affaissa sous son propre poids.

— Où voulez-vous en venir, Jon Thomas ?

— Nat, je peux vous fournir un bateau comme le nôtre, avec tout l'équipement et un budget opérationnel, et en contrepartie vous aurez juste à mener à bien un petit projet pour moi, qui ne prendra qu'une saison de travail au maximum. Et votre organisation pourra garder le bateau, le vendre ou en faire ce qu'elle voudra.

À moins que Fuller ne fût sur le point de lui demander de le balancer dans l'eau du port, Quinn savait parfaitement qu'il allait décliner l'offre, mais il lui fallait en savoir davantage car ces bateaux étaient vraiment beaux.

— Je vous écoute.

— J'aurais besoin que vous apportiez votre concours à une recherche qui dit que les parcs, où les êtres humains peuvent côtoyer les dauphins, sont sans danger pour les animaux et que vous réalisiez une étude qui affirme que la construction d'un tel parc à la baie La Pérouse n'aurait pas d'impact négatif sur l'environnement. Ensuite, j'aurais besoin de votre participation aux réunions adéquates pour que vous défendiez le projet.

— Je ne serai pas votre homme, Jon Thomas. D'abord, je ne suis pas un spécialiste des dauphins et vous le savez bien.

Nat évita d'ajouter ce qu'il voulait dire et qui était : « Et deuxièmement, vous êtes un fieffé demeuré qui veut faire de l'argent sans la moindre considération pour la science ou les animaux qu'il étudie. »

— Pourquoi ne vous lancez-vous pas vous-même ? fit Nat.

— J'ai l'étude animalière. Vous n'auriez pas à la faire. Je veux juste que vous la signiez.

— Et ceux qui ont effectivement réalisé cette étude n'y verront aucune objection ?

— Non. Ça leur ira très bien. J'ai besoin de votre présence et de votre nom, Nat.

— Je ne crois pas. Je me vois mal argumenter face à des militants écologiques et participer à des réunions municipales.

— Très bien, je comprends. Clay et Amy pourraient participer à ces réunions. Mettez seulement votre nom sur le papier et faites l'étude sur l'impact environnemental. J'ai besoin de la crédibilité de votre nom.

— Crédibilité que je perdrais dès que vous vous en servirez. Je suis désolé, mais mon nom, c'est ma seule carte de visite pour vingt-cinq années de travail. Il n'est pas à vendre, même pour un très joli bateau.

— Ah, je vois, la noblesse des crève-la-faim. Allez vous faire foutre, Nat, vous et vos idéaux. Je fais davantage pour ces animaux en les montrant au public que vous en passant votre temps à faire des graphiques des chants des baleines ou à enregistrer leur comportement. Et avant que vous ne montiez sur vos grands chevaux pour vous retirer dans votre tour d'ivoire, vous feriez bien de regarder qui travaille avec vous. Ce gamin est un voleur notoire et personne n'a jamais entendu parler de votre précieuse nouvelle assistante.

Fuller tourna les talons et fit signe à son fan-club de *baleinettes* de monter à bord de leur bateau.

Quinn chercha Amy et l'aperçut à côté du flic qui s'entretenait avec Clay et l'aidait à donner des détails. Nat courut à la suite de Fuller, attrapa le petit bonhomme par le bras et le retourna.

— De quoi parlez-vous ? Amy a étudié à Woods Hole, avec Tyack et Loughten.

— Ah bon ? Peut-être devriez-vous leur passer un coup de fil et le leur demander. Parce qu'ils n'ont jamais entendu parler d'elle. Malgré ce que vous pensez, je me renseigne. Pouvez-vous en dire autant ? À présent, je vous en prie, retournez donc à votre organisation qui n'a qu'un seul bateau.

— Si jamais j'apprends que vous êtes mêlé à cette histoire...

Fuller dégagea son bras de l'emprise de Quinn et sourit.

— Vous ferez quoi ? Vous deviendrez encore plus imbuvable ? Je vous emmerde, Nat.

— Qu'est-ce que vous avez dit ?

Mais Fuller l'ignora et monta à bord de son bateau de recherche à un million de dollars pendant que Quinn s'éloignait sur le quai en direction de ses amis. Les épaves huileuses avaient perdu de leur allure et la foule s'était dispersée. Il ne restait qu'Amy, Clay, le policier et le couple du Minnesota.

— Vous, vous êtes connu, n'est-ce pas ? demanda la femme quand Nat arriva vers elle. Chéri, ce type-là, c'est quelqu'un de connu. Je me souviens de l'avoir vu sur Planète. Prends-moi en photo avec lui.

— C'est qui ? demanda Chéri alors que sa femme prenait Nat par le bras et se mettait à poser comme s'il venait de lui remettre un chèque.

— Je sais pas, sûrement l'un de ces gars qui vivent sur l'océan, dit-elle en souriant, prenant la pose comme si elle était en compagnie de l'une des sculptures de bois qui décoraient les entrées des maisons de Lahaïna. Contente-toi de prendre la photo.

— Vous êtes de la bande à Cousteau ?

— *Oui*[1], dit Nat. À présent, il faut que j'aille m'entretenir avec ma chère amie Sylvia Earle, fit-il en singeant le français avec son mélange d'accents de Colombie-Britannique et de Californie du Nord. Il faut que je vous parle.

— Sylvia Earle ! C'est une fille du *National Geographic*. Chéri, prends-moi en photo avec elle.

*

— Nat, il ment. Vous pouvez vérifier si ça vous chante. Tout figurait sur le CV que j'ai remis à Clay.

1. En français dans le texte.

Amy ne se mit pas en colère, elle semblait juste blessée, peut-être trahie. De ses grands yeux pleins de larmes elle commençait à ressembler à un clown triste. Quinn ressentit ce que l'on éprouve quand on fracasse un sac contenant une portée de chatons contre un pare-chocs de camion.

— Je sais, dit-il, je suis désolé. Je voulais seulement… Savez, Jon Thomas est un con. C'est lui qui est venu me voir.

— C'est bon, fit Amy en reniflant. C'est juste que… que… j'ai travaillé si dur.

— Je n'ai pas besoin d'aller vérifier, Amy. Vous faites du bon boulot. Je m'excuse d'avoir douté. Allons chercher Clay et mettons-nous au travail.

Avec quelque hésitation, il mit un bras sur ses épaules et l'entraîna vers Clay qui mettait un terme à son entretien avec le flic. Clay vit les traces de larmes sur les joues d'Amy. Il la prit immédiatement dans ses bras et pressa sa tête contre son épaule.

— Je sais, ma chérie, je sais. C'était un bon bateau, mais ce n'était qu'un bateau. On va en avoir un autre.

— Kona, où est-il ? demanda Nat.

— Il était là il y a une seconde, dit Clay.

Le portable de Nat sonna. Il le sortit de sa poche de chemise et répondit :

— Nat, c'est moi, fit la Vieille Peau.

Nat couvrit le micro du portable.

— C'est la Vieille Peau, fit-il à Clay.

— Amy, allez chercher Kona pendant que je termine avec le lieutenant, d'accord ? dit Clay.

Amy acquiesça et s'éloigna sur le quai. Clay se retourna vers le flic.

La Vieille Peau continua :

— Nat, je me suis à nouveau entretenue avec ce grand mâle aujourd'hui, et il tient absolument à ce que vous lui apportiez des sandwichs au bœuf fumé quand vous sortirez en mer. Il a dit que c'était très important.

— Je n'en doute pas, Elizabeth, mais je ne suis pas certain que nous allons sortir aujourd'hui. Il est arrivé quelque chose au bateau de Clay. Il a disparu.

— Oh, mon Dieu, Clay doit être affolé. Je vais venir m'occuper de lui, mais vous, vous devez sortir dans la passe aujourd'hui. Je sens que c'est quelque chose de très important.

— Je ne crois pas que ce soit la peine de venir, Elizabeth. Clay va se débrouiller.

— Bon, si vous le dites, mais promettez-moi que vous allez sortir aujourd'hui.

— Promis.

— Et que vous emporterez un sandwich au bœuf fumé pour ce gros mâle.

— Je vais faire mon possible, Elizabeth. Il faut que j'y aille à présent, Clay a besoin de moi pour quelque chose.

— Avec du gruyère et de la moutarde chaude ! fit la Vieille Peau comme Nat coupait la communication.

Clay remercia le policier, qui salua Quinn d'un signe de tête en partant. Même le couple originaire du Minnesota avait disparu. Il ne restait plus que Clay et Quinn sur le quai.

— Où sont les gamins ? demanda Nat d'un ton craintif, réalisant que Clay et lui, tel un couple majeur et responsable, s'ennuyait pendant que les enfants étaient partis s'amuser et couraient l'aventure.

— J'ai demandé à Amy de chercher Kona. Ils doivent bien être quelque part.

— Clay, j'ai un truc à te demander avant qu'ils reviennent.

— Vas-y.

— As-tu vérifié les références d'Amy quand tu l'as recrutée ? Je veux dire, as-tu appelé quelqu'un ? As-tu téléphoné à Woods Hole par exemple ? Son université, c'était quoi déjà ?

— Cornell. Ben non. Elle paraissait intelligente, mignonne, elle

143

savait de quoi elle parlait et elle a dit qu'elle était prête à travailler gratuitement. Sur le papier, sa bonne foi en faisait un don du ciel.

— Jon Thomas Fuller dit qu'il a enquêté et qu'à Woods Hole personne n'a entendu parler d'elle.

— Fuller est un connard. Et puis je m'en fous si elle n'a pas terminé l'université. La gamine a fait ses preuves. Et elle a des couilles.

— D'accord, mais je devrais peut-être téléphoner à Tyack. Au cas où.

— Si tu le sens. Appelle-le cet après-midi, à ton retour.

— Je suis certain que Fuller a voulu me tester. Il a essayé de nous proposer un bateau comme le sien si nous apportions notre soutien à son projet de parc pour dauphins.

— Et tu l'as rembarré?

— Naturellement.

— Mais ce sont de très beaux bateaux. Notre flotte vient d'être réduite de moitié. Nos capacités nautiques ont diminué de plus de cinquante pour cent.

— Quoi de neuf? dit Amy en arrivant sur le quai.

Elle semblait s'être débarrassée de sa mélancolie.

— Clay joue au savant. Fuller nous a offert un bateau de soixante pieds comme le sien, avec un budget opérationnel, si nous soutenons son projet de dauphins.

— Il faut que je couche avec lui?

— On n'a pas abordé le sujet, fit Clay, mais je suis persuadé qu'on arrivera à avoir un sonar si vous y mettez de la bonne volonté.

— Ben alors, Nat, acceptez, fit Amy.

— Ça signifierait brader notre crédibilité, dit Quinn, consterné par le comportement putassier de ses collègues. Nous sombrerions vers le mauvais côté des choses.

Amy haussa les épaules et dit :

— Ce sont de très beaux bateaux.

Les commissures de ses lèvres eurent un petit mouvement saccadé, comme si elle essayait de refréner un sourire, et Nat prit conscience qu'elle se moquait probablement de lui.

— Ouais, fit Clay, très beaux.

Clay également se payait sa tête, signe qu'il allait bien.

Nat secoua la tête, comme s'il combattait l'incrédulité alors qu'en fait il essayait de chasser de sa mémoire ce rêve où il descendait les rues de Seattle à la barre d'une énorme vedette avec Amy en bikini comme figure de proue.

— Clay, si tu es d'accord, on devrait vraiment sortir avant que le vent ne se lève.

— Allez-y, répondit Clay. Je vais porter le rapport de police à l'assurance. Avez-vous trouvé Kona ? demanda-t-il à Amy.

— Il est là-bas. Avec ce Tako.

— Qu'est-ce qu'il fabrique ?

— On dirait qu'il assemble une espèce de saxophone. Je ne me suis pas assez approchée pour bien voir.

Quinn s'avança sur le quai et regarda là où Kona s'entretenait avec Tako.

— C'est pas un saxophone, c'est un bong. Il le démonte pour le transporter.

— C'est quoi, un bong ?

— Gentille Amy. Aidez-moi à charger le matériel à bord.

Soudain, Kona se mit à vociférer et à courir vers eux sur le quai.

— Bwanas ! J'ai trouvé le bateau !

— Où ça ? fit Nat en se redressant.

— Juste là. Tako dit qu'il est là. Il a sombré là ce matin.

Kona montrait une nappe d'eau trouble, d'un vert qui tirait vers le jade, et située au milieu du port. Cette perpétuelle teinte d'algue veloutée était due à tous les déchets que rejetaient les gens qui vivaient sur leurs bateaux, en plus des appâts, des boyaux de poissons, du vomi de ceux qui souffraient du mal de mer et des fientes d'oiseaux qui coulaient avant que les charognards n'aient eu le temps de les nettoyer.

— Mon bateau, dit Clay en regardant l'étendue d'eau d'un d'air triste.

Amy s'avança vers lui et mit son bras autour des épaules de Clay, étape numéro deux de l'opération réconfort.

— Il a coulé dans cette eau-là ?

— Oui, Bwana Clay, c'est les zonards de la nuit qui ont fait ça. Tako les a vus. Des gars gris-bleu, maigrelets. Il les appelle les zonards de la nuit. Je crois que ce sont des extraterrestres.

— Les extraterrestres sont toujours gris, c'est ça ? s'enquit Clay.

— C'est ce que je lui ai dit, fit Kona. Mais il a dit non, pas avec une tête en forme d'ampoule. Il a dit qu'ils sont grands et français[1].

— Tu es encore défoncé, dit Clay.

— C'est Tako, mon frère. Lui avoir de l'herbe mystique. Ç'a été comme qui dirait une obligation spirituelle.

— Kona, il ne te critique pas, expliqua Nat. Nous ne faisons que penser que tu es défoncé. Clay se contente seulement de mettre en doute la crédibilité de ton histoire.

— Toi pas croire moi ? Toi donner un masque à l'homme et moi plonger et te rapporter un truc de ton bateau pour preuve.

— Tout ce que tu vas réussir à attraper, c'est une hépatite, dit Amy.

— Moi, je vais travailler, dit Nat.

— Mon bateau, fit Clay.

Nat se dit qu'il pourrait peut-être offrir un lot de consolation.

— Clay, il faut voir le bon côté des choses. Les baleines, au moins, elles sont grosses.

— Quel rapport avec le bon côté des choses ?

— Nous pourrions étudier des virus. As-tu seulement idée de ce que cela coûte de remplacer un microscope à balayage électronique ?

— Mon bateau, dit Clay.

1. Allusion aux espions français de la DGSE qui coulèrent le *Rainbow Warrior* en baie d'Auckland en 1985.

CHAPITRE 15

Une chanson pour le souper

Amy repéra la baleine. Pour elle, la matinée avait été stressante et Quinn voulait lui faire entièrement confiance. Il lui avait donc donné les écouteurs et décidé des directions à prendre alors qu'ils allaient enfin trouver laquelle des baleines était véritablement le chanteur.

— Attendez une seconde, dit Amy. Coupez le moteur.

Et alors elle fit quelque chose qu'en un quart de siècle Quinn n'avait vu faire qu'une seule fois, et par son maître à penser, Gérard Ryder, dont tout le monde s'accordait à reconnaître l'incroyable excentricité. Amy se pencha par-dessus bord en se tenant par les genoux et mit la tête sous l'eau. Elle remonta au bout de trente secondes, éclaboussant tout le bateau, puis pointa son doigt vers le nord.

— Il est par là.

— Vous savez très bien que ça ne marche pas, dit Quinn.

Tout le monde sait que sous l'eau les êtres humains ne peuvent pas se diriger au son. Il fallait prendre comme une marque de gentillesse le fait de le rappeler à Amy.

— Allez par là. C'est là qu'est notre baleine.

— D'accord. Je veux bien croire qu'il y ait un chanteur par là, mais vous ne l'avez pas repéré en l'écoutant.

Elle resta là, à ses côtés, à le fixer, l'eau ruisselant sur les pieds de Nat, la console et le carnet de notes.

— OK, on y va.

Il redémarra le moteur et poussa la manette des gaz.

— Dites-moi quand on y sera.

Quelques minutes plus tard, Amy lui fit signe de stopper le moteur et elle se pencha à nouveau pour mettre la tête sous l'eau alors que le bateau avançait sur son erre.

— C'est complètement idiot, dit Nat alors qu'Amy avait la tête sous l'eau.

Amy se redressa assez longtemps pour dire :

— J'ai entendu.

— Vous ressemblez à quelqu'un qui met la tête dans l'eau pour chercher des baleines, voilà à quoi ça ressemble.

— Taisez-vous, dit Amy pendant qu'elle remontait pour prendre sa respiration, j'essaie d'écouter.

— Vous me rappelez ce personnage de bande dessinée[1] qui passe son temps à regarder les poissons.

— Par là, dit Amy en se redressant à nouveau.

Elle pointa son doigt, s'ébroua comme un chien et éclaboussa le professeur.

— Il est à environ six cents mètres.

— Six cents mètres ? Vous êtes sûre ?

— Vous voulez parier un billet de cinquante ?

— Si on est à moins d'un demi-mille d'une baleine chanteuse, je vous paie le resto.

— D'ac. D'après vous, ça va chercher dans les combien pour faire venir une langouste du Maine directement dans mon assiette à Lahaïna ?

— Je vais pas avoir besoin de savoir ça.

1. Allusion à *Avant Jésus-Christ*, bande dessinée de Johnny Hart publiée en 1958.

148

— Occupez-vous du bateau, s'il vous plaît. Allez par là-bas.

À nouveau, elle désigna l'endroit, d'une manière qui ne fut pas sans rappeler celle avec laquelle Babe Ruth avait pointé du doigt l'autre côté de la clôture du terrain de Wrigley avant son célèbre *home run*[1] (à cette différence près qu'Amy était une fille, menue, et bien en vie).

Quinn entendit le chanteur bien avant qu'il n'immerge l'hydrophone. Le bateau tout entier se mit à vibrer alors qu'il partait à dériver.

Amy, debout à la proue, montra quelques taches blanches qui dansaient juste sous la surface. Il s'agissait des nageoires pectorales et de la caudale.

— Il est là !

Si une foule avait été présente à cet instant, elle serait entrée en transe.

Quinn sourit. Amy se retourna et lui renvoya son sourire.

— Pour moi, ça sera viande *et* langouste, dit-elle, arrosées de quelque chose de rouge, de français et de cher, avec à la clé un dessert flambé. Je me fous de ce que ce sera tant que c'est flambé. Et on terminera avec un petit massage du dos avant que je vous abandonne à votre bungalow, seul, déçu et perplexe. Ha ! Ha !

— Marché conclu ! dit Nat.

— Non, ce n'est pas un marché. C'est un pari que vous avez lamentablement perdu parce que vous avez osé douter de moi, un pari dont vous vous mordrez éternellement les doigts. Ha ! Ha !

— Et si on se mettait au travail maintenant ? À moins que vous souhaitiez jubiler encore un moment ?

— Heu, laissez-moi y réfléchir...

« Elle n'est pas grosse, mais elle est bourrée de malice », se dit Nat. Il lui tendit le carnet de bord et lui lut la longitude et la latitude que donnait le GPS.

---

1. Allusion à l'instant le plus magique de l'histoire du base-ball américain quand, en 1932, au cours du match entre les Yankees de New York et les Cubs de Chicago, Babe Ruth expédia la balle de l'autre côté de la clôture du stade, là où il avait prédit qu'il l'enverrait.

— L'appareil photo est chargé. Rouleau neuf. Je l'ai mis ce matin.

— Je crois que je n'ai pas fini de jubiler, dit Amy en prenant le carnet.

Elle marqua une pause en l'ouvrant pour écrire.

— Il ne chante plus.

— Des fois, je me demande s'ils n'arrêtent pas de chanter rien que pour me rendre dingue.

— Il se déplace, dit Amy en montrant l'animal.

— Il se déplace, répéta Quinn.

En se penchant par-dessus bord, il vit les nageoires blanches et la queue disparaître. Il remit le moteur en marche.

— Attends ! dit-il.

Après avoir suivi la baleine pendant deux heures, Quinn lâcha :

— Celles de cette espèce-là, ils peuvent bien les tuer, dit-il.

Ils avaient enregistré trois cycles complets de chants et opéré une biopsie à l'aide de l'arbalète. Cependant, la baleine refusait de faire surface et de plonger, de sorte qu'ils n'avaient pu prendre aucun cliché d'identification. C'était appréciable de disposer d'un échantillon d'ADN quand on ne pouvait pas identifier l'animal.

— Qu'ils les chassent et qu'ils en fassent de la bouffe pour chiens, poursuivit Nat. Qu'on leur extirpe leurs gènes avariés !

— Vous êtes certain que vous ne devriez pas manger un beignet ou un truc dans ce goût-là, enfin, prendre un peu de sucre ? proposa Amy.

— Qu'on prenne ces baleines pour en faire des corsets et des ombrelles, leurs vertèbres pour faire des repose-pieds, leurs intestins pour en faire des saucisses qu'on servira dans les fêtes de villages, qu'on leur arrache leurs gonades et...

— Moi qui croyais que vous aimiez ces bêtes-là.

— Ouais, mais pas quand elles refusent de coopérer.

La baleine les avait entraînés à cinq milles au large de Molokaï, très près de la ligne de vent, là où les vagues étaient trop fortes et le

150

courant trop rapide pour pister un mâle chanteur. Si l'animal continuait dans cette direction, ils le perdraient au cours des deux prochains cycles de plongée et la journée de travail serait fichue. Ce qui
était le plus frustrant avec ce spécimen, c'était qu'il restait entre
deux eaux, à chanter, avec sa queue à quelques dizaines de pieds à
peine de la surface. Normalement, un chanteur restait entre trente
et cinquante pieds de profondeur, et celui-ci n'était qu'à sept. Nat
dut sans cesse remonter l'hydrophone pour l'empêcher de cogner la
tête de la baleine quand ils dérivaient au-dessus d'elle.

— Il remonte, dit Amy.

Elle attrapa l'appareil photo posé sur le siège et le braqua sur un
endroit situé à une vingtaine de mètres devant le bateau de façon à
être prête à régler l'autofocus et l'ouverture.

En deux coups secs, Nat récupéra l'hydrophone à bord et il démarra
le moteur. La baleine avait accéléré la cadence. Nat régla la manette
des gaz de façon à ce qu'Amy se trouve à la bonne distance pour
prendre une photo plein cadre de la queue.

Encore une respiration et il allait replonger pour dix secondes, à
nouveau une respiration de douze secondes, encore une et l'immense
pédoncule de la queue décrivit une arche dans les airs.

— On dirait qu'il va le faire, dit Nat.

— Prête ! dit Amy.

La queue chassa l'eau sur un pied à peine, présentant une vue de
profil au lieu d'une vue horizontale qui aurait permis de lire les
marques qui s'y trouvaient. Nat pensa cependant avoir aperçu
quelque chose, quelque chose qui ressemblait à des lettres noires
sur la partie inférieure de l'empennage.

— Vous avez pris ça ? Vous avez pris ça ?

— J'ai photographié ce qu'il y avait à prendre. Il ne s'est pas très
bien présenté, répondit Amy qui avait utilisé le moteur pour prendre
des photos de l'intégralité du cycle de plongée, ce qui représentait
peut-être huit clichés.

— Vous avez vu ces marques ? Par en dessous ? Les rayures...

151

euh, noires ? fit Nat en retirant ses lunettes à toute vitesse pour les essuyer avec son tee-shirt.

— Quelles rayures, Nat ? Je n'ai rien vu, sauf le profil dans l'œil de l'appareil.

— Merde !

— Ben quoi ? Il a plongé. Il va peut-être recommencer.

— C'est pas le sujet.

— Ah bon ?

— Grimpez sur le bastingage de proue et voyez si vous pouvez le trouver.

Amy fit comme Nat lui avait demandé et le guida. Quand elle baissa le bras, il coupa les gaz. Et la baleine était là, entre deux eaux. Elle chantait, sa queue à moins de trois mètres de la surface. Ils n'étaient pas à plus de cent mètres de la ligne de vent et le bateau dérivait, s'écartant de l'animal plus rapidement qu'auparavant. Ils ne resteraient guère plus d'une minute à sa verticale. Si près du vent, ils le perdraient à sa prochaine remontée. Nat n'allait pas terminer cette journée en se demandant s'il avait encore eu des hallucinations.

— Amy, passez-moi mon masque et mes palmes qui se trouvent dans le coffre avant, voulez-vous ?

— Vous allez vous mettre à l'eau ?

— Oui.

— Mais vous ne le faites jamais ?

— Je vais plonger.

Nat ouvrit un container de plastique pour y prendre son appareil de photo sous-marin, un Nikonos IV, et s'assura qu'il était chargé.

— Mais vous n'êtes pas un « gars de l'eau ».

— Voyez s'il n'y a pas aussi une ceinture de plomb.

— Clay dit que vous n'êtes pas un « gars de l'eau » mais un de ceux qui restent sur le pont du bateau.

— Je vais aller sous sa queue prendre une photo d'identification. S'il se montre assez coopératif pour rester aussi près de la surface, je vais aller prendre cette photo.

152

— Vous êtes capable de faire un truc pareil ?

— Pourquoi pas ?

Elle lui tendit une ceinture lestée de cinq kilos de plomb que Nat noua autour de ses hanches. Il chaussa le masque et les palmes puis s'assit sur le plat-bord, dos à l'eau.

— Vous allez dériver en vous écartant de moi. Je ne vais pas essayer de nager pour vous rattraper, alors revenez me chercher. Attendez que j'aie plongé. Je ne veux pas que vous démarriez le moteur avant d'être certain d'avoir pris le cliché. Continuez l'enregistrement jusqu'à ce que vous m'ayez récupéré.

— D'ac.

Amy en était bouche bée, comme si on venait de lui mettre une claque.

— C'est pas compliqué.

— Je sais, mais vous ne voulez pas que je le fasse ? C'est ma faute, parce que je n'ai pas pu prendre la photo tout à l'heure.

— Vous n'y êtes pour rien. Ça s'est mal présenté. Salut.

Quinn mit le tuba dans sa bouche et se laissa tomber du bateau à la renverse. La température de l'eau, de vingt-quatre degrés, était suffisamment basse pour le saisir. Nat flotta un temps en surface et essaya de contrôler sa respiration jusqu'à ce que son corps se soit adapté.

La baleine était proche, peut-être à une trentaine de mètres. Le chant résonnait dans la cage thoracique de Nat alors qu'il palmait dans sa direction. Cette baleine devait être celle avec le MORDS-MOI écrit sur la queue. Il le fallait. Même s'il s'était trompé, qu'il ne s'agissait pas d'inscriptions, il devait exister d'étranges marques sur la caudale de cet animal. Et il devait y avoir autre chose encore s'il pouvait se prouver à lui-même qu'il s'agissait bien du même mâle. Cela signifierait que l'animal était resté dans la zone de la passe d'Au'au plus de trois semaines : fait plutôt rarissime. Évidemment, on ne pouvait tirer de conclusions en raison de l'absence de données statistiques. Peut-être était-ce tout simplement dû au fait que la mise sur ordinateur du catalogue de photos d'identité d'Hawaï n'avait pas été effectuée, comme cela avait pu être fait pour l'Alaska. Et sans la moindre photo, il n'existerait pas de preuve qu'il s'agissait là du même animal. N'empêche, Quinn, lui, saurait. Prouver qu'il n'avait pas été victime d'hallucinations était devenu le moteur de cette stupide mission. Nat était un scientifique, un homme de faits, de raison. Il n'avait pas à prouver sa bonne santé mentale.

« Je suis à côté de mes pompes, pensa-t-il. On n'a jamais vu quelqu'un essayer de prendre une photo d'identité sous l'eau. »

Parfaitement immobile, l'animal n'était qu'une sorte d'énorme andain grisâtre posé au milieu d'un champ de bleu infini. Quinn crut voir quelque chose bouger du côté opposé de la baleine. Il sortit la tête hors de l'eau et regarda vers le bateau. Amy lui fit un signe de la main, le pouce en l'air. Nat prit sa respiration et plongea prendre le cliché.

S'il avait eu des bouteilles, il aurait pu laisser la ceinture tranquillement l'entraîner vers le fond, mais il savait qu'il ne pouvait tenir que de quarante à soixante secondes, alors il y alla tête la première, palmant avec vigueur jusqu'à ce qu'il atteigne une profondeur d'une vingtaine de pieds. Puis il se stabilisa, plaça l'appareil photo face à lui et regarda la face inférieure de la queue de la baleine.

Et ça y était bien ! En gros caractères qui semblaient avoir été peints à la bombe, en lettrage sans-serif, il y avait écrit : MORDS-MOI ! Nat faillit en oublier de prendre la photo. Mais comment une telle chose était-elle possible ? Plus jeune, l'animal avait-il été capturé dans un filet et ainsi marqué par un pêcheur sardonique, avant d'être relâché ? Était-ce l'un de ces animaux qui avaient remonté une rivière avant de s'échouer sur une berge et qu'une armée de pêcheurs et de chasseurs avait sauvé ?

Nat centra la caudale de l'animal dans le viseur avant de presser le bouton. Il avança le film et prit un autre cliché. Puis il manqua d'air. Il se tourna, palma vers la surface et là, à nouveau, aperçut une forme sombre qui bougeait près de la baleine. « Peut-être un rémora » se dit-il, bien que la chose fût trop grosse pour être l'un de ces parasites qui souvent se collent sur les cétacés.

Une fois à la surface, il regarda vers le fond, vers le chanteur, du côté de la nageoire pectorale gauche, là où il avait vu quelque chose bouger. L'animal faisait ses *ribbits*. Quinn sourit malgré son tuba, prit trois grandes respirations et plongea à nouveau.

Cette fois, avant d'avoir pu mettre l'appareil photo à hauteur de son visage, il vit le mouvement d'une nageoire noire de l'autre côté de la baleine. Il plissa les yeux pour tenter de mieux voir dans le bleu. La trouille des profondeurs, c'était le nom qu'il avait toujours donné à ce sentiment qui se saisit de vous quand vous vous rendez compte que quelque chose de gros, de carnivore, va vous arriver dessus de n'importe quelle direction et que vous vous mettez à chercher des missiles grisâtres dans le grand bleu, qui vont apparaître comme un visage maléfique dans l'encadrement sombre d'une fenêtre.

Puis la baleine remua. La masse d'eau déplacée par la queue repoussa Quinn qui parvint à garder son équilibre et commença à remonter vers la surface tout en gardant un œil sur l'animal. La baleine effectua un demi-tour sur une distance à peine supérieure à la longueur de son propre corps et fonça vers Nat. Il donna de violents coups de palme, tentant de fuir à droite, à gauche, puis vers la surface, de façon à être rejeté vers le dessus de l'animal plutôt que vers le dessous car une chose était certaine : la baleine allait lui rentrer dedans.

Il regarda au-delà de ses palmes et vit la baleine l'ajuster dans sa ligne de mire et venir droit sur lui. Nat palma à nouveau pour gagner la surface avant de regarder encore une fois la gigantesque bouche de l'animal qui s'ouvrait sous lui. « Mais non, c'est impossible », pensa-t-il.

S'emparant de sa poitrine, la panique exigea de l'air, mais c'était comme si l'océan tout entier s'était dérobé derrière lui et qu'il n'arriverait jamais à atteindre la surface. Le cétacé sortit à demi de l'eau quand il avala Nat qui vit le ciel et l'écume frangés par les fanons de la

155

mâchoire supérieure, l'ensemble se trouvant encadré par le gigantesque trapèze que délimitait la bouche grande ouverte de l'animal. Puis il sentit que la bête plongeait et il vit les fanons se refermer sur lui. Il se roula en boule avec l'espoir de ne pas être écrasé par les mâchoires et celui d'être recraché comme une horrible erreur culinaire. Mais c'est alors que la grosse langue s'avança, chaude et rugueuse, et le plaqua contre les fanons. Il eut l'impression d'être projeté contre une grille de fer forgé par un Combi Volkswagen humide. Pendant que la langue le recouvrait, il sentit les fanons littéralement lui déchirer la peau du dos. Tout autour de lui passa un courant d'eau salée qui semblait vouloir filtrer le krill, et qui le broya jusqu'à ce que la dernière molécule d'air soit expulsée de son corps. Et qu'il ne tombe dans les pommes.

DEUXIÈME PARTIE

LE PEUPLE DE JONAS

Les hommes ont besoin de monstres marins dans leurs océans personnels. Car les abysses noires et sans fin sont comme les strates les plus sombres de notre cerveau, là où couvent les symboles de nos rêves et d'où ils émergent parfois vers la lumière comme dans *Le vieil homme et la mer.*

JOHN STEINBECK

CHAPITRE 16

Pas de chaussures à l'intérieur de la baleine, s'il vous plaît !

— Pas de chaussures à l'intérieur de la baleine ! fit une voix d'homme dans l'obscurité.

Quinn ne voyait rien. Son corps entier lui faisait mal, comme si… eh bien comme s'il avait été mâché. À quatre pattes, il rampa sur ce qui ressemblait à du latex mouillé. Il chercha ses pieds. Il avait gardé ses palmes et malgré la confusion qui régnait dans son esprit, la logique l'emporta. « C'est pas des chaussures, c'est des palmes. »

— Pas de chaussures dans la baleine ! Et n'essayez pas de vous barrer par l'anus.

Une heure plus tôt, Nat aurait juré qu'au cours de toute sa vie il n'avait jamais entendu parler de ces deux sujets dans une même conversation.

— Hein ? fit Quinn dans le noir, se rendant ainsi compte qu'il portait toujours son masque de plongée, qu'il repoussa sur sa tête.

— Je parie qu'il n'a pas davantage apporté le sandwich au bœuf fumé, n'est-ce pas ? fit la voix.

Des formes commencèrent à se dessiner dans la pénombre et Nat aperçut un visage à moins de trente centimètres du sien. La peur lui coupa le souffle et il s'écarta car celui-ci n'avait rien d'humain.

*

159

Dans le monde entier, Clay Demodocus était notoirement connu pour être l'un des hommes les plus calmes, les plus pondérés, les plus généreux de tout le milieu des biologistes marins. À chaque mission, sa réputation le précédait et les gens prenaient pour argent comptant le fait qu'il se montrerait d'un commerce agréable au cours d'un long périple, malgré l'exiguïté des lieux, qu'il effectuerait un travail efficace, respecterait son prochain et garderait la tête froide en situation d'urgence. Comme il devait se soumettre au diktat des chefs des projets auxquels il collaborait, il ne se mêlait ni des luttes d'ego ni des compétitions débordantes de testostérone que se livraient les autres chercheurs ou l'équipage. Mais on ne remarqua aucune de ces qualités quand il se rendit au bureau du commandant des gardes-côtes et que sa tête s'arrêta à quelques centimètres à peine de celle de l'officier, un grand gaillard aux allures d'athlète.

— Vous allez me lancer ces recherches au large immédiatement ou je veillerai personnellement à ce que votre nom soit pour toujours associé à ceux d'Adolf Eichmann et de Vlad l'Empaleur[1]. Nat Quinn est une légende dans son domaine. Chaque fois qu'on passe un documentaire sur les baleines sur la chaîne Discovery, sur PBS, sur Planète, dans le *National Geographic* ou sur la foutue chaîne de dessins animés, je veillerai à ce que votre nom soit cité juste après le sien et il sera stipulé que vous êtes bien celui qui l'a abandonné en mer. Vous allez devenir le paria officiel des gardes-côtes pour les prochains siècles à venir. Ce qui se passe ici sera le Mi Laï[2] des gardes-côtes. Chaque fois qu'un gamin se noiera, on citera votre nom. Mieux! On parlera de vous chaque fois que quelqu'un se baignera, on brûlera votre effigie sur les places publiques et pour

1. Prince sanguinaire de Valachie au XVᵉ siècle, dont s'inspira Bram Stoker pour créer son personnage de Dracula.
2. Massacre d'environ 400 personnes perpétré par l'armée américaine au Vietnam le 16 mars 1968.

toujours votre tête dessinée au rouge à lèvres finira en haut d'une pique que les gamins brandiront dans les cours de récréation. Et tout ça parce que vous êtes trop handicapé des neurones pour envoyer deux hélicos à la recherche de mon ami. C'est ça que vous voulez ?

Pour Clay, la loyauté, c'était sacré.

Le commandant avait passé la plus grande partie de sa vie d'adulte dans les gardes-côtes, employant la majorité de son temps et de son énergie à sauver des gens et à en entraîner d'autres pour qu'ils sauvent des vies à leur tour. Tout ça pour en rester comme deux ronds de flan à l'issue de la tirade de Clay. Il regarda l'extrémité de son bureau, près de la porte, là où se tenaient Kona et Amy, presque aussi estomaqués qu'il l'était lui-même. Le surfeur le regarda et secoua tristement la tête.

— Cela fait trois jours à présent, monsieur Demodocus. En pleine mer, et sans équipement de survie. Vous n'êtes pas un touriste, vous savez comment ça se passe. S'il était vivant, il aurait dérivé vers le large, là où nous sommes dans l'impossibilité d'aller patrouiller. À Mauï, nous effectuons pas moins de dix sauvetages par jour, je ne peux pas envoyer un hélicoptère en mer quand on sait qu'il n'y a plus aucune chance.

— Mais que faites-vous des cartes des marées et des courants ? argumenta Clay. On ne pourrait pas essayer de prédire dans quelle direction il a pu dériver ? Histoire de délimiter une zone de recherches ?

Pour répondre, le commandant dut détourner les yeux. Il avait perdu des amis en mer, il compatissait.

— Je suis désolé, dit-il.

Clay poussa un profond soupir et ses épaules s'affaissèrent. Amy s'avança et le prit par le bras.

— Rentrons, Clay.

Clay hocha la tête et se laissa guider hors du bureau du commandant.

Comme ils traversaient le parking pour se rendre à la camionnette de Clay, Kona dit :

161

— Clay, ç'a été très surprenant.

— Quoi ? De me voir piquer une colère ? Ouais, j'en suis fier, tout particulièrement parce qu'elle a eu l'effet escompté.

— Pourquoi n'avez-vous rien dit au sujet de la baleine qui a mangé Nat ?

Depuis trois jours, depuis la disparition de Nat, Kona avait presque totalement oublié de parler comme les rastas et il s'exprimait à présent comme un jeune gars du New Jersey, avec l'accent des surfeurs et des « Ouais, mec, super ».

— Kona, les baleines ne mangent pas les gens, dit Clay. Tu devrais le savoir.

— Moi, je sais ce que j'ai vu, dit Amy.

Clay s'arrêta et s'écarta d'eux.

— Écoutez-moi, si vous voulez faire ce métier, il faudra savoir être pragmatique. Je crois que vous avez vu ce que vous dites avoir vu, mais après ? D'abord, il faut savoir que la gorge d'une baleine à bosse ne mesure que trente centimètres de diamètre. Elle ne peut donc pas avaler un homme, même si elle le voulait. Donc, si la baleine a véritablement avalé Nat, il y a de fortes chances qu'elle l'ait recraché très rapidement. Ensuite, si je racontais cette histoire à tout le monde, soit les gens penseraient que vous êtes hystérique, soit ils vous croiraient et penseraient alors que Nat est mort noyé, immédiatement, et qu'il ne faut pas organiser de recherches. Moi, je vous crois, gamine, mais n'allez pas vous imaginer que les autres vous croiront.

— Bon, on fait quoi maintenant ? demanda Kona.

Clay les regarda tous les deux. Ils avaient l'air de chiots abandonnés. Il mit son chagrin dans sa poche et dit :

— On va terminer le boulot de Nat. On va reprendre ses études et les poursuivre. Là, tout de suite, il faut que j'aille au sommet de la montagne voir la Vieille Peau. Nat était comme un fils pour elle.

— Vous ne lui avez encore rien dit ? demanda Amy.

— Pourquoi l'aurais-je fait ? fit Clay en secouant la tête. Je n'ai

162

pas perdu tout espoir concernant Nat. J'ai vu tellement de choses arriver. L'an dernier, ils pensaient tous avoir perdu un pêcheur de corail noir. Le bateau est allé là où le gars était descendu, et le type avait disparu. Une semaine plus tard, il a appelé de Molokaï pour qu'ils viennent le chercher. Il avait nagé jusque là-bas et, depuis, il avait tellement fait la fiesta qu'il en avait oublié de leur passer un coup de fil.

— Ça ne ressemble pas à Nat, dit Kona. Il m'a dit qu'il n'aimait pas s'amuser.

— N'empêche que ce ne serait pas bien de ne pas informer la Vieille Peau de ce qui s'est passé, dit Amy.

Clay leur tapota le dos à chacun.

— Bande d'intrépides, va.

*

Tout en escaladant le volcan au volant de sa camionnette, Clay essaya de trouver une façon élégante d'annoncer la nouvelle à la Vieille Peau. Depuis la mort de sa propre mère, Clay prenait très au sérieux la façon d'annoncer les drames, tellement au sérieux qu'il préférait que quelqu'un d'autre s'en charge. Il était en mission dans l'Antarctique, pour le *National Science*, coincé pour six mois sous la neige à la station météo marine, quand sa mère, qui habitait toujours la Grèce, avait été portée disparue. Elle avait soixante-quinze ans et les gens du village, qui se doutaient qu'elle n'avait pas pu aller bien loin, organisèrent les recherches avec un maximum de sérieux, sans cependant pouvoir la retrouver pendant trois jours. Finalement, c'est l'odeur de pourriture qui se dégageait de son corps qui trahit sa présence. On la trouva, morte, dans un olivier qu'elle avait décidé d'élaguer. Conscients qu'il serait totalement impossible d'entrer en contact avec lui pendant des mois, les frères aînés de Clay, Hector et Sidor, refusèrent que les obsèques aient lieu sans la présence du petit dernier. « C'est lui l'Américain, le richard, se lamentèrent-ils, abrutis

163

par l'ouzo. Il devrait s'occuper de maman. Peut-être qu'il va nous inviter en Amérique pour les funérailles. » Et c'est ainsi que les deux frères, qui avaient hérité du penchant de leur mère pour l'alcool et de l'absence de discernement de leur père, enfermèrent la dépouille de Maman Demodocus dans un baril d'olives rempli d'eau salée, qu'ils expédièrent à San Diego, là où résidait leur fortuné petit frère. Le chagrin en fut-il la cause, à moins que ce ne soit la stupeur, en tout cas ils oublièrent d'écrire ou de laisser un message, voire même de coller une étiquette sur la barrique. Quand, quelques mois plus tard, Clay rentra chez lui, il tomba sur le baril resté sous son porche. Il l'ouvrit en se disant qu'il n'allait pas tarder à se préparer un petit repas aux succulentes olives de chez lui. Ce n'est pas là une manière d'apprendre la mort de sa propre mère et cela renforça les convictions de Clay en matière de loyauté et sur la façon d'annoncer les mauvaises nouvelles.

« Je sais comment m'y prendre, se dit-il en se garant dans l'allée de la maison de la Vieille Peau. Il n'y a aucune raison pour que cela constitue un choc. »

*

Il y avait des chats et du cristal partout. La Vieille Peau laissa Clay entrer dans la maison et le fit asseoir dans un fauteuil en rotin, sorte de trône impérial, d'où il dominait la passe, pendant qu'elle allait chercher du thé glacé à la mangue. La maison semblait avoir été dessinée par Gauguin, et Rousseau aurait pu y jouer les paysagistes. Petite, tout juste cinq pièces et un auvent pour la voiture, elle s'élevait sur une propriété de dix hectares recouverts d'une jungle de salade de fruits. On y trouvait des bananiers, des manguiers, des citronniers, des orangers, des papayers, des cocotiers et un paradis pour fleuriste composé d'orchidées et autres fleurs tropicales. Sous les arbres, la Vieille Peau avait semé une pelouse rase et souple qui faisait l'effet d'un green de terrain de golf sur un gâteau de Savoie. La bâtisse était presque exclusivement construite en *koa*, une essence de couleur de noix foncée, moirée de veines noires, et polie jusqu'à rendre le toucher d'un satin dur comme l'ébène. Le toit était pointu, en tôle galvanisée, avec une tour de ventilation en son centre qui aspirait l'air chaud par le haut et l'air frais par les avant-toits qui ceinturaient toute la maison. Il n'y avait pas de fenêtres, rien que des parois coulissantes. Où que vous soyez dans la maison, il était possible d'en admirer l'ensemble ainsi que le jardin tropical. Le télescope de la Vieille Peau et ses « gros yeux » (ses énormes jumelles) reposaient sur des socles de béton et d'acier juste en face de l'endroit où se trouvait assis Clay qui, tel un chien dans un jeu de quilles, ne se sentait pas vraiment à sa place. À ses pieds, un chat famélique démembra avec entrain les pattes d'un scorpion.

La Vieille Peau offrit à Clay un grand verre glacé et prit place à ses côtés dans l'autre fauteuil empereur. Pieds nus, elle portait un cafetan à fleurs et dans les cheveux un hibiscus jaune et rouge dont la taille devait bien faire la moitié de sa propre tête. « Du temps d'Abraham Lincoln, elle a sûrement dû être bien roulée », pensa Clay.

— C'est si agréable de vous voir, Clay. C'est que je ne reçois pas beaucoup de visites. Non pas que je me sente seule ; vous savez, j'ai les chats et les baleines à qui parler. Mais ce n'est pas comme lorsque je reçois la visite d'un de mes garçons.

« Rien que ça, se dit Clay. Un de ses garçons. Merde alors. » Il fallait qu'il lui apprenne la nouvelle. Il savait qu'il fallait lui dire. Il était venu pour l'informer et c'est ce qu'il allait faire et il dit alors :

— Ce thé est excellent, Elizabeth. C'est à la mangue, disiez-vous ?

— C'est cela. Avec une pointe de menthe. Maintenant, quelle est cette chose que vous deviez me dire ?

— Et il y a aussi de la glace, n'est-ce pas ? Je crois que cette froideur lui donne, comment dire… ?

— Vous parlez de la température ? Oui, évidemment, Clay, la glace est un élément essentiel du thé glacé. D'où le nom…

« Se moquer des vieux, c'est pas bien, pensa Clay. Et personne n'aime les vieux sarcastiques. »

— Vous voulez parler du thé glacé ? dit-il.

« Oh, de lui apprendre la nouvelle, ça va la tuer, rien de moins », pensa-t-il.

— Si c'est au sujet du bateau, Clay, ne vous en faites pas. Je sais combien vous aimiez ce bateau et nous vous en offrirons un autre. Mais je ne suis pas certaine qu'il sera aussi beau que le précédent. Mes investissements boursiers n'ont pas fait de miracles ces dernières années.

— Non, non, ce n'est pas au sujet du bateau. Le bateau était assuré. C'est à propos de Nat.

— Comment va-t-il ? J'espère qu'il arrive à contrôler son béguin pour votre nouvelle assistante avec un peu de dignité. L'autre soir, au sanctuaire, ça se voyait comme le nez au milieu de la figure. Venant d'un homme aussi intelligent que Nat, on s'attendrait à un meilleur contrôle de ses pulsions.

— Ah bon ? Nat en pinçait pour Amy ? fit Clay qui allait parler.

Si, si, il allait passer à l'acte. Il travaillait juste un peu la manière de le faire.

— Pourquoi parlez-vous au passé ? fit la Vieille Peau. Vous avez dit « en pinçait pour Amy ».

— Elizabeth, il est arrivé un accident. Il y a trois jours Nat a plongé pour mieux voir une baleine chanteuse et... comment dire... et nous ne l'avons pas retrouvé, dit Clay en posant son verre de thé de façon à avoir les mains libres pour retenir la Vieille Peau si elle venait à s'évanouir. Je suis désolé, ajouta-t-il.

— Quoi ? Pour ça ? Oui, je suis au courant. Mais Nat va bien, Clay. Je tiens cela de la baleine elle-même.

Et alors Clay se retrouva à nouveau en plein dilemme. Devait-il laisser la Vieille Peau croire ce qu'elle croyait (même si cela était totalement délirant), ou devait-il tout faire pour la ramener sur terre ?

Bien que Nat en ait eu assez des excentricités d'Elizabeth, Clay, de son côté, avait toujours adoré qu'elle dise que les baleines lui

166

parlaient. Il aurait aimé y croire. Il amena ses fesses sur le bord du fauteuil et prit la main de la vieille.

— Elizabeth, je n'ai pas l'impression que vous comprenez bien ce que je vous dis...

— Il avait emmené le sandwich au bœuf fumé au moins ? Il m'avait promis qu'il le ferait.

— Heu... C'est pas très important, ça. Il est porté manquant depuis trois jours et ils se trouvaient juste à la limite de la ligne de vent, du côté de Molokaï, quand il a disparu. Et la mer était mauvaise. Elizabeth, Nat est probablement parti.

— Évidemment, Clay, qu'il est parti. Il va falloir prendre votre mal en patience jusqu'à son retour. (À présent, c'était elle qui lui tapotait la main.) Il avait pris le sandwich au moins, hein ? La baleine avait été très claire à ce sujet.

— Elizabeth ! Vous ne m'écoutez pas. Je ne vous parle pas des baleines qui vous poussent la chansonnette à travers les feuillages, je suis en train de vous dire que Nat est mort !

— Ce n'est pas la peine de hurler, Clay Demodocus. Je ne fais que chercher à vous remonter le moral. Et d'abord il ne s'agissait pas d'une chansonnette à travers les feuillages. Mais pour qui me prenez-vous ? Pour une vieille folle ? Je vous dis que la baleine m'a téléphoné.

— Jésus, Marie, Joseph, je n'y arriverai jamais.

— Encore un peu de thé, Clay ? proposa la Vieille Peau.

*

Sur la route du retour vers Papa Lani, en redescendant le volcan au volant de sa camionnette, Clay tenta de retrouver ses esprits. La Vieille Peau était totalement convaincue que Nat Quinn était en pleine forme, bien qu'elle fût dans l'impossibilité de justifier pourquoi, après qu'elle lui eut commandé un sandwich au bœuf fumé, la baleine lui avait dit que tout se passerait bien.

— Et comment avez-vous su que c'était la baleine qui vous téléphonait ? avait demandé Clay.

— Parce qu'il s'est présenté.

— C'était donc une voix d'homme ?

— Sûrement. Mais ne s'agit-il pas d'un mâle chanteur ?

Et elle avait continué là-dessus, le rassurant, l'encourageant à se remettre au travail et à chasser toute culpabilité et tout chagrin. Ce n'est qu'en atteignant la limite du camp qu'il s'était rappelé : « Elle est complètement déjantée ! »

Voilà ce qu'il s'était dit à lui-même, comme s'il avait besoin d'entendre ces mots pour savoir combien ils témoignaient de la vérité. « Rien ne va plus. Nat est mort. »

Ce soir, Claire devait dormir chez elle et, malgré l'heure tardive, Clay n'arriva pas à se décider à aller se coucher. Alors il gagna son bureau, conscient que rien ne bouffait plus de temps que le montage de bandes vidéo. Il brancha une caméra numérique à son ordinateur et alluma le nouvel écran géant qui se couvrit de bleu. Clay ressentit la sensation de descente à peine troublée par le faible sifflement de sa respiration, et pas l'habituel crépitement de bulles qui se dégagent du détendeur d'un appareil de plongée traditionnel. C'était ce qu'il avait filmé le jour où, équipé du respirateur, il avait failli se noyer. Il l'avait complètement oublié. La queue de la baleine qui retenait son souffle apparut sur l'écran.

Son instinct ne l'avait pas trompé. Il s'agissait d'une intéressante séquence montrant une baleine « reteneuse », la plus belle qu'ils aient jamais filmée. Quand il dépassa la queue, la fente génitale apparut et lui confirma qu'il s'agissait bien d'un mâle. Il y avait des marques noires sur la partie inférieure de la queue mais l'angle de la prise de vue empêchait de bien les distinguer. Il perçut comme un léger son de mirliton dans le lointain. Il rembobina et refit défiler la bande en montant le volume sonore.

Cette fois, sa respiration ressemblait au reniflement d'un taureau prêt à charger. Le son du mirliton, plus fort également, ressemblait à une voix filtrée par un papier paraffiné. Il revint à nouveau en arrière et tourna le volume sonore à fond, descendant les basses fréquences pour atténuer le sifflement. Il s'agissait bien de voix.

« Capitaine, il y a quelqu'un à l'extérieur. »

« Il a apporté mon sandwich ? »

« Il est très près, capitaine. Vraiment près. Trop près. »

Puis on vit apparaître la queue et il y eut un énorme bruit sourd. L'image bougea dans tous les sens avant de se stabiliser et de montrer de fines bulles sur un fond bleu. L'objectif capta un aperçu d'une palme de Clay qui descendait vers le fond, et puis ce ne fut rien que du bleu et l'apparition occasionnelle de la dragonne qui reliait la caméra au poignet.

Clay revint à nouveau en arrière, s'assura qu'il s'agissait bien de voix avant de les copier sur le disque dur de l'ordinateur de façon à pouvoir en extirper la sinusoïdale, comme on le faisait avec les chants des baleines. Bien qu'il fût certain que les voix figuraient bien sur l'enregistrement, il ne comprenait pas comment elles avaient pu arriver là. Cinq minutes passèrent, pendant lesquelles s'affichèrent les unes après les autres les diodes de progression du travail en cours. Pour Clay, le suspense était insoutenable. Il se sourit à lui-même car c'était l'instant où, en temps normal, il aurait appelé Nat, comme il l'avait fait de si nombreuses fois, pour qu'il l'aide à comprendre ce qu'il entendait ou ce qu'il voyait, mais Nat n'était pas là. Clay consulta sa montre et, décidant qu'il n'était pas trop tard, il traversa le camp pour aller chercher Amy.

« Est-ce qu'il y a quelqu'un à l'extérieur ? »

« Il apporte mon sandwich ? »

CHAPITRE 17

Jonathan Livingston le tueur

Amy portait une chemise de nuit beaucoup trop grande, marquée d'un JE DORS AVEC L'ABRUTI et des tongs Local Motion. D'un côté, ses cheveux étaient aplatis et de l'autre partaient en une surprenante iroquoise, comme si elle venait d'être frappée latéralement par un cyclone. Ce qui n'était pas le cas. En revanche, elle se fendit des plus grands bâillements que Clay avait jamais vus.

— Ahoooo, je ahooo, dit-elle au paroxysme d'un bâillement, une espèce de langage qui, à la différence de l'hawaïen, était connu pour son indigence de consonnes.

(Allez-y, je vous écoute, était-elle en fait en train de dire.) Elle fit signe à Clay de poursuivre.

Clay repassa le film et régla le son. Une queue de baleine sur un fond bleu traversa l'écran de l'ordinateur.

« Capitaine, il y a quelqu'un à l'extérieur. »

« Il a apporté mon sandwich ? »

Amy cessa de bâiller et s'avança sur le tabouret sur lequel elle était perchée aux côtés de Clay. Quand la nageoire caudale descendit, Clay stoppa le film et regarda Amy.

— Alors ?

— Repassez la séquence.

Ce qu'il fit.

— On peut savoir d'où ça vient ? demanda Amy. Cet équipement a des micros stéréo, non ? Qu'est-ce qu'il se passe si on écarte les haut-parleurs ? On peut savoir d'où vient le son ?

Clay fit non de la tête.

— Les micros sont près l'un de l'autre. Il faudrait les séparer au moins d'un mètre pour obtenir des informations spatiales. Tout ce que je peux dire, c'est que c'est dans l'eau et que ce n'est pas particulièrement fort. En fait, si je n'avais pas eu ce respirateur, je n'aurais jamais rien entendu. La spécialiste du son, c'est vous. Qu'en dites-vous ?

Il rembobina et repassa à nouveau la bande.

— C'est une voix humaine.

Clay la regarda avec l'air de dire : « C'est cela… Et je vous ai réveillée parce que j'ai besoin d'aide pour mettre les évidences en lumière. »

— Ça a un rapport avec l'armée.

— Qu'est-ce qui vous fait dire cela ?

Ce fut au tour d'Amy de regarder Clay avec le même air qu'il venait de lui jeter.

— On entend dire « Capitaine ».

— Ah oui, fit Clay. Vous pensez à quelqu'un qui parlerait dans l'eau ? À des plongeurs équipés de moyens de communication sous-marine ? C'est à ça que vous pensez ?

— Ça n'y ressemble pas. Avez-vous eu l'impression que ça venait de petits haut-parleurs ?

— Non, fit Clay qui repassa la bande. Sandwich, il parle de sandwich.

— De sandwich ?

— La Vieille Peau m'a parlé de quelqu'un qui l'a appelée en disant qu'il était une baleine et qui lui demandait de dire à Nat de lui apporter un sandwich.

Amy pressa l'épaule de Clay.

— Il a disparu, Clay. Je sais bien que vous ne croyez pas que ce

171

que j'ai vu est arrivé, mais ça n'avait rien à voir avec une quelconque conspiration *sandwichienne*.

— Ce n'est pas ce que je dis, Amy. Merde ! Je ne dis pas que tout ceci n'a pas de rapport avec Nat et... (il faillit prononcer le mot de noyade)... son accident. Mais cela pourrait avoir un lien avec le saccage du labo, le vol des bandes, quelqu'un qui essaierait de semer la merde avec la Vieille Peau. Quelqu'un nous met des bâtons dans les roues, Amy, et ça pourrait bien être ceux qui sont enregistrés sur cette bande.

— Et ce ne serait pas possible que la caméra ait pu enregistrer un signal à un autre moment, sur la même fréquence ou quelque chose comme ça ? Un téléphone portable par exemple ?

— À travers une protection d'alu d'un bon centimètre d'épaisseur et sous trente pieds d'eau ? Non, ce signal a été enregistré par le micro. Ça, j'en suis sûr.

Amy hocha la tête et regarda l'image fixe sur l'écran.

— Alors il faut retenir deux options : un militaire et quelqu'un qui s'intéresserait aux travaux de Nat.

— Mais personne ne...

Clay s'arrêta, se souvenant de ce qu'il avait dit à Nat après le saccage du labo : que leurs travaux n'intéressaient personne. Mais apparemment, c'était faux.

— Tarwater ?

Amy haussa les épaules.

— C'est un militaire. Peut-être. Ne rangez pas la bande. Je ferai un spectrogramme du son demain matin, histoire de voir si ça provient d'un ampli quelconque. Mais ce soir je n'ai plus de forces. Je suis vannée.

— Merci, dit Clay. Allez vous reposer, ma petite. Moi aussi je vais y aller. Demain matin, je passerai d'abord au port.

— D'ac.

— Et excusez-moi pour le « ma petite ». Je ne voulais pas dire ça.

Amy l'enlaça et déposa un baiser sur le dessus de sa tête.

172

— Gros chou. Allez, ne vous en faites pas. On se sortira de tout ça, fit-elle en tournant les talons et en s'éloignant vers la porte.

— Amy ?

— Oui ? fit-elle en marquant un temps d'arrêt.

— Je peux vous poser une question… disons, personnelle ?

— Allez-y.

— C'est au sujet de votre chemise de nuit. Qui c'est l'abruti ?

Elle regarda sa chemise, puis Clay, et se mit à sourire.

— C'est toujours utile de demander, Clay. Où je suis ou avec qui je suis, c'est sans importance. La fumée finira par se dissiper et la chemise révélera la vérité. Et il faudra vous cramponner à la vérité quand vous saurez.

— J'adore la vérité, dit Clay.

— Bonne nuit.

— Bonne nuit, ma petite.

*

Le lendemain, le vent soufflait fort, la passe entière, jusqu'à Lanaï, était blanche d'écume et les palmes des cocotiers fouettaient l'air au-dessus des têtes comme des lanières de martinets épileptiques. Clay descendit au port avec sa camionnette et remarqua que la vedette qu'utilisait Cliff Hyland et son groupe était garée à sa place. En détournant la tête, du coin de l'œil, un fugitif éclair de blancheur capta son attention alors qu'il passait devant le séculaire Pioneer Hotel. Il s'agissait du capitaine Tarwater, dans son uniforme blanc de la marine, qui se détachait sur le vert des hangars à bateaux. Clay gara sa camionnette près du banian géant, à côté de la porte, et, la tête dans les épaules, gagna le restaurant.

Quand il arriva à sa table, la serveuse était en train de placer Cliff Hyland, Tarwater et l'une de leurs étudiantes de fin de cycle, une jeune avec des cheveux blonds comme un chaume et un bronzage facial de raton laveur.

— Salut, Cliff, fit Clay. T'aurais une minute ?

— Clay, comment vas-tu ? répondit Hyland, ôtant ses lunettes et se levant pour lui serrer la main. Je t'en prie, joins-toi à nous.

Clay regarda en direction de Tarwater et l'officier hocha la tête.

— Je suis désolé pour votre collègue, dit-il, avant de se pencher sur le menu.

La jeune femme assise parmi eux étudiait attentivement la dynamique qui se jouait entre les trois hommes, comme si elle devait écrire un mémoire sur le sujet.

— Attends, dit Clay, j'aimerais te dire un mot à l'extérieur.

Tarwater leva les yeux et se fendit d'un imperceptible hochement de tête vers Cliff Hyland.

— Bien sûr, Clay, fit Cliff, allons-y.

Puis, s'adressant à la jeune chercheuse, il lui dit :

— Quand la serveuse viendra, commandez-moi du café, des saucisses portugaises, des œufs pochés et comme céréales, du blé complet.

La fille hocha la tête. Hyland emboîta le pas de Clay vers la porte de l'hôtel qui dominait le poste où les bateaux venaient se ravitailler en carburant, ainsi que le *Carthaginois*, réplique d'un brick de baleiniers, à la coque en acier, transformé aujourd'hui en musée flottant. Les deux hommes restèrent côte à côte, face au port, chacun avec un pied posé sur la margelle.

— Que se passe-t-il, Clay ?

— Sur quoi travaillez-vous en ce moment ?

— Tu sais bien que je ne peux pas parler de ça. Je suis soumis au secret professionnel.

— Vos plongeurs, est-ce qu'ils utilisent des moyens de communication sous-marins ?

— Fais pas l'idiot, Clay. Tu as vu à quoi ressemblent mes gars. À l'exception de Tarwater, ce ne sont que des gamins. Où veux-tu en venir ?

— Quelqu'un nous chie dans les bottes, Cliff. On a coulé mon bateau, saccagé le bureau, volé les notes et les bandes de Nat. Ils s'en

174

sont même pris à l'un de nos sponsors. Et je ne suis pas certain qu'ils soient étrangers à ce qui est arrivé à Nat...

— Et tu me crois dans le coup? demanda Cliff en ôtant son pied de la margelle et en se tournant vers Clay. Nat était aussi mon ami. Depuis combien de temps on se connaît, vous et moi? Vingt-deux? Vingt-trois ans? Tu ne me crois pas capable de choses comme ça, tout de même?

— Je ne dis pas que c'est toi, personnellement, Cliff, mais Tarwater et toi, sur quoi travaillez-vous? Nat, que pouvait-il bien savoir qui interférait avec ce que vous bricolez?

— Je sais pas, répondit Cliff en regardant ses pieds et en se grattant la barbe.

— Tu sais pas? Mais tu sais tout de même bien sur quoi vous travaillez en ce moment. Écoute-moi bien. Je sais que vous traînez un gros sonar en remorque. Dans quel but? Tarwater ne cherche-rait-il pas à développer un nouveau sonar actif? S'il n'avait pas le moindre indice, il ne serait pas là, sur site. Ça ne concernerait pas les mines?

— Fais chier, Clay, puisque je te dis que je ne peux rien te dire! Tout ce que je peux t'affirmer, c'est que si cela devait avoir un impact négatif sur les animaux, ou sur qui que ce soit concerné par ce sujet, je n'y collaborerais pas.

— Tu te souviens du programme de sciences biologiques du Pacifique qu'avait mis en place la marine? Tu y as collaboré?

— Non. Ça concernait les oiseaux, n'est-ce pas?

— Ouais, les oiseaux marins. La marine s'est amenée avec une palanquée de biologistes de terrain qui croulaient sous le pognon. Ils voulaient baguer les oiseaux pour suivre leurs migrations, enregistrer leurs comportements, réunir des infos sur leur nombre, leur habitat, etc. On aurait dit que les portes du paradis s'étaient ouvertes telle-ment il pleuvait de l'argent. On croyait que la marine pratiquait une étude secrète sur la préservation des espèces. Et tu sais en fait sur quoi ils travaillaient?

175

— Non, Clay, ça date de bien avant moi.

— Ils voulaient se servir des oiseaux pour en faire des porteurs d'armes biologiques. Ils voulaient s'assurer qu'ils pourraient voler jusqu'à l'ennemi. On a estimé qu'une cinquantaine de savants ont travaillé sur le projet.

— Mais ça ne s'est pas réalisé, Clay, n'est-ce pas? Je veux dire, les données étaient scientifiquement valables, mais on n'est pas passé à la phase opérationelle en matière d'armement.

— Non, pour autant qu'on puisse le savoir. Mais c'est là le hic. Comment peut-on en être sûr tant qu'une mouette ne nous a pas balancé une foutue dose d'anthrax sur la gueule?

Au cours des deux dernières minutes, Cliff Hyland avait vieilli de plusieurs années.

— Clay, dit-il, je te promets que si j'ai des éléments qui attestent que Tarwater, la marine ou ces gars un peu louches qui viennent de temps en temps sont mêlés aux tentatives de sabotages contre vous, je t'appelle immédiatement. Tu as ma parole. Mais je ne peux pas te dire sur quoi nous travaillons, ni pourquoi. Tu sais, l'argent ne me tombe pas du ciel. Si je perds ce travail, je vais me retrouver à expliquer à des étudiants de première année à quoi ressemble une mâchoire de dauphin. J'en ai pas envie. J'ai besoin de faire de la recherche.

Clay le regarda de côté et s'aperçut qu'il était vraiment affecté. Il vit peut-être même une lueur d'exaspération dans le regard de Hyland.

— Tu sais, tu trouverais peut-être plus facilement des financements si tu n'étais pas basé en Iowa. Je ne sais pas si tu l'as remarqué, mais il n'y pas la mer en Iowa.

Hyland sourit à cette pique.

— Merci de me le rappeler, Clay.

— Tu promets donc de me tenir informé? fit Clay en tendant la main.

— Absolument.

Clay s'éloigna, sans trop savoir où il en était. L'esprit embrumé par un sommeil nocturne agité, il sombra dans un état de fatigue extrême et de doute. Il remonta dans sa camionnette. Il resta assis au volant, sentant des gouttes de sueur rouler sur sa nuque. Il s'attarda à regarder les touristes en costumes hawaïens qui, tels des zombies emballés dans du papier cadeau, allaient et venaient sous le gros banian.

*

Les œufs de Cliff Hyland étaient encore fumants quand il revint à sa table.

Tarwater leva les yeux de son assiette et écarta son couvre-chef immaculé de celle de Cliff, comme si le scientifique ébouriffé, dans un geste incontrôlé, allait asperger de jaune d'œuf les ancres dorées de sa casquette.

— Tout va bien ?

À leur table, la jeune femme se figea et chercha à devenir invisible.

— Clay est un peu chaviré. C'est compréhensible. Nat et lui ont travaillé tant d'années ensemble.

— C'est étonnant qu'ils aient pu durer si longtemps sans s'autodétruire, dit Tarwater. Quand on voit avec quelle négligence ils ont mené cette opération. Vous connaissez la gamine qui travaille pour eux ? Il n'y pas grand-chose à en tirer pour s'en faire une copine.

Cliff Hyland lâcha sa fourchette dans son assiette.

— Nat Quinn était l'un des biologistes les plus intuitivement brillants de toute la profession. Et il se pourrait bien que Clay Demodocus soit le meilleur photographe sous-marin au monde, au moins en ce qui concerne les cétacés. Vous n'avez pas le droit de dire des choses comme celles-ci.

— La roue tourne, docteur. Les alpha d'hier sont les bêta d'aujourd'hui. Et les perdants perdent. N'est-ce pas là le discours que tiennent les biologistes ?

Cliff Hyland fut à deux doigts de planter sa fourchette dans le front hâlé de Tarwater, mais il préféra se lever :

— Il faut que j'aille aux toilettes. Je vous prie de m'excuser.

Alors qu'il s'éloignait, il entendit Tarwater faire la morale à la jeune chercheuse sur le thème de « Ce sont les plus coriaces qui survivent ». Cliff prit son téléphone dans la poche de sa chemise kaki et composa un numéro.

*

Clay allait juste piquer du nez derrière son volant quand son portable sonna. Sans regarder le cadran, il pensa qu'il s'agissait de Claire.

— Vas-y, chérie, je t'écoute.

— Clay, c'est Cliff Hyland.

— Cliff ? Qu'est-ce qui se passe ?

— Garde ça pour toi, Clay. Je joue gros.

— Je comprends. De quoi s'agit-il, Cliff ?

— De torpilles. On fait des essais de torpilles sur site.

— Pas dans le sanctuaire quand même ?

— En plein milieu du sanctuaire.

— Sapristi ! Mais c'est monstrueux, Cliff. Je ne sais pas si je peux garder ça pour moi.

— Tu m'as donné ta parole, Clay. Ça sort d'où ce « Sapristi » ? Qui dit ça ?

— Amy. Elle est un peu bizarre. Dis-m'en un peu plus. Est-ce que la marine a des plongeurs sous-marins ?

CHAPITRE 18

La plus crade des plus odieuses
des enculades

— Sapristi! fit Amy.

Elle travaillait sur l'ordinateur de Quinn. Ses cuisses, ainsi que le bureau, étaient recouverts de bandes vidéo.

— Ah, c'est la plus crade des plus odieuses des enculades, dit Kona qui, perché sur un haut tabouret situé derrière Amy, prétendait vraiment s'instruire.

Clay entra.

— Ils ont simulé des explosions du côté de Kahoolawe, à l'aide d'énormes haut-parleurs sous-marins qu'ils traînent sur une barge derrière leur bateau. Le grand caisson que l'on a vu sur leur pont, c'était ça.

— Sur les bandes enregistrées des baleines chanteuses, on perçoit des explosions, mais lointaines, fit Amy. Nat pensait qu'il s'agissait d'exercices navals en haute mer.

— À propos de bandes, fit Clay en en saisissant un bout, ne me dites pas que c'est celle du film que j'ai tourné avec le respirateur?

— Je suis désolée, Clay. Je n'ai pas eu la vidéo, mais auparavant j'ai isolé le son. Vous voulez voir le spectrogramme?

— Vous pensez que ces voix sont celles de plongeurs de la marine? demanda Kona.

Clay regarda Amy et haussa un sourcil.

179

— Il a envie d'apprendre.

— Cliff dit qu'il n'y a pas de plongeurs dans l'eau, que cette opération, militaire, se déroule dans le sanctuaire. Mais il n'en sait peut-être rien.

Amy entassa les bandes vidéo et jeta ce qui ressemblait à un nid d'oiseau dans la corbeille à papiers.

— Clay, comment peuvent-ils faire une chose pareille? Comment peuvent-ils installer un polygone de réglage de torpilles au beau milieu du sanctuaire des baleines? Quelqu'un finira par s'en apercevoir.

— Ouais, la mer est immense. Pourquoi ici? dit Kona.

— Je n'en ai pas la moindre idée. Ils ne veulent sans doute pas commettre d'erreur au sujet du lieu où ils se livrent à leurs tirs. S'ils les pratiquaient entre plusieurs îles américaines, sans doute n'y aurait-il plus aucun doute sur l'objet de leurs expériences.

— Suis complètement largué à présent, dit Kona. Impossibilité calculer. Alerte. Alerte. Salle de contrôle réclame de l'herbe.

Le rasta avait pris un accent très proche de celui que pourrait avoir un robot complètement défoncé.

— La stratégie de combats sous-marins consiste à jouer au chat et à la souris avec les submersibles ennemis, fit Clay. Les équipages sont autonomes quand ils sont en plongée. Ils prennent des décisions en position d'attaque ou de défense. Peut-être que si la marine se contentait de lancer des torpilles au beau milieu de l'océan, quelqu'un pourrait se méprendre sur l'objet de l'attaque. Il est fort improbable qu'un sous-marin russe vienne se promener à Waïla pour le petit déj et se méprenne quant à une attaque.

— Mais ils n'ont pas le droit, dit Amy. On ne peut pas les laisser lancer des engins explosifs très puissants autour des baleines et de leurs baleineaux. C'est insensé.

— Ils feront ça à de grandes profondeurs et diront que cela ne dérange pas les baleines. La marine assurera qu'elle ne fera rien exploser près de la surface, disons... à moins de quatre cents pieds

180

de profondeur. Les baleines ne s'aventurent pas aussi profond dans la passe.

— Si, elles le font ! dit Amy.

— Non, répondit Clay.

— Je vous dis que si.

— On ne dispose pas de statistiques là-dessus, Amy. C'est d'ailleurs exactement ce que m'a demandé Cliff Hyland. Il voulait savoir si nous étudions la profondeur à laquelle plongent les baleines, disant que c'était là la seule chose à laquelle la marine prêterait attention.

Amy se leva et repoussa le fauteuil à roulettes qui vint frapper Kona dans les tibias et lui arracha une grimace de douleur.

— Oh ! La frangine, on se calme.

— Amy, l'idée n'est pas de moi, dit Clay. Je ne fais que vous rapporter ce qu'a dit Hyland.

— Très bien, répondit Amy en passant devant Clay pour gagner la sortie.

— Où allez-vous ?

— Ailleurs ! fit-elle en faisant claquer la porte moustiquaire derrière elle.

Clay se tourna vers Kona qui scrutait le plafond avec application, et fit :

— Comment ?

— C'est vous qui avez inventé toute cette histoire de guerre de sous-marins ?

— Si on veut. Un jour, j'ai lu un bouquin de Tom Clancy. Écoute-moi bien, Kona, je ne suis pas supposé connaître le sujet. Nat, lui, en savait long. Je ne suis qu'un photographe.

— Vous pensez que c'est les gars de la marine qui ont coulé votre bateau ? Et qui se sont arrangés pour qu'il arrive quelque chose à Nat ?

— Pour le bateau, ce sont peut-être eux. Je ne crois pas qu'ils aient un lien avec Nat. C'est juste qu'il n'a pas eu de chance.

— Blanche-Neige… toute cette histoire lui met les nerfs à fleur de peau.

— À moi aussi.

— Je vais aller la calmer.

— Merci, dit Clay qui traversa le bureau, se laissa choir dans sa chaise et fit apparaître son gestionnaire d'impression sur l'écran géant de l'ordinateur.

*

Une demi-heure plus tard, il entendit une petite voix qui provenait de l'autre côté de la moustiquaire.

— Je suis désolée, dit Amy.

— Pas grave.

Elle entra et resta plantée là, le regard moins vitreux qu'on ait pu l'espérer après que Kona eut calmé la jeune femme avec sa phytothérapie personnelle.

— Je suis aussi désolée pour votre bande vidéo. La caméra faisait des bruits de craquements sur le play-back, alors je me suis empressée de les effacer.

— C'est pas grave. C'était la scène de votre grand sauvetage. J'y passais vraiment pour un débutant. Je crois que j'en ai gardé la plus grande partie sur le disque dur.

— C'est vrai ? s'étonna-t-elle en s'avançant vers l'écran. C'est ça ?

L'image s'arrêta sur la queue de la baleine vue de profil, les marques noires étaient à peine visibles.

— Je me repasse le film histoire de vérifier s'il n'y pas d'autres sons enregistrés. La caméra n'a pas cessé de tourner tout le temps où vous avez sauvé ma carcasse.

— Pourquoi n'arrêtez-vous pas et ne me laissez-vous pas vous emmener déjeuner ?

— Il est dix heures et demie.

— Voilà que tout d'un coup vous êtes à cheval sur l'horaire ? Venez donc déjeuner avec moi. Je ne vais pas bien.

— Ne vous laissez pas abattre, Amy. Je sais que c'est une grosse perte. D'ailleurs, moi-même... je ne me sens pas bien non plus. Vous savez, si on veut poursuivre ce travail, il va nous falloir les lumières d'un universitaire.

Amy resta à regarder l'image arrêtée de la caudale de la baleine, et elle se reprit.

— Hein ? Oh, vous allez bien trouver quelqu'un. Faites passer le message et dans pas longtemps vous aurez un docteur qui frappera à votre porte.

— Je pensais à vous.

— À moi ? Mais je ne suis bonne à rien. Je ne suis même pas capable d'avoir une couleur de cheveux digne de ce nom. Et sur mon diplôme de maîtrise, l'encre n'est même pas sèche. Vous avez lu mon CV ?

— En fait, non.

— Ah bon ?

— Vous paraissiez intelligente. Vous acceptiez de travailler gratuitement...

— Mais Nat l'a lu quand même, non ?

— Je lui ai dit que vous faisiez l'affaire. Et si cela peut vous consoler, il avait une très haute opinion de vous.

— C'est comme ça que vous m'avez recrutée ? Parce que je suis intelligente et pas chère, c'est ça ? Mais sur quels critères vous vous basez ?

— Vous connaissez Kona ?

Son regard passa de l'écran à Clay.

— Je suis crevée. Très touchée, mais crevée. Ça m'excite assez que vous vouliez me garder, mais je ne peux vous apporter ni aide financière ni légitimité.

— Je me chargerai de ça.

— Chargez-vous-en après manger. Allez, venez, c'est moi qui vous invite.

— Vous n'avez pas d'argent. Et de plus je dois déjeuner avec Claire à une heure.

— Ah? d'accord. Est-ce que je peux emprunter... la camionnette verte de Nat?

— Les clés sont sur le comptoir, fit Clay en montrant la cuisine.

Amy prit les clés et la direction de la porte, réfléchit, fit demi-tour et enlaça le photographe.

— Je suis vraiment contente que vous m'ayez demandé de rester.

— Filez. Emmenez Kona. Gavez-le. Rincez-le.

— Non, si vous ne venez pas, je vais y aller seule. Mes amitiés à Claire.

— Allez, filez.

Il se retourna vers l'ordinateur, jeta un œil à travers la fenêtre, là où brillait le soleil aveuglant de Mauï, puis il éteignit l'appareil avec le sentiment très fort que plus rien n'avait ou n'aurait jamais d'importance.

CHAPITRE 19

Trottinette ne fait plus bip !

Avec d'énormes contractions musculaires de ses entrailles, la baleine donna l'impression d'être lancée sur un grand huit baignant dans de la sauce tomate. Quinn roula à quatre pattes et vomit son petit déjeuner dans une gerbe qui éclaboussa le sol caoutchouteux, puis il y eut des haut-le-cœur au rythme de la progression de la baleine jusqu'à être totalement vidé et éreinté.

— Envoyer une patrouille, fit une voix dans l'obscurité.

— Lavez-moi ça à grande eau, fit une autre voix, le toubib vient de vider les ballasts.

Quinn roula sur les fesses et s'éloigna des voix jusqu'à heurter une cloison, chaude et humide au toucher. Il s'éloigna encore et se retrouva dans la merde jusqu'au cou près de là où il avait vomi. De l'eau de mer, froide, se déversa depuis l'avant de la baleine et lui couvrit les pieds, emportant par là même le petit déjeuner qu'il avait vomi. La pression augmenta, ses oreilles se débouchèrent brusquement. L'instant d'après, l'eau avait disparu.

L'intérieur de la baleine ressemblait à un minibus customisé par un aficionado du latex. C'était humide, tout était recouvert de peau caoutchoutée et baignait dans une douce lueur bleutée qui provenait des yeux du cétacé ; le reste bénéficiait de la pâle lumière que dégageaient des rayures vertes bio-luminescentes qui couraient au plafond d'une pièce en forme de larme. À l'avant de cette pièce, de chaque côté des yeux, deux choses se trouvaient assises, le corps masqué par leurs sièges enveloppants. Quinn ignorait de qui il s'agissait et son esprit semblait peiner pour essayer d'appréhender l'ensemble de la situation. Des détails, comme des humanoïdes inhumains habillés de peau grise, étaient dans l'impossibilité d'occuper suffisamment de place dans sa conscience pour être examinés et analysés. En fait, il ne put garder les yeux ouverts que quelques secondes avant que la nausée le reprenne.

À l'intérieur, la baleine sentait le poisson.

Debout, enfin... À peu près debout, avec une démarche hésitante car à l'intérieur tout bougeait. Deux hommes se trouvaient derrière les créatures assises, le premier âgé d'une quarantaine d'années et le second de vingt-cinq ans. S'ils étaient tous les deux pieds nus, ils portaient des vêtements militaires kaki dépourvus d'insignes ou de toute autre marque pouvant indiquer leur grade. Le plus vieux était de toute évidence aux commandes. Cela faisait cinq minutes que Quinn essayait de leur poser les questions qui lui venaient à l'esprit mais chaque fois qu'il ouvrait la bouche, il devait se retenir de vomir. Jusqu'à présent, il s'était toujours considéré comme un individu plutôt digne de la mer.

— Quoi ? finit-il par pouvoir dire avant un nouveau haut-le-cœur.

— Si vous acceptez l'idée que vous êtes mort, cela va aider à combattre votre incrédulité.

— Parce que je suis mort ?

— Je n'ai pas dit ça, mais si vous en acceptez l'idée, ça devrait tordre le cou à l'anxiété.

— Ouais, si vous êtes déjà mort, qu'est-ce qui peut vous arriver de moche ? fit le plus jeune des deux types.

— Alors comme ça, je suis mort ?

— Non. Respirez et suivez le mouvement, fit le plus vieux. Ça ne va pas s'arrêter et si vous voulez lutter, c'est vous qui allez perdre.

— Votre déjeuner, ajouta le jeune avant de rire de sa propre blague.

— Ça bouge moins par devant. La tête reste à peu près à niveau. Mais vous savez ça, je suppose.

Pour analyser la situation, Quinn avait été dans l'impossibilité de faire appel à ses facultés. Parce qu'il refusait d'accepter la situation. Bien sûr, dans un autre monde, il aurait admis que la tête de la baleine bougeait moins que la queue, mais il n'avait jamais imaginé qu'il pourrait se poser cette question depuis l'intérieur d'un organe.

— Je suis à l'intérieur d'une baleine ?

— Ding ! Dong ! Il vient de poser la question banco, fit le jeune type en s'adossant au fauteuil dans lequel l'une des créatures grises était assise.

Et quelque chose émergea du sol, qui avait la forme d'un fauteuil, dans laquelle le type s'assit.

— Dites-lui, capitaine, ce qu'il a gagné.

— L'hospitalité. Poe, aidez le toubib à gagner l'avant de façon à ce que nous puissions converser sans qu'il vomisse son quatre-heures.

Le plus jeune des deux gars aida Quinn à se mettre debout et à traverser le sol qui ondulait, jusqu'au fauteuil qui venait d'émerger derrière les créatures grises qui tournaient le dos à l'avant du vaisseau. Une fois près d'elles, Quinn ne put détacher son regard des créatures. Il s'agissait d'humanoïdes, car ils avaient deux bras, deux jambes, un torse et une tête comme celle des gouverneurs de baleine, avec comme un gros melon à l'avant, afin de transmettre et recevoir les messages sous-marins. C'est ce qu'imagina Quinn. Leurs yeux étant disposés sur les côtés, ces créatures bénéficiaient donc d'une vision binoculaire. Leurs mains étaient insérées dans les consoles qui partaient du sol et paraissaient ne pas avoir d'autres instruments que quelques diodes bio-luminescentes qui ressemblaient à des orbites ennuagées et émettaient des signaux lumineux de couleurs différentes. Les créatures semblaient faire partie intégrante de la baleine.

— Nous, on les appelle les baleineux, fit le plus âgés des types. Ce sont eux qui pilotent la baleine.

— Celui qui se trouve juste derrière vous s'appelle Trottinette, et l'autre c'est Skippy. Dites bonjour, les gars.

Les créatures se retournèrent autant que leurs fauteuils le leur permettaient et émirent des cliquetis et des bruits aigus, puis ils semblèrent sourire à Quinn, ce qui dévoila leurs mâchoires remplies de dents acérées en forme de pince à linge. Avec leurs dents ressorties sur leur peau grise et le melon au-dessus, les baleineux évoquèrent dans l'esprit de Quinn des créatures plus sympathiques que celles des films de la série *Alien*. Trottinette salua Nat d'une main composée de quatre très longs doigts palmés et d'un semblant de pouce.

— Ils vous disent bonjour, dit Poe. Moi, je m'appelle Poe, et voici le capitaine Poynter.

Le plus âgé, Poynter, porta la main à sa casquette et offrit sa main à serrer. Quinn la lui prit et la lui serra mollement.

— Autant que l'on puisse le savoir, les baleineux ne parlent pas anglais, dit Poe, bien qu'ils émettent des cris aigus qui sonnent comme des mots. Ils sont complètement reliés au système nerveux de la baleine. Ils la pilotent et en contrôlent le fonctionnement en tout temps. Sans eux, nous ne pourrions rien faire avec les baleines. On ne pourrait sûrement pas en piloter une. Les baleineux et les baleines sont faits les uns pour les autres.

Poe s'adossa au fauteuil de Skippy et un autre fauteuil surgit du sol pour le recueillir comme il se laissait choir.

— J'adore ce truc-là, dit Poe.

Poynter recula vers une cloison de caoutchouc et, de la paroi, émergea un fauteuil qui l'accueillit également.

— S'ils font attention, ils ne vous laisseront jamais tomber par terre, fit Poe en riant. Bien sûr, ici, presque tout est mou, comme si c'était fait pour des gosses, voyez-vous, à l'exception de la colonne vertébrale qui court au-dessus de nos têtes. Donc, vous ne vous

188

blesserez pas si vous tombez. Néanmoins, nous nous attachons quand ils procèdent aux manœuvres. Vous vous croyez malade en ce moment, mais attendez qu'on fasse surface. Ne vous affolez pas, fit Poe avant de se tourner pour dire aux baleineux : Hé, les gars, attachez le toubib.

Les bras du fauteuil enveloppèrent les cuisses de Quinn. D'autres morceaux apparurent au-dessus de ses épaules et se croisèrent sur sa poitrine, puis sur ses hanches et à nouveau sur ses cuisses. Quinn paniqua.

— Libérez-moi ! Libérez-moi ! Je ne peux plus respirer.

— Prêts à faire surface, dit Poynter.

Trottinette se mit à striduler. Skippy sourit. Des protections surgirent de leurs sièges et les enveloppèrent.

La position de la baleine se modifia. Elle se cabra presque à soixante degrés et l'angle s'accrut encore quand ils bougèrent. Quinn regarda vers la partie arrière de l'intérieur en forme de larme. Le mouvement brusque des rayures luminescentes incommoda Quinn. Il sentit ses entrailles subir l'accélération et soudain le vaisseau en forme de baleine se mit à la verticale et bondit hors de l'eau. À l'apogée du mouvement, Quinn crut que son estomac tentait de prendre le large à travers son diaphragme et se déplaçait quand ils prirent de la gîte. Il y eut un choc terrible quand le vaisseau toucha l'eau à nouveau. Puis, lentement, la baleine se repositionna à l'horizontale.

Les baleineux stridulèrent et émirent de joyeux bruits de cliquetis, souriant à Quinn, puis se souriant l'un l'autre, puis à nouveau à Quinn, hochant la tête d'une manière de dire : « C'était super, non ? » Ils avaient le cou presque aussi large que les épaules et Quinn nota les muscles épais qui saillaient sous la peau.

— Ils adorent faire ça, dit Poynter.

— J'aime bien aussi, ajouta Poe. Sauf quand ils s'emballent et sortent vingt ou trente fois de l'eau à la suite. Même que j'ai le mal de mer quand ils font ça. Je ne vous parle pas du bruit... Vous avez été témoin.

189

Quinn hocha la tête, ferma les yeux, puis les rouvrit. La seule façon de s'accommoder de cette situation était de la prendre pour ce qu'elle était : il se trouvait à l'intérieur d'une baleine, une baleine que des êtres humains et des créatures, qui n'étaient pas d'origine humaine, mais cependant douées de sensations, utilisaient comme un sous-marin. Tout ce qu'il avait appris jusque-là devenait inutile, bien qu'à la réflexion, certaines choses pourraient lui servir. Ce qui défiait le plus le sens commun demeurait l'épaisseur des cous des baleineux.

— Ce sont des amphibiens, n'est-ce pas ? demanda Quinn à Poynter. Ils ont bien le cou épais pour encaisser la pression lorsqu'ils nagent à grande vitesse ?

Quinn se redressa dans son fauteuil autant que ses entraves le lui permettaient et il remarqua que Trottinette possédait un évent juste derrière sa grosseur frontale. C'était une baleine humanoïde, ou une sorte de dauphin, bref quelque chose d'improbable. Tout ici était improbable. « Pense aux détails, pas à la vue d'ensemble, se dit Quinn. La vue d'ensemble, c'est à tomber fou. »

— Ce sont des sortes d'hybrides entre la baleine et l'être humain, n'est-ce pas ?

— Ce qui explique pourquoi on les appelle les baleineux, dit Poynter.

— Attendez, fit Poe, vous ne seriez pas en train de nous accuser de… Parce que ce ne sont pas des enfants de l'amour qu'on aurait eus avec des baleines. Nous ne sommes pas adeptes de ce genre de pratiques.

— Il y a tout même eu cette fois où…, dit Poynter.

— D'accord, mais rien qu'une fois, fit Poe.

Mais Quinn étudiait Trottinette, et Trottinette le fixait du regard. « Ils semblent capables de tourner la tête, comme le béluga. Les vertèbres de leur cou ne sont pas soudées comme chez la plupart des baleines. » Le scientifique reprenait le dessus, Quinn se sentait à l'aise à présent, la curiosité effaçant la peur. Il se forçait à noter certains détails, ce qui était son domaine professionnel, même dans cette situation complètement surréaliste. S'il se concentrait sur les détails, il ne deviendrait pas dingue.

— Posons-leur la question, dit Poe. Trottinette, tes vertèbres sont-elles soudées ou n'es-tu qu'une grosse brute grise qui n'a pas de cou ?

Trottinette tourna la tête vers Poe et émit un gros *pfft !* en postillonnant sur le plastron kaki de Poe, multipliant par dix l'odeur de poisson pourri dans laquelle baignait la cabine.

— Nous ignorons ce qu'ils sont, docteur Quinn, dit le capitaine Poynter. Ils étaient déjà là quand nous sommes arrivés, et nous sommes arrivés de la même façon que vous, par la même pente.

— Bip, dit Skippy.

— C'est moi qui lui ai appris ça, dit Poe.

— Ça vient d'un dessin animé de la Warner, dit Quinn, c'est le Bip Bip qui fait ça.

— Non, le Bip Bip, il dit deux fois bip. Skippy ne le dit qu'une seule fois. Mais c'est quand même original. Pas vrai, Skippy ?

— Bip.

Certains esprits, tout particulièrement ceux marqués d'un penchant pour les sciences, d'un amour de la vérité et des certitudes, trouvent rapidement leurs limites dans le maniement de l'absurdité. Et là, Quinn avait dépassé ses propres limites.

— Skippy, Trottinette, Poynter, Poe, j'en peux plus, hurla-t-il.

Il avait la sensation que son esprit ressemblait à un élastique tendu à la limite de la rupture. Et le bip l'avait encore tendu davantage. Il hurla jusqu'à sentir ses veines battre sur son front.

— C'est impossible. C'est impossible, psalmodia Quinn.

Il respirait à grandes goulées, sa vision était devenue floue et son cœur battait comme s'il avait couru un sprint sur une cendrée électrifiée.

— Il fait une crise d'angoisse, dit Poynter en posant sa main sur le front de Quinn avant de dire doucement :

— OK, toubib, je vous résume : vous êtes à bord d'un vaisseau vivant qui ressemble à une baleine mais qui n'en est pas une. Il y a deux autres gars à bord qui ont déjà vécu cela, ce qui signifie que vous y survivrez. De plus, il y a deux gars qui ne sont pas exactement des êtres humains, mais qui ne vous feront pas de mal. Il va vous falloir vivre et vous accommoder de cette situation, car c'est la réalité. Vous n'êtes pas fou. Alors, restez calme, bordel !

Et c'est alors que Poynter se recula et que Poe jeta un seau d'eau de mer froide au visage de Quinn.

— Hé ! fit Quinn.

Il cracha et cligna des yeux pour en chasser l'eau.

— Je vous ai dit de vous faire à l'idée que vous étiez mort, mais vous refusez de m'écouter, fit Poe.

Rien n'avait changé, mais pour Quinn, les choses et son cœur s'étaient ralentis. Il regarda autour de lui.

— Mais ce seau, d'où sort-il ? Il n'y avait pas de seau tout à l'heure. Il n'y avait que nous. Et l'eau ? D'où vient-elle ?

Poe tenait le seau, prêt à s'en servir à nouveau.

— Vous êtes sûr que ça va ? J'ai pas envie que vous vous excitiez à nouveau.

— Ouais, ça va, répondit Quinn.

Et, en fait, c'était vrai. Il avait décidé de se faire à l'idée qu'il était mort et cela remit les choses à leur place.

— Je suis mort.

— À la bonne heure ! dit Poe qui tenait le seau contre le mur.

Une petite porte s'ouvrit et avala le seau. Quinn aurait juré qu'il n'y avait jamais eu de joints dans la paroi indiquant l'emplacement d'une ouverture.

— Hé ! fit Poynter en prenant le ton de celui qui vient d'être profondément outragé. Maintenant que vous êtes mort, j'ai un compte à régler avec vous parce que vous ne m'avez pas apporté mon sandwich.

Quinn regarda les traits taillés à coups de serpe du capitaine (qui semblait à présent véritablement en colère), ainsi que ses yeux étroits et un frisson lui parcourut l'échine, un frisson qui n'avait rien à voir avec l'eau glacée qui lui dégoulinait des cheveux.

— Désolé, dit-il, en haussant les épaules autant que les entraves le lui permettaient.

— Putain ! C'était si difficile ? Vous avez un doctorat, bordel de Dieu, et vous n'êtes pas foutu d'apporter un sandwich au bœuf fumé ? J'ai très envie de vous siphonner l'anus.

— Chut, capitaine, dit Poe. On avait dit qu'on lui ferait la surprise.

— Bip, fit Skippy.

CHAPITRE 20

Blanche-Neige a disparu, et le thon est un peu mou

— Hé, chef, vous savoir où être Blanche-Neige ?

Assis sur la véranda du bungalow, Clay et Claire buvaient des maï-taïs et regardaient la fumée s'envoler par les aérations d'un barbecue fermé de marque Weber. Kona portait sa longue planche de surf sous le bras et se dirigeait vers son yacht de croisière, à savoir une BMW série 2002, de 1975, repeinte à la bombe en jaune citron, et dont les fenêtres avaient disparu et les sièges étaient recouverts de plaids en piteux état.

Cela faisait déjà deux maï-taïs que Clay avait perdu toute lucidité, mais il pouvait encore parler.

— Elle a pris la camionnette de Nat ce matin pour descendre en ville. Je ne l'ai pas revue depuis.

— La frangine voulait que je lui apprenne à surfer. Je connais des spots faciles du côté de West Shore, bons pour apprendre.

— Je suis désolé, dit Clay. On est en train de fumer un gros morceau de thon ahi. Ça te dit de te joindre à nous ?

— Non, dit Claire.

— Je vous remercie, mais je vais descendre à Lahaïna voir si je peux trouver Blanche-Neige. On va travailler demain ?

— Peut-être, fit Clay en essayant d'y voir clair à travers son nuage de rhum.

Le *Toujours Confus* avait été renfloué et, à l'atelier de réparation des bateaux, on avait dit qu'il faudrait une bonne semaine avant qu'il puisse être remis à l'eau, et encore faudrait-il qu'il soit très sérieusement nettoyé. Il leur restait le bateau de Nat. Clay regarda Claire qui dit :

— Je ne veux pas te voir demain assis là à geindre parce que tu as la gueule de bois. Tu vas reprendre la mer et tu seras malade comme un homme digne de ce nom.

Si un temps elle avait souhaité que Clay cesse de naviguer, elle avait révisé son jugement. Clay était ce qu'il était.

— Ouais, tiens-toi prêt à sortir demain s'il n'y a pas trop de vent, dit Clay. Est-on supposés en avoir ?

Il lui vint à l'esprit qu'il ne s'était pas enquis de la météo depuis la disparition de Nat.

— Temps calme le matin, alizés l'après-midi, dit Kona. On pourra travailler.

— Dis-le à Amy quand tu vas la voir, d'accord ? Prends mon portable. Appelle-moi quand tu l'auras trouvée. Tu es sûr de ne pas vouloir déjeuner avec nous ?

— Non, pas ça, fit Claire.

— Non, c'est bon, dit Kona en souriant à Claire. Dites, Tatie, toi être gênée moi voir toi toute nue ? Toi être superbe.

Claire se leva.

— Continue à m'appeler Tatie et tu vas voir tes dreadlocks, je vais en faire des jouets pour les chats.

— On se calme, je vais essayer de mettre la main sur Amy.

Et il bondit vers la BM, glissa sa planche par la fenêtre arrière, coinça le talon de la dérive contre le dossier du siège passager et partit en direction de Lahaïna à la recherche d'Amy.

*

Il était deux heures du matin quand le téléphone sonna dans le bungalow de Clay.

— Me dis pas que tu es encore en prison ? fit Clay.

— Pas en prison, chef, mais ce serait mieux si vous vous asseyiez.

— J'étais au lit, je dormais, Kona. Qu'est-ce qu'il y a ?

— La camionnette, la camionnette de chef Nat. Elle est là, chez le loueur de kayaks de Lahaïna. Ils disent qu'Amy a loué un kayak ce matin, vers onze heures.

— Les loueurs sont encore là ?

— J'ai réveillé le gars.

— Ils savent où elle est allée ? Ils l'ont laissée partir toute seule ? Il nous a pas appelés quand la nuit est tombée ?

— Elle a dit qu'elle voulait attacher le kayak derrière le bateau, que c'était pour ses recherches. Le gars sait qu'elle étudie les baleines, alors il a pas pensé à mal. Des fois, les chercheurs gardent les kayaks deux ou trois jours.

— Tu as vérifié qu'elle n'était pas à bord ?

— À bord de celui qui n'a pas coulé ?

— Oui, celui-là.

— Oui, j'ai vérifié. Le bateau est à sa place dans le port. Et il n'y a pas de kayak.

— Bouge pas. Je serai là dans quelques minutes. Il faut que je m'habille et que j'appelle les gardes-côtes.

— Le gars des kayaks, il dit n'y être pour rien… Elle a signé un rébus. C'est quoi ? Un truc religieux ?

— Un reçu, Kona, elle a signé un reçu. Tu as encore fumé ?

— Oui.

— Évidemment. Désolé. J'arrive.

*

Nat était dans la baleine depuis trois jours quand il demanda :

— Vos noms ne sont pas Poynter et Poe, n'est-ce pas ?

196

— Quoi ? fit Poynter. Vous vous êtes fait avaler par un vaisseau baleine géant et ce qui vous tracasse c'est de savoir si nous ne voyageons pas sous des noms d'emprunt ? À toi de jouer, Poe.

— Les gars, donnez-nous un bon rinçage ! dit Poe.

Provenant du nez de la baleine, de l'eau envahit le sol. L'enseigne de vaisseau Poe, qui n'avait pas de pantalon, prit trois pas d'élan et glissa comme sur une bâche humide. Quand il atteignit l'extrémité de la pièce, il étendit les bras à angle droit de chaque côté de son corps. Il y eut un bruit de succion et il disparut jusqu'aux aisselles dans un orifice qui, une seconde plus tôt, serait passé pour une empreinte sur la paroi en peau.

— Hou là là ! C'est glacé, dit Poe. À quelle profondeur sommes-nous ?

Trottinette cliqueta et stridula à plusieurs reprises.

— Quatre-vingt-dix pieds, dit Poynter. Ça ne doit pas être si terrible.

— Ça paraît glacé. J'ai l'impression que mes couilles sont remontées dans mon corps.

Bouche bée, Nat regardait les bras et la tête de l'enseigne de vaisseau qui dépassaient du sol.

— Vous voyez, toubib, fit Poynter, généralement, on appelle ça l'« orifice du fond » au lieu de dire l'anus, parce que autrement, avec nous qui allons et venons, il y a des insinuations. La partie inférieure de son corps se trouve dans la mer, à une pression de trois atmosphères. L'orifice du fond est comme scellé autour de lui, mais ne lui écrase pas la poitrine. N'est-ce pas, Poe, que cela ne vous comprime pas la poitrine ?

— Non, capitaine. C'est sûr, ça serre, mais je peux respirer.

— Mais comment est-ce possible ? demanda Nat.

— Vous êtes plongeur. Vous êtes descendu à quoi ? Cent vingt ? Cent trente pieds ?

— À cent cinquante, accidentellement, mais quel rapport avec tout ça ?

— Vous n'avez jamais eu une rupture des sphincters à cette profondeur, n'est-ce pas ? Vous n'avez pas explosé comme un poisson-globe, n'est-ce pas ?

— Non.

— Alors, allez-y, Nat. Ce truc, c'est des chiottes de haute technologie. Nous-mêmes, nous n'y comprenons rien, mais c'est le secret des toilettes sur ces petits vaisseaux, et c'est ainsi que nous entrons et ressortons. Normalement, la bouche de ces vaisseaux baleines à bosse ne s'ouvre pas, ce qui nous permet d'avoir plus de place, mais celui-ci a été spécialement conçu pour récupérer les « merdes ». C'est-à-dire les gens comme vous.

— Mais ça a été conçu par qui ?

Évidemment que cela avait été pensé. Cela ne pouvait pas être le fruit de l'évolution.

— On en parlera plus tard, dit Poynter. Poe, vous avez terminé ?

— Oui, oui, capitaine.

— Rentrez.

— Fait vraiment froid ici, capitaine. C'est moi qui vous le dis, je vais avoir la bite dans le même état que lorsque j'ai posé pour la photo le jour de ma naissance.

— Je suis sûr que le toubib se montrera compréhensif.

Nat ressentit une légère modification de la pression dans les oreilles et Poe réintégra la baleine. L'orifice se referma derrière lui, ne laissant pratiquement pas d'eau sur le sol. L'enseigne de vaisseau revint en marchant en crabe vers l'avant, cachant ses parties intimes avec ses mains. Il reprit son pantalon dans un placard de rangement qui était apparu derrière un panneau de peau semblable à l'évent d'une baleine tueuse. L'intérieur de la baleine comportait des rangées de placards dont on ne pouvait pas voir le contour quand ils étaient fermés à cause de la faible lumière.

— Vous allez apprendre à faire ça, Nat. C'est la seule chose civilisée à faire avant que l'on ne vous transfère vers la baleine bleue. Je ne veux pas que vous fassiez vos besoins dans le vaisseau.

Quand il avait eu besoin d'aller aux toilettes, ils avaient expédié Nat vers le fond de la baleine où il s'était soulagé par terre. Quelques secondes plus tard, les baleineux avaient laissé entrer un peu d'eau par une fissure de la bouche de la baleine. L'eau avait lavé le sol et emporté les déjections par l'orifice du fond.

— De quelle baleine bleue parlez-vous ? interrogea Nat.

— On ne peut pas vous emmener là où ils le veulent avec ce petit vaisseau. On va vous transférer sur une baleine bleue. Vous passerez par le trou des chiottes.

— Cela veut dire qu'il y a aussi un vaisseau baleine bleue ?

— Qu'il y a *des* vaisseaux, corrigea Poynter. Ouais, et d'autres espèces également.

— Les baleines franches, ce sont mes préférées, dit Poe. Lentes comme des tortues, mais vraiment spacieuses, très spacieuses. Vous verrez.

— Alors comme ça... les baleineux... ils peuvent réguler la pression de façon aussi précise ? Ils peuvent laisser entrer l'eau, l'expulser, maintenir une pression suffisante pour que nous ne souffrions pas de la maladie des profondeurs ? Ils peuvent nous transférer de l'un de ces vaisseaux vers un autre ?

— Ouais. Ils sont intégrés à la baleine. Je crois qu'ils sont comme son cortex cérébral. Les vaisseaux baleines ont bien un cerveau, mais il ne remplit que des fonctions d'autonomie. Il leur permet de se comporter éternellement comme des baleines, de plonger, de respirer, de faire des choses comme ça. Mais sans l'aide des baleineux, ce ne sont que des machines idiotes, aux fonctions limitées. Le pilote contrôle des fonctions plus compliquées, comme la navigation par exemple. Vous savez, sur ces baleines à bosse, ils étalent vraiment leur savoir, ils la font sauter, ils la font chanter.

— Ce truc-là chante ? ne put s'empêcher de demander Nat qui voulait entendre une baleine chanter de l'intérieur.

— Bien sûr que ça chante. Vous l'avez entendue.

Depuis l'arrivée de Nat à bord, le seul son émit par le vaisseau baleine avait été celui du battement de ses énormes nageoires ou les explosions liées au souffle, qui se produisaient toutes les dix minutes environ.

— J'ai horreur quand elles chantent, dit Poe.

— Quelle est la finalité du chant ? demanda Nat.

Il se moquait totalement de l'identité de ces types ou de ce qu'ils faisaient. Il avait à présent l'opportunité d'obtenir une réponse à une question qu'il se posait depuis qu'il avait atteint l'âge adulte.

— Pourquoi chantent-elles ?

— Parce qu'on leur demande. Qu'est-ce que vous croyez ?

— Non, c'est pas vrai, fit Nat en enfouissant la tête entre les mains. J'ai été enlevé par des demeurés.

Trottinette y alla de quelques stridulations frénétiques. Le baleineux regardait le bleu du Pacifique à travers l'œil du cétacé.

— Il y a un banc de thons dehors, fit Poe.

— Vas-y, Trottinette, fonce ! Ramènes-en !

Pour la première fois depuis qu'il était à bord Nat vit les sangles qui maintenaient Trottinette se rétracter. La créature se leva. Elle était plus grande que Nat, peut-être autour du mètre quatre-vingt-dix. Ses jambes grises et maigres ressemblaient à celles d'une femelle crapaud géante qu'on aurait croisée avec un arrière de football américain. Elles se terminaient par des palmes qui ressemblaient fortement aux nageoires de queue des morses. Trottinette prit trois pas d'élan et plongea à terre vers le cul de la baleine. On entendit un bruit de succion et Trottinette disparut par l'orifice du fond qui se referma en émettant un bruit sec et mat caractéristique.

Poe alla prendre place dans le siège laissé vacant par le baleineux et regarda par l'œil de la baleine.

— Nat, venez voir ça. Venez voir comment il s'y prend pour chasser.

Nat regarda à son tour par l'œil. Il vit la forme agile de Trotti-nette nager à une vitesse folle, se déplaçant ici et là avec une souplesse incroyable à la poursuite d'un thon d'une vingtaine de livres.

Dans l'eau, les yeux du baleineux avaient perdu cet aspect globuleux qu'ils avaient à l'intérieur de la baleine. Tout comme les cétacés, se dit Nat, les baleineux étaient dotés de muscles qui leur permettaient de modifier la forme de leurs yeux suivant qu'ils se trouvaient sous l'eau ou à l'air libre. Trottinette était à moins de trois mètres de l'œil de la baleine quand il fit volte-face et attrapa le thon par les mâchoires. Nat entendit le claquement sec et vit du sang se mêler à l'eau autour de la bouche de Trottinette.

— Ouais! s'écria Poe. Ce soir on va avoir du sushi!

Depuis son arrivée à bord de la baleine, Nat n'avait eu droit qu'à du poisson cru. C'était la première fois qu'il voyait comment on le pêchait. Il ne put malgré lui partager l'enthousiasme de Poe.

— C'est tout ce que vous mangez? Du poisson cru?

— C'est mieux que tout le reste, répondit Poe. La baleine porte en elle une pâte nutritive. Ça ressemble à de la purée de krill.

— Oh, mon Dieu, fit Nat.

Poynter se pencha vers l'oreille du scientifique et dit:

— D'où l'énorme envie de variété culinaire, telle que… Je sais pas, moi… le sandwich au bœuf fumé par exemple!

— J'ai dit que j'étais désolé, bredouilla Nat.

— Ouais, vous avez raison.

— Débarquez-moi n'importe où. Je vais vous en trouver un, de sandwich.

— On n'accoste pas avec notre engin.

— Ah bon?

— Sauf pour peindre MORDS-MOI sur la queue, dit Poe.

— Ouais, sauf pour ça, reprit Poynter.

Skippy émit un bip quand, le thon à la main, Trottinette revint en trottinant par le trou des toilettes. C'est en voyant rentrer le pilote que, pour la première fois depuis qu'il avait été avalé, Nat commença à penser à s'évader.

*

« C'est vraiment idiot », se dit Amy. Elle pagayait comme une malade depuis quatre heures et n'était rendue qu'à mi-chemin de Molokaï. Elle avait dépassé la ligne de vent depuis deux heures. Elle se bagarrait dans une houle de plus d'un mètre et une brise de travers menaçait de l'emporter au large.

— J'aimerais connaître celui qui donne les coordonnées GPS. Qu'est-ce que c'est que ce travail ?

Cela faisait une bonne heure qu'elle hurlait dans le vent tout en consultant la petite carte à cristaux liquides du GPS. Le point marqué « Vous êtes ici » ne semblait plus bouger du tout. « Merde ! C'est pas possible ! » Dès qu'elle s'arrêtait de pagayer pour boire un peu d'eau ou se remettre de la crème solaire, le point semblait faire un bond d'un mile marin d'un seul coup.

— Hé, mec, qu'est-ce que t'as fumé ? cria-t-elle.

Elle avait mal aux épaules et avait presque vidé la bouteille d'eau de deux litres qu'elle avait emmenée. Elle commença à regretter de ne rien avoir pris à manger. « Envie d'une petite balade ? Louez un kayak, pas besoin de moteur. »

— Résultat, je me trouve à dériver dans un Tupperware, bande d'idiots !

Elle s'allongea dans le kayak pour reprendre son souffle. Elle vit que sur le GPS la direction et les indicateurs de vitesse changeaient. Elle pouvait rester cinq minutes sans trop dériver. Elle ferma les yeux et se laissa bercer gentiment par les vagues, jusqu'à somnoler. Tout était calme. On n'entendait que le son blanc du vent et de la mer, pas le moindre clapot contre la coque de l'esquif. En raison de son faible poids, la ligne de flottaison était très basse et Amy survolait pratiquement les déferlantes sans un bruit. Elle pensa à Nat, à la peur qu'il avait dû éprouver au cours de ses derniers instants. Elle pensa combien elle avait commencé à adorer travailler avec lui, elle qui l'avait traité de pauvre type. Tout en somnolant, elle se sourit à elle-même, de façon mélancolique. Mais soudain une multitude de bulles vinrent exploser à la surface, tout près du kayak, ce qui mit les sens de la jeune femme en éveil. Il s'agissait d'une impressionnante éclosion de bulles d'air, comme si, sous l'eau, une explosion s'était produite.

Amy pagaya pour s'écarter de la zone d'éruption des bulles, mais comme elle se déplaçait, l'océan commença à prendre une couleur sombre autour d'elle. Derrière le kayak, le bleu cristallin laissa place à une énorme tache foncée. Puis quelque chose heurta l'esquif, projetant Amy à cinq ou six mètres en l'air. Elle retomba et l'obscurité l'engloutit.

CHAPITRE 21

Je lèche le corps électrique

Le soleil couchant avait enflammé le ciel de Mauï. Dans le bungalow, tout avait pris une teinte rosée, paradisiaque, à moins que ce ne
soit infernale, tout dépendait d'où l'on se trouvait. Clay démembra
la volaille et déposa les morceaux sur une assiette pour les emporter
jusqu'au gril.

— Prends autre chose pour les mettre dessus, proposa Claire.

Elle portait une robe imprimée de fleurs d'hibiscus et l'orchidée
qu'elle avait dans les cheveux ressemblait à une libellule couleur
lavande en train de voleter. Claire était occupée à couper en dés des
petits légumes macérés qu'elle jetait dans la salade de macaronis.

— Elle est très bien cette assiette, fit Clay.

— Tu ne peux pas te servir de la même assiette. Tu vas attraper la
salmonellose.

— Fais chier ! dit Clay en balançant le plat dans la cour.

Les morceaux de poulet rebondirent gentiment en se tartinant
d'une couche de sable et d'herbe sèche.

— Depuis quand le poulet est-il aussi dangereux que le pluto-
nium, tu peux me le dire ? Je vais en crever si je le touche ? C'est
comme les œufs et les steaks qu'il faut cuire comme de la semelle si
on ne veut pas passer l'arme à gauche ? Et si j'allume mon putain de
portable, le zinc qui est au-dessus de nos têtes va nous tomber dessus

204

comme la foudre ? C'est comme les mômes. Ils ne peuvent plus aller porter la poubelle sans mettre un casque et des genouillères qui les font ressembler à des champions de motocross. J'ai tort peut-être ? Mais nom de Dieu, qu'est-ce qui se passe dans ce monde ? Depuis quand tout est-il dangereux ? Tu peux me le dire ? Ça fait trente ans que j'arpente les océans et rien ne m'a jamais tué. J'ai nagé au milieu de tout ce qui peut mordre, piquer ou te bouffer, j'ai fait les pires conneries qu'un être humain puisse faire sous l'eau et je suis encore là. Tu fais chier, Claire. Y a pas une semaine, je suis resté inconscient sous l'eau pendant une heure et j'en suis pas mort. Et maintenant voilà que tu me dis que je vais claquer en bouffant une cuisse de poulet. Alors démerde-toi !

Il ne savait où aller, alors il revint sur ses pas et il claqua la moustiquaire derrière lui, l'ouvrit et la claqua à nouveau.

— Putain ! Mais c'est pas vrai !

Et il resta là, le souffle court, à ne rien regarder en particulier.

Claire posa son couteau et ses légumes, puis se lava les mains. En s'avançant vers Clay, elle défit une grosse épingle à cheveux de l'arrière de sa tête. Ses longues boucles épaisses tombèrent en cascade dans son dos. Elle prit Clay par la main droite et baisa l'extrémité de chacun de ses doigts. Elle lécha le pouce et mit l'index dans sa bouche avant de l'en retirer tout enduit de salive. Clay, tremblant, regardait par terre.

— Mon chéri, dit Claire en plaçant l'épingle entre le pouce et l'index de Clay, je veux que tu l'enfonces le plus profondément possible dans cette prise de courant, là-bas.

Clay daigna enfin la regarder.

— Parce que, poursuivit-elle, je sais que tu ne m'en veux pas et que tu es seulement triste à cause de tes amis, mais je crois aussi qu'il est temps de te rappeler que tu n'es pas invulnérable et que tu peux souffrir encore davantage que maintenant. Je pense que ce serait mieux que tu le fasses tout seul. Sinon, je vais devoir t'assommer avec ta poêle à frire.

— Ce serait dommage, dit Clay.

— On vit dans un monde cruel, mon chou.

Clay la prit dans ses bras et enfouit son visage dans ses cheveux. Il resta là, dans l'entrée, un moment.

Amy avait disparu depuis trente-deux heures. Le matin même, un pêcheur avait trouvé son kayak, à Molokaï, échoué contre des rochers. Il avait appelé la société de Maui qui l'avait loué. Il avait dit qu'il restait un gilet de sauvetage attaché à l'avant de l'esquif. Les gardes-côtes avaient déjà cessé les recherches.

— Laisse-moi à présent, dit Claire. Faut que j'aille ramasser le poulet pour le rincer.

— Je crois pas qu'on puisse manger ça.

— Je t'en prie. Je vais le faire cuire pour Kona. Tu vas m'emmener dîner dehors.

— Ah bon ?

— Bien sûr.

— Mais après que j'aurai enfoncé ce machin dans la prise ?

— Tu as le droit d'être triste, Clay, c'est normal, mais tu n'as pas le droit de culpabiliser d'être encore en vie.

— Alors ça veut dire que j'ai pas à enfoncer le machin dans la prise ?

— Tu as employé un langage ordurier à mon encontre, mon chou. Je ne vois pas comment tu peux y échapper.

— Oui, bien sûr. Alors va récupérer le poulet de Kona dans la cour pendant que je fais ça.

*

Au matin du deuxième jour de la disparition d'Amy en mer, Clay gagna une plage rocheuse coincée entre des résidences de luxe au nord de Lahaïna, une plage trop petite pour les joggeurs et qui manquait de fond pour les baigneurs. Debout sur un bout de rocher battu par les vagues, Clay essaya de se débarrasser de la haine qui l'habitait. C'était un type qui aimait certaines choses, et parmi celles qu'il avait aimées le plus, il y avait l'océan, son vieil ami, pour lequel, ce matin-là, il n'éprouvait que du dédain. Le bleu saphir le snobait et les vagues faisaient leurs pimbêches. « L'océan peut te tuer sans même savoir comment tu t'appelles. »

— Espèce de salaud ! fit Clay, suffisamment fort pour que l'océan puisse entendre.

Puis il lui cracha au visage et rentra chez lui.

Tout près de là, assis sur un rocher, le vieux sorcier de Maüi l'avait regardé faire. L'orgueil de Clay l'avait amusé. Maüi admirait davantage les hommes qui en avaient dans le pantalon que ceux qui en avaient entre les oreilles. Il se fendit d'une petite bénédiction à l'encontre du photographe, comme ça, pour rigoler, avant de regagner son grand banian pour voiler le film des touristes japonais.

*

De retour dans ce qui n'était plus que *son* bureau, Clay sortit le curriculum vitae d'Amy de ses dossiers et passa un coup de fil. Il rassembla ses esprits, essayant d'imaginer comment il allait apprendre à ces étrangers que leur fille avait disparu et qu'elle s'était probablement noyée. Il se sentait triste, et bien seul. Il souffrait encore au coude de la décharge d'électricité qu'il avait reçue la veille au soir. Il ne voulait pas téléphoner, mais il tendit la main vers le combiné, s'arrêta et ferma les yeux, comme s'il pouvait gommer tout ce qui venait d'arriver. Mais sur la face interne de ses paupières lui apparut l'image de sa mère, telle qu'il l'avait vue pour la dernière fois, quand elle le fixait depuis le fond de son tonneau. « Allez ! Espèce de poule mouillée, appelle ! Si quelqu'un s'y connaît pour annoncer les mauvaises nouvelles, c'est tout de même bien toi, non ? Un peu de loyauté, espèce de pétochard larmoyant ! Montre que tu es différent de tes frères. »

« Ah, ma petite maman », pensa Clay. Il composa un numéro avec

207

l'indicatif régional 716, celui de Tonawanda dans l'État de New York. Il y eut trois sonneries et la voix enregistrée de l'opératrice précisa que ce numéro n'était pas en service actuellement. Clay vérifia et composa le numéro suivant qui, comme le précédent, n'était pas en service. Il appela les renseignements de Tonawanda et demanda à parler aux parents d'Amy. L'opératrice lui dit qu'ils ne figuraient pas dans l'annuaire. Perplexe, Clay appela le centre océanographique de Woods Hole, là où Amy avait passé son master. Il connaissait l'un de ses professeurs, Marcus Loughten, anglais et irascible, qui travaillait au centre depuis vingt ans, et qui était bien connu dans le milieu pour ses travaux sur l'acoustique sous-marine. Loughten décrocha à la troisième sonnerie.

— Loughten, j'écoute.

— Marcus ? C'est Clay Demodocus. On a travaillé ensemble sur...

— Ouais, Clay, je me souviens sacrément bien de toi. Tu appelles d'Hawaï, n'est-ce pas ?

— Ben... oui, je...

— Il fait quoi ? Vingt-sept degrés, avec un peu de brise ? Ici, il fait moins vingt-cinq. Je suis en train d'installer des putains de bouées sonores par un blizzard qui dure depuis un mois pour empêcher les baleines franches d'être écrasées par les supertankers.

— Des bouées sonores ? C'est bien, ça. Comment ça marche ?

— Elles marchent pas.

— Ah bon ? Et pourquoi ?

— Les baleines franches, c'est con à bouffer de l'avoine. C'est pas comme si un supertanker était silencieux. Si le son les dissuadait, elles le seraient tout autant par le bruit des moteurs, n'est-ce pas ? Mais elles font pas le rapprochement. Sont connes, je te dis.

— Je suis navré d'apprendre ça. Mais pourquoi continuer l'installation alors ?

— Parce qu'on a l'argent pour le faire.

— C'est une bonne raison. Écoute, Marcus, j'aurais besoin de renseignements sur l'une de tes étudiantes qui s'est trouvée à travailler avec nous : Amy Earhart. Elle a dû faire partie de ton équipe jusqu'à l'automne dernier.

— Ça ne me dit rien, ce nom-là.

— Mais si ! Un mètre soixante, menue, cheveux noirs, des yeux d'un bleu presque surnaturel, super-intelligente.

— Désolé, Clay, mais ça ne ressemble à aucune de mes étudiantes.

Clay prit une profonde respiration et insista. Les biologistes étaient bien connus pour traiter leurs étudiants de troisième cycle comme des êtres inférieurs, mais Clay fut surpris que Loughten n'ait aucun souvenir d'Amy. Elle était mignonne, et si Clay devait en croire les souvenirs d'une nuit arrosée en compagnie de Loughten, en France, lors d'une conférence sur les mammifères marins, l'Anglais était un chaud lapin.

— Marcus, elle a un cul fantastique. **Tu devrais t'en souvenir.**

— Bien sûr que ça aurait dû me marquer, mais je ne vois pas.

Clay examina le curriculum vitae et ajouta :

— Et Peter ? Tu crois qu'il...

— Non, Clay. Je connais très bien tous les étudiants de Peter. Quand tu l'as engagée, tu t'es renseigné sur elle ?

— Ben... non.

— Joli travail !

— Elle a disparu en emmenant tes Nikon, c'est ça ?

— Non, elle a disparu en mer. J'essaie de contacter sa famille.

— Je suis désolé, j'aurais aimé pouvoir t'aider. Je vais vérifier dans nos dossiers, pour être sûr... des fois qu'une attaque cérébrale m'aurait niqué la partie du cerveau où l'on stocke les souvenirs des beaux culs.

— Merci.

— Bonne chance, Clay. Mes amitiés à Quinn.

Clay eut un mouvement de recul. Il n'était pas d'humeur à annoncer des mauvaises nouvelles.

— Je n'y manquerai pas, Marcus. Salut !

« Eh bien, pensa-t-il. Je me rends compte que je ne savais strictement rien de cette fille que je croyais connaître. » Libby Quinn avait déjà appelé, en sanglotant, pour dire qu'il y aurait une cérémonie religieuse conjointe en l'honneur de Nat et d'Amy et que Clay devrait faire un discours. Mais qu'allait-il dire au sujet de la jeune femme ? « Aimée de tous, je crois que nous voyions tous en Amy une scientifique, une amie, une collègue, une femme sortie de nulle part avec un passé totalement inventé. Mais elle m'a sauvé la vie et je crois être celui qui, ici, la connaissait le mieux. Je peux donc affirmer, sans équivoque, qu'elle était une mademoiselle je-sais-tout dotée d'un cul superbe. »

Ouais, il lui faudrait bosser là-dessus. Putain ! Il était passé à côté de ses deux qualités.

*

Clay décida de tuer le temps en montant des vidéos. Au moins, s'abrutir de travail donnait l'illusion de s'évader du monde réel. Cet après-midi-là, il visionna les séquences prises au cours de sa plongée avec le respirateur, celles du fameux jour où la baleine l'avait frappé. Il voulait voir si, après qu'il eut perdu connaissance, la caméra avait tourné des images exploitables. Il laissa la vidéo marcher. Bleu de l'océan, ça dure de longues minutes. Puis la caméra s'agite dans tous les sens, suspendue au poignet par une dragonne. On voit la jambe d'Amy qui a plongé pour stopper la descente de Clay. Clay monte le son : chuintement des bruits ambiants, puis les bulles du détendeur d'Amy, le lent sifflement de la propre respiration de Clay dans son appareil. Comme Amy commence à nager vers la surface, l'objectif capte l'image de ses palmes qui pendent sur le bleu de l'océan. Puis les palmes s'agitent à nouveau et Amy sort du champ. Sur la bande-son, les deux respirations sont régulières.

Clay jeta un œil aux données de la vidéo. Durée : quinze minutes jusqu'à l'arrêt du film. Amy procède à son premier palier de décompression. Sur la bande-son on entend dans le lointain le chœur de plusieurs baleines à bosse en train de chanter, un moteur de bateau qui ne semble pas trop éloigné et le bouillon régulier des bulles que dégage Amy. Puis les bulles s'arrêtent.

La caméra se colle à la cuisse de Clay et se met à dériver. L'objectif, tourné vers le haut, enregistre la lumière de la surface, puis la main d'Amy qui cramponne la veste de plongée de Clay. Amy lit les données sur l'ordinateur de plongée de Clay. Le détendeur n'est plus dans la bouche de la jeune femme. La bande-son n'enregistre plus que la respiration de Clay. La caméra se balance.

Dix minutes passent. Clay entend à nouveau la respiration d'Amy. Quand elle accroche la bouteille de survie au respirateur, normalement, le mouvement devrait faire bouger l'objectif. Mais il continue à dériver gentiment. Ils remontent. Clay évalue la profondeur à soixante-quinze pieds. Amy procède à un autre palier de décompression. Elle respecte les consignes à la lettre. Malgré l'urgence de la situation. Sauf que Clay ne perçoit qu'une seule respiration.

Elle le hisse vers la surface. L'image s'éclaire, la caméra se balance à nouveau, le grand-angle montre la forme du corps de Clay, inconscient, et Amy qui nage en regardant vers la surface, le détendeur hors de sa bouche. Elle n'a pas utilisé le réservoir de secours du respirateur de Clay et, d'après ce que Clay peut constater, elle n'a pas pris d'air depuis quarante minutes. Ce qui n'est pas possible.

Clay écoute et regarde jusqu'à la fin de la bande, jusqu'à ce que le chiffre de soixante minutes s'affiche sur l'écran. Tout a été entièrement copié sur le disque dur. Il rembobine en laissant l'image, ralentissant la manœuvre quand l'écran montre autre chose que du bleu. Et il écoute à nouveau.

— Putain ! Mais c'est pas possible.

Clay se recula de l'écran. Il repassa à nouveau la vidéo et s'arrêta sur l'image d'Amy qui le cramponne à une profondeur d'une vingtaine de pieds, sans détendeur dans la bouche.

211

Il sortit en courant et appela :

— Kona ! Kona !

C'est dans un nuage de fumée que le surfeur sortit de son bunga-low en traînant la savate.

— J'étais en train de traquer des espions de la marine.

— Le jour où on m'a emmené à l'hôpital, Amy et toi, où avez-vous rangé le respirateur ?

— Dans la remise.

Clay fonça directement au bungalow qui leur servait à stocker le matériel de plongée et de navigation. Il fit signe à Kona de le suivre.

— Amène-toi !

— Hein ?

— Avez-vous remis de l'oxygène dedans ou dans le réservoir de secours ?

— On l'a juste rincé avant de le ranger dans sa boîte.

Clay tira le gros container Pelican d'un tas de bouteilles de plongée. Il en défit les attaches et trouva le respirateur dans sa gangue de polystyrène. Clay le posa sur le parquet et alluma l'ordinateur intégré. Il appuya sur des boutons de la console et vit les chiffres à cristaux liquides de la dernière plongée s'afficher. Le temps d'utilisation avait été de soixante-quinze minutes et quarante-trois secondes. Le cylindre d'oxygène était quasiment plein et le réservoir de secours complète-ment. Plein ! On ne l'avait pas utilisé. Et pourtant Amy était restée sous l'eau une heure entière… sans air.

Clay se tourna vers le surfeur :

— Est-ce que Nat t'a montré quelque chose des travaux sur lesquels il bossait ? En gros, je sais de quoi il s'agissait mais j'ai besoin de détails.

Clay ignorait au juste ce qu'il cherchait, mais tout cela devait avoir un sens et tout ce dont il disposait, c'étaient les recherches de Nat.

Le surfeur se gratta le côté de la tête, celui qui n'avait plus de dreadlocks.

— Vous voulez parler du chant binaire des baleines ?

— Viens me montrer.

Clay sortit comme une furie et se dirigea vers son bureau.

— Qu'est-ce que vous cherchez ?

— J'en sais rien. Des clés, des mystères. Un sens à tout ça.

— Vous êtes barjo, vous le savez ?

CHAPITRE 22

Au fond, Bernard touille

Au moment où Nat Quinn commençait à dominer ses nausées dues au mouvement constant du vaisseau baleine (il était à bord depuis quatre jours), il sentit un nouvel effet. Un malaise grandit en lui comme une vague. Cela dura une vingtaine de secondes et il éprouva la curieuse sensation de vouloir sortir de sa peau. Puis l'effet disparut, le laissant hébété quelques instants, avant de recommencer.

Poynter et Poe s'affairaient dans l'étroit poste de pilotage autour de petites taches de bio-luminescence, comme s'ils espéraient en apprendre quelque chose. Nat ne comprit pas ce qu'ils vérifiaient. Il aurait aimé sortir de son fauteuil pour s'approcher, mais Poynter avait exigé qu'il soit entravé après la première tentative de Nat de fuir par l'orifice du fond. Il avait presque réussi. Il avait plongé comme les baleineux le faisaient, sauf qu'il n'avait pu passer qu'un bras et qu'il s'était retrouvé par terre, le visage contre la peau caout-chouteuse, une main traînant dans l'océan glacé.

— C'était complètement stupide, avait dit Poynter.

— Je crois que je me suis démis l'épaule, avait dit Nat.

— Je devrais vous laisser là. Si un ou deux rémoras venaient se coller sur votre bras, ils vous donneraient une bonne leçon.

— Ou des requins aux dents bien affûtées, fit Poe. Ce sont de sacrés fumiers.

214

Les baleineux se retournèrent dans leurs sièges. Ils poussèrent des hennissements en hochant la tête avant de faire des petits bruits de dérision avec leurs langues de douze centimètres de large, dont on devinait la capacité à postillonner. À l'évidence, pour ces cétacés, Quinn était un type rigolo dont on pouvait rire. Ce qui ne fit que confirmer ce qu'il savait déjà.

Poynter se mit à quatre pattes et regarda Nat droit dans les yeux.

— Pendant que vous êtes dans cette position, j'aimerais que vous réfléchissiez à ce qui serait arrivé si vous étiez parvenu à passer à travers cet orifice. Primo, nous sommes à... Skippy, à quelle profondeur sommes-nous ?

Skippy gazouilla et cliqueta à plusieurs reprises.

— À cent cinquante pieds. Outre le fait que vous vous seriez bousillé les tympans presque immédiatement, je vous laisse imaginer comment vous auriez pu regagner la surface sans reprendre votre respiration. Et eussiez-vous atteint la surface, qu'auriez-vous fait une fois là-haut ? Nous sommes à sept cents kilomètres de la première côte.

— J'avais pas tout prévu jusqu'au bout, répondit Nat.

— Vous vouliez juste aller faire un tour pour tester la température de l'eau, c'est ça, hein ?

— Bien sûr, fit Nat en pensant qu'il valait mieux rester aimable.

— Votre main, vous la sentez encore ?

— Elle est gelée, mais oui, je la sens.

— À la bonne heure.

Et on le laissa ainsi pendant deux bonnes heures, avec sa main et vingt bons centimètres d'avant-bras à dépasser dans l'océan alors que le vaisseau baleine poursuivait sa progression. On finit par le dégager, l'asseoir dans son fauteuil et l'entraver, sauf pour manger et se soulager. Nat essaya de se détendre, d'observer (et aussi d'apprendre ce qu'il pouvait) mais c'était alors que les vagues nauséeuses étaient apparues.

— Il a les chocottes du bruit, dit Poe.

Poynter détacha son regard de la console de Skippy.

— C'est les subsoniques, docteur. Vous ressentez les vagues sonores sans pouvoir les entendre. Cela fait à peu près dix minutes que nous communiquons avec l'océan.

— Vous auriez pu me le dire.

— C'est fait.

— Dans quelques heures, docteur, vous serez dans le grand bleu. Vous pourrez vous lever à nouveau, vous dégourdir les jambes, avoir un peu d'intimité.

— Alors comme ça vous communiquez avec des sons basse fréquence ?

— Eh oui, docteur. Tout comme vous vous en doutiez, les chants contiennent des messages.

— Mais ce que je n'avais pas imaginé, c'était qu'il existait des mecs, enfin des trucs qui ressemblent à des mecs qui se baladent à l'intérieur des baleines. Bon Dieu, comment est-ce possible ? Comment n'ai-je pas pu imaginer ça ?

— Alors ? demanda Poe, vous renoncez à la stratégie des morts vivants ?

— Mais vous êtes quoi ? Des extraterrestres ?

Poynter dégrafa le col de sa chemise et montra quelques poils de son torse.

— Ai-je l'air d'un extraterrestre ?

— Vous, non, mais eux ? demanda Nat en désignant les baleineux qui se regardèrent, poussèrent par leurs ouïes une espèce de hennissement voisin du rire d'un asthmatique, s'arrêtèrent, regardèrent à nouveau Nat et se remirent à hennir.

— Peut-être que sur leur planète la vie douée de sensation a évolué à partir des baleines plutôt que des singes, poursuivit Nat. J'imagine comment ils ont pu arriver jusqu'ici pour concevoir ces vaisseaux sans jamais se faire repérer par les radars de détection humaine pendant qu'ils observaient ce qui se passait autour d'eux.

216

Je veux dire par là que l'homme est loin d'être la plus pacifique des créatures.

— Est-ce que ça vaut pour vous ? interrogea Poynter.

— Sur leur planète, ils ont développé une technologie organique alors que la nôtre est fondée sur la combustion et la manipulation des minéraux.

— Oh, c'est fort, ça, dit Poe.

— Il est bien parti, ajouta Poynter. Il sait dénouer l'écheveau du mystère.

Skippy et Trottinette opinèrent du chef en se regardant et sourirent.

— Alors c'est ça, n'est-ce pas ? Ce vaisseau a une origine extraterrestre ? dit Quinn qui ressentit la petite satisfaction que l'on éprouve en prouvant une hypothèse, même une hypothèse aussi bizarre que celle de l'existence d'extraterrestres vivant dans des vaisseaux baleines.

— Oui, avoua Poe. Et ça vaut aussi pour moi. Et pour vous, capitaine ?

— Ouais, des gars de la lune, voilà ce que vous êtes, dit Poynter aux baleineux.

— Bip, fit Trottinette.

Et d'une voix haut perchée de petite fille, Skippy croassa :

— Téléphone. Maison.

Les baleineux se lancèrent dans un mélange de hennissements hystériques.

— Qu'a-t-il dit ? demanda Nat qui faillit se faire mal au cou en essayant de se dégager de ses entraves. Ils savent parler ?

— On dirait, fit Poe. Enfin… si vous appelez ça parler.

Sa réflexion stoppa les baleineux dans leur fou rire. Ils firent faire trois tours sur lui-même au vaisseau. Poynter et Poe, qui n'étaient pas sanglés, valsèrent dans la cabine aux parois molles comme des poupées de chiffon.

Poynter s'en tira avec une coupure à la lèvre, conséquence d'un heurt contre son propre genou. Poe, au cours de son vol plané, s'était égratigné le menton en rebondissant sur la tête d'un des baleineux. Sanglé, Nat avait concentré ses forces pour ne pas vomir son déjeuner de thon cru arrosé d'eau plate.

— Connards ! dit Poe.

— Vous vous attendiez à ça, Nat, fit Poynter, qui essuya le sang coulant de sa lèvre inférieure pour le projeter sur Trottinette, dans votre course avec les extraterrestres hyper-intelligents ?

*

C'est à un docteur suédois du XVIIIᵉ siècle, du nom de Carl von Linné, spécialiste du traitement de la syphilis, qu'on attribue l'invention d'un système moderne de classification des plantes et des animaux. C'est lui qui donna le nom de *Megaptera novaeangliae* à la baleine à bosse, également appelée «grandes ailes de Nouvelle-Angleterre», puis plus tard, il baptisa la baleine bleue *Balaenoptera masculus* ou «petite souris», le plus gros animal qui ait jamais vécu sur terre, une bête de trente-cinq mètres de long, de plus de cent tonnes, dont la langue à elle seule dépasse la taille d'un éléphant d'Afrique adulte. «Petite souris»? D'aucuns virent dans cette appellation le moyen, non dénué d'humour, de perturber les assistants de laboratoire de Linné, ce qui lui aurait permis de dire: «Sven, tu peux sortir et me rapporter une petite souris?» D'autres pensèrent que la vérole avait atteint Carl au cerveau.

*

Nat Quinn était accroupi au-dessus de l'orifice du fond. Skippy et Trottinette le tenaient chacun par un bras. Poynter se mit à croupetons face à lui pour le saluer. Sous ses pieds nus, Nat sentait la texture de l'ouverture, comme un pneu humide.

— Ce fut un plaisir, docteur, dit Poynter. Je vous souhaite bon voyage.

— On se reverra à la base, fit Poe. À présent, détendez-vous. C'est à peine si vous allez être en contact avec l'eau. Pincez-vous le nez et soufflez.

Quinn s'exécuta.

Poynter compta :

— Un, deux…

— Bip.

Nat fut aspiré par l'orifice. Après avoir ressenti une brève fraîcheur et une pression dans les oreilles, il se retrouva dans une pièce plus haute que l'intérieur de la baleine à bosse, en présence d'une femme que son entrée sembla plutôt amuser.

— Vous pouvez arrêter de souffler maintenant, lui dit-elle.

— Tiens, voilà encore une phrase que je pensais ne jamais entendre au cours de mon existence, dit Nat.

Il cessa de se pincer les narines et respira profondément. L'air ambiant lui parut plus frais qu'à l'intérieur de la baleine.

— Bienvenue à bord de ma baleine bleue, docteur Quinn. Je m'appelle Cielle Nuñez. Comment allez-vous ?

— Je suis crevé, fit Nat en souriant.

Pieds nus, tout comme Poynter et Poe, vêtue de kaki, sensiblement de l'âge de Quinn, la femme était d'origine hispanique avec des cheveux courts poivre et sel et de grands yeux marron qui captaient la bioluminescence des parois et réfléchissaient de la gaieté. Nat lui serra la main.

— Bien, dit-elle. Suivez-moi, docteur. Je suis certaine que ça doit faire un bail que vous n'avez pas pu vous tenir debout.

Elle l'entraîna dans un couloir qui rappela à Nat l'époque où, encore gamin, à Vancouver, en compagnie de ses copains, il explorait les conduites d'évacuation des eaux de pluie, des conduites assez hautes pour y marcher mais pas suffisamment pour s'y sentir à l'aise.

— Pour être franc, Cielle, je ne suis pas docteur. J'ai un doctorat, mais ce truc de docteur...

— Je comprends. Je suis le capitaine de cet engin, mais si vous m'appelez capitaine, je ne vous adresse plus la parole.

— J'aurais aimé entendre la baleine chanter avant de partir. Vous savez, depuis l'intérieur...

— Ça viendra, il y a un temps pour tout.

Le couloir commença à s'élargir et Nat put enfin marcher normalement, enfin... aussi normalement que possible lorsqu'on est pieds nus sur une peau de baleine. Là, le derme avait une apparence marbrée alors qu'il était d'un gris uni dans la baleine à bosse. Nat remarqua qu'à bord de ce vaisseau couraient à terre de larges veines de bioluminescence qui captaient la lumière jaune du plafond et réfléchissaient une lueur verte assez glauque. Nuñez s'arrêta près de ce qui semblait être des portails, situés de part et d'autre du couloir.

— Ici, c'est aussi bien qu'ailleurs, dit-elle. À présent, tournez-vous sur le côté et prenez ma main.

Quinn fit ce qu'on lui demandait. La main était très ferme, chaude et sèche. Cielle était plutôt petite, mais bien bâtie.

— Maintenant, on va avancer quand le vaisseau va tourner sur lui-même. Ne vous arrêtez pas tant que je ne vous y autorise pas, sinon vous allez vous retrouver sur le cul.

*

— Comment ?

— Allez, Trottinette, ça roule !

— Il s'appelle aussi Trottinette ?

— Tous les pilotes s'appellent Trottinette ou Skippy. On ne vous l'a pas dit ?

— D'où je viens, ils n'étaient pas très généreux, question infos.

— Les équipages de baleines à bosse sont des rustres, fit Nuñez

220

en souriant. Vous savez, ils sont de la trempe des pilotes d'avion de la Navy : des ego démesurés et de la testostérone en veux-tu en voilà.

— Je suis devenu plus idiot que rustre, dit Nat.

— Au contact de cette bande, c'est pas surprenant.

Le couloir entier commença à bouger.

— Allez on y va. Un, deux, un, deux, c'est bien.

Ils marchèrent sur les murs alors que le vaisseau tournait. Quand ils se retrouvèrent au plafond, le roulement s'arrêta.

— C'est très bien, Trottinette, dit Nuñez en parlant dans une espèce d'interphone secret, avant d'ajouter à l'adresse de Nat : Il est vraiment bon.

— Nous étions à l'envers pour faire le transfert ?

— Exactement. Vous n'êtes pas bête, vous. Bon, regardez, là, ce sont les cabines.

Elle toucha une nodosité du mur et une porte en peau glissa sur elle-même. Nat ne put s'empêcher à nouveau de penser aux ouïes des baleines dentées, mais c'était si grand, presque un mètre vingt de diamètre, que c'en était quasiment… irréel. Des rayons lumineux jaillirent du néant et éclairèrent l'intérieur d'une minuscule cabine, ainsi qu'un lit, apparemment fait de la même peau que le reste de l'intérieur du vaisseau. Nat était incapable de dire en quoi c'était fait, mais ça ressemblait à du plastique.

— C'est de l'os, dit Nuñez qui avait noté qu'il avait remarqué. On en trouve autant que de murs dans ce vaisseau. Tout est fait de tissus vivants. Dans les cloisons, il y a des étagères et des placards pour vos affaires. Ils sont fermés pour le moment. Il est évident que tout doit être ramassé à cause des petites manœuvres comme celle que l'on vient d'effectuer. Les mouvements sont moins dérangeants qu'à bord des baleines à bosse. Vous verrez, vous allez vous y habituer. D'ici peu, vous vous baladerez à bord comme si vous étiez à terre.

— C'est vrai. Je n'avais même pas remarqué que l'on bougeait.

— Ça doit être parce qu'on est arrêtés, répondit Nuñez.

Ces paroles furent suivies du bruyant hennissement d'un baleineux au bout du couloir.

— Tu ne devrais pas être au boulot, toi ? fit Nuñez en s'adressant au plafond. Préparez-vous à plonger. Puis se tournant vers Quinn : Puis-je vous offrir un café ? Je pourrais aussi peut-être répondre à certaines de vos questions.

— C'est vous qui invitez ?

Quinn sentit son cœur bondir d'excitation. La perspective d'obtenir des informations qui ne soient pas obscurcies par les explications loufoques de Poe et de Poynter le mit en joie.

— C'est merveilleux, ajouta-t-il.

— N'allez tout de même pas vous pisser dessus, Quinn, c'est rien que du café.

*

Le couloir débouchait sur un pont de belle taille. La tête de la baleine bleue paraissait immense comparée à celle de la baleine à bosse. De chaque côté de l'entrée, un baleineux sourit sur leur passage. Ils étaient plus grands que Nat et, contrairement aux Trottinette et Skippy de la baleine à bosse, leur peau était marbrée et plus claire.

Nat s'arrêta pour leur sourire en retour.

— Laissez-moi deviner, dit-il, vous êtes bien Trottinette et Skippy ?

— Non, en fait, ceux-là, c'est Bernard et Emily 7, dit Nuñez.

— Mais vous m'avez dit qu'ils s'ap...

— J'ai dit que tous les *pilotes* s'appelaient Trottinette et Skippy. Elle désigna l'avant du pont où deux baleineux se trouvaient assis dans le poste de pilotage. Ils se retournèrent dans leurs sièges et se mirent à rire. Nat se dit que c'était peut-être là leur mimique habituelle, un peu comme chez les dauphins. Peut-être avait-il commis une erreur de débutant en s'imaginant qu'ils pouvaient, comme les êtres humains, exprimer des sentiments avec leur visage. Les gens s'imaginent souvent ça avec les dauphins, alors que les cétacés ne

222

possèdent pas de muscles faciaux capables de modifier leurs traits. Même les dauphins neurasthéniques donnent l'impression de rigoler en permanence.

— Qu'est-ce qui vous fait rire ? demanda Nuñez. Allez, procédons à la manœuvre.

Les pilotes se renfrognèrent et se retournèrent vers la console.

— Balivernes tout ça, lâcha Nat.

— Pardon ? Que dites-vous ?

— Rien. Encore une théorie qui vient de se casser la gueule.

— Ouais. C'est normal, n'est-ce pas ?

À cet instant, Nat sentit quelque chose farfouiller dans sa poche revolver. Il se retourna et son regard tomba sur un pénis, rose et effilé, d'une cinquantaine de centimètres de long, et qui dépassait des parties génitales de Bernard. Le pénis s'agita comme pour lui faire bonjour.

— Sainte merde ! s'écria Nat.

— Bernard ! fit Nuñez d'un ton sec. Ramasse-moi ça. C'est contraire au règlement.

Suite à la réprimande, le membre de Bernard s'affaissa de façon significative. Il le regarda et gazouilla de déception.

— Casse-toi ! aboya Nuñez.

La bite à Bernard regagna sa fente originale.

— Je suis désolée, dit Nuñez à Nat. Je ne m'y habituerai jamais. Quand on bricole avec eux, c'est très désagréable de leur demander de vous passer un tournevis ou un autre outil et de s'apercevoir qu'ils ont déjà les mains occupées. Café ?

Elle le guida vers une petite table blanche. Quatre chaises en os émergèrent du sol. Elles ressemblaient à ces chaises grecques tout en arrondis et sans dossier de l'Antiquité, avec un brillant éclatant couleur d'os, d'un style plus proche de celui de Gaudí que de celui des *Pierres à feu*[1]. Quinn prit place pendant que Nuñez appuyait sur une

---

1. Célèbre dessin animé des années soixante.

223

nodosité du mur. Une porte s'ouvrit qui dévoila un évier, quelques boîtes et ce qui pouvait ressembler à un percolateur. Nat se demanda d'où provenait l'électricité mais il se retint de poser la question.

Pendant que Nuñez préparait le café, Quinn jeta un coup d'œil circulaire. Le pont à lui seul faisait bien quatre fois la taille de l'intérieur tout entier de la baleine à bosse. Au lieu d'avoir l'impression de se trouver dans une camionnette, il avait le sentiment d'être dans un camping-car de belle taille, un camping-car tout en arrondis, peu éclairé, mais spacieux. De la lumière bleutée entrait par les yeux de la baleine, qui illuminait les pilotes dont les visages brillaient comme du cuir verni. Nat commençait à comprendre que, bien que tout ici fût organique et vivant, le vaisseau baleine offrait les mêmes caractéristiques que tout autre bateau, à savoir que chaque espace était utilisé et que chaque chose était sécurisée afin de ne pas tomber au cours des manœuvres.

— Si vous avez envie d'aller aux chiottes, le trône se trouve au fond du couloir, quatrième écoutille sur la droite.

Emily 7 cliqueta et poussa un cri aigu. Nuñez se mit à rire doucement.

— Emily 7 dit qu'il serait plus logique que le trône se trouvât dans la tête, mais c'est ainsi que fonctionne notre logique.

— J'ai renoncé à toute logique il y a quelques jours.

— Il ne faut pas. Il faut l'adapter. Bref, l'équipement des chiottes est comme tout ce qu'on trouve à bord, mais je suis certaine que vous vous débrouillerez rapidement. C'est moins compliqué que les toilettes d'un avion.

Trottinette gazouilla et le vaisseau commença à bouger, d'abord d'une façon très nette avant de passer à un gentil roulis semblable à ceux que l'on connaît sur les gros bateaux par mer calme.

— Hé, Trottinette, vas-y mollo! dit Nuñez, j'ai failli renverser le café de Nathan. Ça vous va si je vous appelle Nathan?

— Je préférerais Nat.

Accompagnant le roulis du vaisseau, Nuñez revint à la table où

224

elle posa deux tasses de café fumant, puis elle retourna chercher le sucrier, les cuillers et une boîte de lait concentré. Nat prit la boîte pour l'examiner.

— C'est le premier truc que je vois qui vient de l'extérieur.

— Ouais, c'est une faveur qu'on vous fait. Vous ne voulez pas essayer le lait de baleine dans votre café ? Ça ressemble à du fromage à tartiner parfumé au krill.

— Beurk !

— On parle bien de la même chose.

— Cielle, pardonnez-moi, mais vous ne faites pas très militaire.

— Moi ? Non. Mon mari et moi avions un voilier, un dix-huit mètres. Nous avons été pris dans un ouragan au large du Costa Rica. Et on a coulé. C'est là qu'ils m'ont ramassée. Mon mari ne s'en est pas sorti.

— Vous m'en voyez désolé.

— Ça fait longtemps. Ça va maintenant. Mais je n'ai jamais été dans l'armée.

— Mais cette façon que vous avez de commander les baleineux…

— D'abord, Nat, il serait bon de dissiper un malentendu. Je, enfin… nous, les êtres humains, nous ne sommes pas responsables de quoi que ce soit. Nous sommes des espèces de… comment dire… d'ambassadeurs ou de trucs comme ça. On a l'air de commander parce que, sinon, ces zigues-là passeraient leur temps à déconner. Mais nous n'avons aucune véritable autorité. C'est le Colonel qui donne les ordres, et les baleineux s'occupent de faire tourner la boutique.

Trottinette et Skippy gazouillèrent de la même façon que leurs homologues de la baleine à bosse. Bernard et Emily 7 s'y mirent aussi, le premier déployant son zizi préhensile comme une invite.

— Et à propos des baleineuses ? fit Nat en désignant Emily 7 qui riait de toutes ses énormes dents, mais d'une façon un tantinet coquette, à la manière de, comment dire… d'une ingénue dotée d'une mâchoire capable de vous sectionner le bras d'un coup sec.

225

— Il n'y a que des baleineux. C'est comme lorsqu'en parlant de l'humanité, on dit l'Homme. Il faut à tout prix aliéner la partie féminine. Ici, c'est la même chose. C'est les vieux qui leur ont donné ce nom générique.

— Et qui est le Colonel ?

— Le responsable. On ne le voit jamais.

— C'est un être humain ?

— À ce qu'on m'a dit.

— Vous m'avez affirmé que vous étiez ici depuis longtemps. Depuis combien de temps ?

— Permettez que je vous offre une autre tasse avant de vous dire ce que je peux.

Puis elle se retourna et s'écria :

— Bernard, veux-tu bien sortir ton machin de la cafetière !

CHAPITRE 23

Claire a une idée géniale

En dépit de son admiration pour tous les scientifiques de terrain avec lesquels il avait travaillé depuis des années, Clay conservait sur ces derniers, secrètement enfouie en lui, une once de supériorité. À la fin d'une journée de travail, ils avaient tout juste effleuré la surface de la connaissance qu'ils cherchaient à atteindre, alors que Clay, s'il avait pris ses photos, rentrait chez lui satisfait. Même avec Nat Quinn, Clay avait gardé cette sournoise attitude suffisante, ne cessant de le taquiner au sujet de son éternelle frustration. Pour Clay, la vie se résumait à prendre des photos et à dire : « Y a quoi, ce soir, à manger ? » Au moins jusqu'à présent. Car maintenant qu'il était face à son propre fardeau de mystères, il ne pouvait s'empêcher de penser que l'ironie du sort prenait un malin plaisir à s'occuper de son cas pour toutes ces années vécues dans l'insouciance.

De son côté, Kona avait depuis longtemps payé son tribut à sa crainte de l'ironie du sort. Comme de nombreux surfeurs, il ne mangeait pas de viande de requin. « J'en bouffe pas, ils ne me bouffent pas. Ça marche comme ça. » Mais aujourd'hui, lui aussi sentait la terrifiante morsure de l'ironie. N'avait-il pas, depuis l'âge de treize ans, passé son temps à endommager ses capacités cérébrales en fumant tout ce que Jah (que grâce lui soit rendue) pouvait lui fournir ? Mais voilà qu'à présent on lui demandait de penser et de se souvenir avec une tranchante sévérité qui faisait très mal.

— Souviens-toi, dit Claire en frappant le surfeur sur le front avec la cuiller qui lui avait servi à touiller du miel dans une tasse d'infusion.

— Aïe! fit Kona.

— Hé! C'est déplacé de faire ça, dit Clay en venant à la rescousse du garçon.

La loyauté était pour lui une notion importante.

— Ferme-la! Après, ce sera ton tour.

— D'accord.

Ils étaient groupés devant le moniteur géant de Clay, qui, pour tout le bien que cela leur procurait, aurait tout aussi bien pu être un lézard géant, attendu la couleur du spectrogramme du chant de baleine tiré de l'ordinateur de Quinn, qui s'étalait sur l'écran. Cela leur faisait autant d'effet que de regarder le résultat d'une bagarre de paint-ball, car c'était à cela que ça ressemblait.

— Kona, à quoi travaillaient-ils? demanda Claire, la cuiller fumante prête à frapper.

Telle une prof d'institution privée où le châtiment corporel est banni, elle avait emmagasiné des années de violence contenue. Il faut en convenir, elle prenait un certain plaisir à se soulager sur Kona dans lequel elle voyait l'illustration même de l'échec de l'enseignement public.

— Nat et Amy ont étudié ça ensemble en ta présence, fit Claire, maintenant, il faut que tu te souviennes de ce qu'ils ont dit.

— C'est pas ces trucs-là, c'est l'oscilloscope, dit Kona. Nat a simplement sorti le matériel qui va sous l'eau et il l'a mis sur le spectre.

— Mais tout ça est sous-marin, dit Clay. Tu ne voudrais pas dire subsonique, plutôt?

— Ouais, il a dit qu'il y avait quelque chose à trouver là-dedans. J'ai dit comme dans le langage informatique, avec des un et des zéros.

— Ça ne nous aide pas.

— Il a tout écrit à la main, dit Kona. En faisant un arrêt sur l'image de la ligne verte, puis en mesurant les pics et les creux. Il a dit que, comme ça, le signal pouvait contenir davantage d'informations, mais que les baleines devraient avoir des oscilloscopes et des ordinateurs pour déchiffrer.

Claire et Clay se tournèrent vers le surfeur, stupéfaits.

— Et les baleines, elles en ont pas, ajouta Kona.

Ce fut comme si une avalanche de cohérence venait de s'abattre sur lui. Ils le regardèrent avec insistance.

Kona haussa les épaules.

— Ne me tapez plus avec la cuiller.

Clay recula sa chaise pour permettre au surfeur de s'approcher du clavier.

— Fais-moi voir.

Ils travaillèrent tous les trois très tard dans la nuit à faire des petits repères sur les relevés de l'oscilloscope et ensuite ils les reportèrent sur des blocs de papier jaune. Rien que des un et des zéros. Claire alla se coucher à deux heures du matin. À trois heures, ils avaient noirci cinquante pages de bloc de un et de zéros. En temps ordinaire, Clay aurait été satisfait du boulot accompli. Il lui était déjà arrivé, à bord, de donner un coup de main à déchiffrer les données. Ça passait le temps et ça lui permettait de mieux s'intégrer au projet pour lequel il n'était que le photographe. N'empêche qu'il s'était toujours arrangé pour que ce soit quelqu'un d'autre qui termine le travail. Peu à peu, ça finissait par lui peser. La science, c'est chiant.

— C'est chiant, dit Kona.

— C'est faux. Regarde tout ce qu'on a fait, dit Clay en montrant le résultat de leur travail.

— Mais ce qu'on a fait, c'est quoi ?

— C'est beaucoup, voilà ce que c'est. Regarde tout ce qu'on a.

— Mais à quoi ça peut servir ?

— J'en ai aucune idée.

229

— Et quel rapport ça a avec Nat et Blanche-Neige ?

— Contente-toi d'admirer tout ce qu'on a fait, fit Clay en contemplant le travail accompli.

Kona se leva et roula les épaules.

— Bwana Clay, Jah vous salue de tout cœur. Je vais me coucher.

— Qu'est-ce que tu dis ? demanda Clay.

— On a le cœur qu'on mérite, mon frère. Mais on a besoin d'esprit.

— Je te demande pardon ?

Le matin suivant, avec la promesse d'un incommensurable lot d'informations à échanger (la batterie de torpilles), mais sans la moindre idée de ce qu'il devait savoir en retour (c'est-à-dire tout le reste), Clay invita Libby Quinn à venir à Papa Lanaï.

— Bon ! Résumons-nous, fit Libby Quinn en faisant les cent pas entre l'ordinateur et la cuisine pendant que Clay et Kona la regardaient comme deux chiens assistant à un match de tennis dont la balle aurait été une boulette de viande. Nous avons une vieille femme qui prétend avoir reçu un appel d'une baleine qui lui a demandé de dire à Nat qu'il lui apporte un sandwich au bœuf fumé.

— Au pain de seigle, avec du fromage râpé et de la moutarde forte, ajouta Kona qui ne voulait pas manquer d'apporter de pertinents détails scientifiques.

— Et vous disposez d'enregistrements sous-marins de voix, probablement des voix de militaires, qui demandent si quelqu'un leur a bien apporté un sandwich.

— Exactement ! dit Kona. Mais sans précision pour le pain, la viande ou le fromage.

Libby regarda fixement le surfeur, avant de poursuivre :

— Et vous avez la marine qui prépare des simulations d'explosions en vue de l'installation d'une batterie de torpilles en plein milieu du sanctuaire des baleines à bosse.

Libby marqua une pause qui en disait long. Elle pivota sur elle-même en réfléchissant, comme une espèce d'Hercule Poirot en claquettes.

— Et vous disposez d'une bande vidéo d'une plongée en apnée d'Amy, plongée qui s'avère durer une heure, et sans le moindre effet secondaire.

— Et sans soutien-gorge, ajouta Kona, toujours très scientifique.

— Vous avez Amy qui prétend que Nat a été avalé par une baleine, alors que nous savons tous que c'est impossible, attendu le diamètre de la gorge des baleines à bosse, même dans l'hypothèse où l'une d'elles aurait voulu le mordre, alors que nous savons qu'elles ne mordent pas. (À cet instant, elle avait tout d'une gourde, d'une casquette à double visière et d'une cocaïnomane qui en aurait eu marre de s'appeler Sherlock Holmes.) Et enfin, vous avez Amy qui, sans raison véritable, loue un kayak et disparaît, vraisemblablement noyée. Et vous dites que Nat travaillait à trouver un code binaire dans les registres basse fréquence des chants des baleines et vous pensez que cela signifie quelque chose. Ai-je bien tout résumé ?

— Ouais, fit Clay. Mais il y a aussi le saccage de nos bureaux, la disparition de nos enregistrements sonores et mon bateau qui a été coulé. J'en conviens, hier soir, quand nous en avons parlé, les choses semblaient avoir davantage de liens entre elles.

Libby Quinn, qui portait un short anglais, des sandales ultramodernes et un soutien-gorge de jogging, arrêta de faire les cent pas pour regarder Clay et Kona. Elle semblait prête à foncer dehors pour faire de l'exercice. Les deux hommes fixèrent le sol, comme s'ils étaient toujours sous la terrible menace de la cuiller de Claire. Clay avait toujours éprouvé une secrète attirance pour Libby, même du temps où elle était encore mariée à Quinn, et ça ne faisait qu'un an qu'il était capable de la regarder droit dans les yeux. De son côté, Kona avait visionné des tonnes de cassettes vidéo sur le mode de vie des lesbiennes, tout particulièrement quand il concernait le troisième participant arrivant au beau milieu d'une partie fine (généralement avec une pizza dans les mains). Il avait donc depuis longtemps attribué la mention «chaudasse» à Libby, malgré le fait qu'elle avait le double de son âge.

— Faut nous aider, dit Kona en essayant de prendre un ton pathétique tout en gardant les yeux à terre.

— Mais c'est tout ce dont vous disposez, les gars, et vous pensez que parce que j'ai quelques connaissances en biologie je peux faire quelque chose de tout ça?

— On a aussi ça, dit Clay en montrant les pages bien taquées remplies de un et de zéros posées sur le bureau.

Libby s'en approcha et les feuilleta.

— Clay, même si Nat était sur une piste, je ne peux rien en faire. Qu'est-ce vous croyez? Même si nous découvrions un code, est-ce qu'il aurait un sens à nos yeux? Écoute-moi bien, Clay, j'aimais Nat, tu le sais bien, mais…

— Dites-nous seulement par quoi démarrer, dit Kona.

— Et dis-moi si tu vois quelque chose là-dessus, ajouta Clay qui s'approcha de son ordinateur où il tapa sur une touche.

Un cliché de profil d'une queue de baleine, pris lors de sa plongée avec le respirateur, s'afficha sur l'écran.

— Libby, Nat disait qu'il avait vu des marques sur cette caudale. Comme des choses écrites. Et moi je pense qu'il y avait quelque chose sur la queue de celle qui m'a assommé. Mais c'est là le meilleur cliché dont on dispose. Ça pourrait peut-être être une piste.

— De quel genre? fit Libby, d'un ton conciliant.

— Je sais pas. Si je savais, je ne t'aurais pas appelée. Mais il se passe trop de trucs bizarres, des trucs qui vont ensemble, mais dont nous ne savons que faire.

— Là, il y a quelque chose, fit Libby en examinant la queue. Tu n'as pas de meilleure photo?

— Non, et ça, au moins, j'en suis certain. C'est la meilleure que j'aie.

— Je ne t'ai pas dit, mais Margaret et moi, on a donné un coup de main à ce type qui travaille pour Texas A & M et qui a mis au point un logiciel qui permet de lire les clichés des queues de baleines pris sous des angles impossibles, de façon à ce qu'ils deviennent exploitables pour identification. Ce n'est pas à toi que je vais apprendre combien de clichés sont balancés à la poubelle parce qu'ils sont pris sous un mauvais angle.

— Et ce logiciel, tu l'as ?

— Oui. Il est encore au stade de prototype, mais il fonctionne. Je crois qu'on pourrait travailler cette photo et s'il y a quelque chose de significatif, on va le voir.

— C'est cool, ça, dit Kona.

— En ce qui concerne le truc binaire, ça me semble être un coup d'épée dans l'eau, mais s'il y a quelque chose à en tirer il va falloir rentrer vos un et vos zéros dans l'ordinateur. Kona, tu sais taper ?

— Des un et des zéros ? Je déchire grave.

— Bien. Je vais t'ouvrir un dossier, quelque chose de simple, rien que des un et des zéros, et après on verra bien ce que ça donne. Pas de bêtises ? D'accord ?

Kona secoua la tête.

Clay finit par lever les yeux et sourire.

— Merci, Libby.

— Tu sais, Clay, je n'ai pas été très sympa avec Nat quand il vivait encore. Maintenant qu'il n'est plus là, je lui dois bien ça. Et puis aujourd'hui, il y a beaucoup de vent, sortir en mer aurait été impossible. Je vais appeler Margaret et lui demander d'apporter le logiciel. Je veux bien t'aider, mais à la condition que tu promettes de mettre tout ton poids dans la balance pour faire cesser le projet d'installation de torpilles et de signer la pétition contre les sonars actifs basse fréquence. Ça vous pose un problème, les gars ?

Elle leur jeta un regard très « cuiller de la mort ». Kona et Clay se dirent que c'était peut-être un truc inné chez toutes les femmes, pas seulement chez Claire, et qu'ils devraient en avoir très, très peur.

— Absolument pas, dit Kona.

— Moi, ça me va, ajouta Clay. Je vais aller faire du café.

— Ça va chier dans le ventilo quand Margaret va apprendre le projet de rampe de torpilles, dit Libby en décrochant le téléphone de Clay.

CHAPITRE 24

Comment s'orienter
dans une baleine bleue

Surpris par une petite explosion au-dessus de sa tête, Nat plongea sous la table. Quand il leva le regard, il vit qu'Emily 7 le fixait de ses yeux humides de cétacé où se lisait une expression de détresse. Quant à Nuñez, elle souriait, écroulée à l'autre bout de la table.

— Nat, c'était seulement le souffle de la baleine, fit Nuñez. C'est un peu plus impressionnant que dans une baleine à bosse, hein ? Ce type de vaisseau se comporte comme une véritable baleine, ne l'oubliez pas. L'évent se trouve juste au-dessus de nos têtes. Relié au reste du vaisseau, mais il se déclenche toutes les vingt minutes environ. Vous vous y ferez.

— Sûrement, j'ai déjà connu ça, dit Nat en se relevant de sous la table.

Il avait cherché des baleines bleues au large de Santa Cruz. On les repérait généralement grâce au bruit de leur souffle qui s'entend à un mille et demi. Il leva les yeux en l'air, espérant apercevoir le ciel à travers le conduit, mais ne vit rien que de la douce peau de baleine.

— Si ce vaisseau se comporte comme une baleine, sa physiologie est complètement différente à cause des cabines qui occupent un certain espace. Je ne comprends pas tout, mais je sais, par exemple, que l'évent est relié par les côtés à des poumons auxiliaires qui produisent de l'oxygène avec le sang. J'ignore en revanche comment l'électricité est produite. Quand je leur ai dit que je voulais une cafetière électrique, ils m'ont installé une prise. Les circuits pour la machinerie passent au-dessus du pont. Les autres fonctions vitales semblent être remplies par de petites répliques du foie, des reins, etc. situées à l'extérieur des cabines. La colonne vertébrale principale court d'un bout à l'autre du sommet du vaisseau. Il n'existe pas de système digestif proprement dit. Celui du bateau se trouve dans les cales. Il pompe et refoule le sang enrichi à travers toute la structure. Il y en a suffisamment de stocké dans le blanc de baleine pour pouvoir rester six mois en mer ou faire au moins un tour du monde. Nous pouvons croiser à une vitesse de vingt nœuds… tant que personne ne nous surveille.

— Comment ça : « tant que personne ne nous surveille » ?

— Je parle de vous, les biologistes. Dès qu'il y en a un qui nous épie, nous devons ralentir au bout de quelques heures. Surtout si on nous a collé une puce électronique.

— Vous voulez dire que ce vaisseau-ci est suivi par satellite ? Mais que faites-vous dans ce cas-là ?

— On avance sans bruit pendant un moment. Puis nous plongeons, et l'un des baleineux sort de la baleine et va arracher la puce. On a été tagués deux fois par Bruce Mate, un type de l'université de l'Oregon. Une vraie engeance que ce gars-là. Je suis certaine qu'il a tagué sa bonne femme pour savoir quand elle va pisser. Si on m'avait demandé mon avis, c'est lui qui serait ici à votre place.

— Vous savez qui il est ? dit Nat qui n'en revenait pas.

Les chercheurs passent leur temps à lutter pour ne pas être submergés par ce qu'ils ignorent, mais « la magnitude de toute cette opération, c'est vraiment trop fort », se dit Nat.

— Bien sûr, répondit Nuñez. Depuis que la chasse industrielle à la baleine a reculé, les biologistes sont devenus la principale cible de notre programme de renseignements. Pourquoi croyez-vous que vous êtes ici ?

— Ben justement, pourquoi suis-je ici ?

— Je ne connais pas toute l'histoire, mais ça a sûrement rapport avec le chant des baleines. Il paraît évident que vous étiez à deux doigts de déchiffrer le signal contenu dans le chant. C'est pour ça qu'on vous a embarqué.

— Les extraterrestres étaient donc à ce point intéressés par ce que je faisais ?

— Quels extraterrestres ?

— Ceux-là, dit Nat en montrant les pilotes Bernard et Emily 7 qui s'étaient déplacés vers une autre table à l'opposé de la coursive.

— Mais les baleineux ne sont pas des extraterrestres. Qui vous a raconté ça ?

— Ben… Poynter et Poe ont laissé croire que c'en était.

— Ces deux cons ? Non, les baleineux n'ont rien d'extraterrestres. Ils sont un peu bizarres, mais pas au point de venir d'une autre planète.

Bernard leva les yeux de ce qui ressemblait à une carte marine et produisit un *pfft !* de dérision.

— Ils font souvent ça, dit Nat.

— Si vous aviez une langue de douze centimètres de large, vous aussi, vous feriez souvent ça. C'est une sorte de signe de reconnaissance pour eux, comme quand Bernard a agité son pénis.

— Les baleines mâles font aussi ça.

— Bien vu ! Voyez, à un type qui a votre pedigree, c'est facile à expliquer. Au début, j'y comprenais que dalle.

— Je suis désolé, mais je ne peux pas croire que ce vaisseau, que les baleineux ou la perfection de leur façon de travailler puissent être le fruit d'une sélection naturelle. Tout cela a été pensé. C'est l'œuvre de quelqu'un.

Cielle hocha la tête en souriant et dit :

— Nat, j'ai connu bon nombre de scientifiques dans ma vie, mais je suis certaine que c'est la première fois que j'en entends un prêcher en faveur de l'artisan suprême. Comment appelle-t-on ça déjà ? L'argument du grand horloger ?

237

Bien sûr qu'elle avait raison. C'était un principe admis que l'architecture intelligente de la nature n'était pas nécessairement le fruit de l'intelligence, mais plutôt le produit d'une sélection naturelle de traits de caractère basés sur la survie et de très, très longues périodes afin que les sélections puissent faire valoir leurs droits. Tout le travail de Nat, depuis toujours, reposait sur cette assertion, mais à présent il était prêt à plaquer ce bon vieux Darwin parce que son esprit (celui de Nat) était trop petit pour s'adapter à l'idée même de l'existence de ce vaisseau. Bon Dieu. Aux chiottes, Darwin ! Tout cela était trop étrange.

— Je suis désolé, j'ai juste un peu de mal à intégrer tout ça. Je ne sais pas comment vous vivez le fait d'être prisonnier, mais moi je ne m'en fous pas. Déjà que je pouvais difficilement dormir dans la baleine à bosse à cause des jets de vapeur et du fait que j'ai rien mangé d'autre que du poisson cru et bu de l'eau pendant cinq jours. Je serais largué même si tout cela paraissait possible.

Bernard gémit. Skippy et Trottinette en firent autant jusqu'à ce qu'ils se mettent à geindre comme une portée de chiots affamés, dans un concert de sifflements et de hennissements. Emily 7 les regarda en faisant les gros yeux.

— Bien sûr, Nat, je comprends, dit Nuñez. Vous devriez finir votre café et regagner vos quartiers. J'ai quelques remontants pour sportifs dans ma cabine qui peuvent vous apporter de l'hydrate de carbone au cerveau et je peux vous trouver quelque chose qui va vous aider à dormir, le médecin de bord a tout un stock de médicaments.

Elle tapota la main de Nat d'un geste très maternel. Nat se sentit un peu penaud de s'être lamenté.

— Ça veut dire que vous n'êtes pas le seul être humain à bord ?

— Non, nous sommes quatre et les baleineux sont six. Les autres sont dans leurs appartements. Tout le monde a hâte de faire votre connaissance. Ils en parlent depuis des semaines.

— Ça fait donc plusieurs semaines que vous saviez qu'on allait me capturer ?

— Ben… en quelque sorte. Nous étions dans l'attente. On a reçu le feu vert le jour même où on vous a pris.

— Et vous-même, et le reste de l'équipage, vous êtes aussi prisonniers ?

— Nat, chaque personne vivant dans ce vaisseau, ou dans tout autre vaisseau baleine, a été sauvée d'un naufrage, d'un crash aérien ou d'une catastrophe dans laquelle elle serait morte. C'est un capital temps que vous recevez. Je vous assure, une fois que vous aurez accepté le fait d'être ici et ce que vous aurez à y faire, je vous demanderai où vous souhaiteriez être. Ça va aller ?

Nat chercha sur son visage une quelconque trace de sarcasme ou de malice, mais tout ce qu'il vit fut un aimable sourire.

— Ça va aller.

— Regagnez vos quartiers à présent. Dans un petit moment, je vous ferai porter vos médicaments dans votre cabine. Bernard, tu veux montrer ses appartements au docteur Quinn ?

— Je ne suis pas vraiment docteur, murmura Nat.

— Nat, essayez de leur en mettre plein la vue.

Souriant, Bernard attendit à l'entrée de la coursive en se frottant le ventre, qu'il avait brillant et doux. Grâce à son pénis préhensile, Bernard tenait une tasse à café blanche dont la couleur faisait contraste sur son abdomen.

— Et moi qui ai toujours voulu faire ça, dit Nat, décidé à ne pas donner au baleineux la satisfaction de l'impressionner. Ça doit être vachement pratique quand on conduit.

Nat fit une courbette en direction du corridor.

— Allez, Bernard ! Vas-y, je te suis.

Le baleineux s'éloigna furtivement avec une mimique qui aurait pu passer pour une moue s'il avait été doté de lèvres. Il renversa une traînée de café dans le couloir.

CHAPITRE 25

Les secrets intimes des salopes chez les cétacés

Nat essaya de se faire à l'idée du bat-flanc sur lequel il allait dormir avant de s'y allonger. Sans être vraiment croyant il se surprit néanmoins à remercier Dieu pour les draps de coton apprêté et la taie sur l'oreiller de plumes. Dormir à même la peau de baleine lui paraissait impensable. Il y eut un gentil sifflement à la porte et un grand pan de cloison se rétracta. Emily 7 apparut dans le couloir, tenant un plateau sur lequel se trouvaient deux boîtes de boisson protéinée, un verre d'eau et une minuscule pilule. Tout sourire, elle n'essaya pas d'entrer dans la cabine. Pour franchir cette même ouverture, Nat avait dû se courber et lever les pieds, et il se dit qu'Emily 7 renverserait le plateau si elle devait entrer. Peut-être essayait-elle seulement d'être polie ? Elle patienta tout le temps que Nat prit les boîtes sur le plateau, les posa sur sa table basse et se retourna pour se saisir de la pilule et du verre d'eau.

Emily 7 siffla et lui jeta un regard oblique de son œil droit globuleux. Nat avait vu les baleines à bosse faire exactement la même chose en voulant regarder un bateau en surface. Emily 7 lui fit signe de prendre sa pilule.

— Tu vas rester là tant que je n'aurai pas avalé mon médicament, c'est ça ?

Emily 7 hocha la tête.

— Je crois que si vous aviez dans l'idée de vous débarrasser de moi, ç'aurait été plus simple de me tuer sans avoir besoin de m'amener jusqu'ici pour m'empoisonner.

Nat avala la pilule avec l'eau et ouvrit la bouche en grand pour montrer que le médicament avait bien disparu.

— Ça vous va comme ça, ma sœur ?

La baleineuse siffla et opina du chef avant de gentiment débarrasser Nat de son verre. Puis elle leva la main pour toucher la nodosité et la cloison se referma entre eux. Nat entendit Emily 7 siffler les premières mesures d'une berceuse.

« Dans le genre grande poupée en caoutchouc malveillante, elle est plutôt sympa », se dit-il.

*

Pendant une semaine, à bord de la baleine à bosse, le seul repos dont Nat avait pu bénéficier, il l'avait pris entravé par des sangles dans son fauteuil. Cela n'avait pas été une sinécure avec le vaisseau qui soufflait sans arrêt et les baleineux qui communiquaient entre eux en sifflant. Alors, malgré le souffle répété du vaisseau baleine bleue, il sombra dans un profond sommeil rempli de rêves impressionnants. Il rêva d'Amy et de lui-même, de leurs corps nus, enlacés, collants de sueur dans la pâle lueur d'une bougie. Bizarrement, même quand il rêvait, et il avait pensé à cela de façon semi-consciente auparavant, chaque fois qu'il avalait un somnifère, il ne se souvenait même pas d'avoir rêvé. Cette pensée fut balayée par le contact de la peau de pêche d'Amy, celui de ses doigts à lui sur ses jambes musclées à elle, puis celui des quatre longs doigts palmés de la jeune créature amoureusement serrés contre sa…

— Hé ! cria Nat en ouvrant les yeux.

Au-dessus de son visage, il découvrit, exhalant un épais relent de poisson, une gentille rangée de dents pointues.

— Ho-ho, fit Emily 7 d'une voix haut perchée et grinçante qui rappelait celle du canard.

Nat sauta hors du lit et se précipita contre la cloison à l'opposé de la cabine.

Blottie contre le mur, Emily 7 tira le drap par-dessus sa grosse tête en forme de melon et chercha à la cacher sous l'oreiller. Puis elle demeura immobile.

Nat, debout, essayait de reprendre son souffle. À peine avait-il posé le pied par terre qu'une lueur d'origine bio était montée en puissance automatiquement. Plaqué contre la paroi rétractable, il reprit à moitié ses esprits et tira son tee-shirt posé sur le dossier de la chaise pour en couvrir son érection, qui perdit rapidement son envie de vivre.

Emily 7, allongée, ne bougeait pas.

— Hé, toi ? Je te vois.

Enroulée sur elle-même, immobile sous les draps, une vraie baleine.

— Tu ne trompes personne. T'es plus grosse que moi. Tu n'es même pas cachée.

On n'entendait que la douce résonance de son évent qui s'ouvrait et se fermait. Nat se rendit alors compte qu'il devait être plus facile de se cacher et de respirer sous les couvertures si la nature vous avait doté d'un évent plutôt que d'un visage et d'une bouche. Ensuqué par le manque de sommeil, les résidus de somnifère, deux tasses de café et à présent quelques endorphines, il commença à se demander comment une créature pouvait s'adapter pour se cacher sous les couvertures, puis il secoua le biologiste qui se réveillait en lui.

— Vois les choses en face, nous appartenons à deux espèces différentes. C'est dégueulasse.

Il y eut un semblant de cri aigu, proche du gémissement, suivi d'un discret « Ho-ho », comme si un elfe caché sous les couvertures venait de se prendre un coup d'annuaire téléphonique avant de lâcher un dernier souffle pathétique.

— Bon, ben… Tu peux rester ici, alors.

Il se souvint de son propre état quand Libby l'avait quitté et qu'elle avait d'ailleurs dit : « Nat, je ne sais plus, mais je crois que nous ne sommes pas de la même race. » À l'époque, ç'avait été comme si on lui avait retourné l'estomac. Cela l'avait socialement laminé pendant plus d'un an. Davantage même si l'on tenait compte de son fiasco avec Amy.

Il s'approcha de la bannette. Emily 7 s'écrasa dans le coin entre le mur et le lit. Nat souleva le bout libre du drap et glissa avec précaution une jambe sous les couvertures. La boule que dessinait la tête d'Emily 7 bougea comme si elle écoutait.

— Il faut que tu restes de ton côté, d'accord ?

— D'accord, gémit Emily 7 de sa voix d'elfe écrabouillé.

*

Nat s'éveilla aux cris jubilatoires des baleines tueuses, des cris perçants qui appelaient à la chasse. Le groupe semblait célébrer la partie de chasse de bien joyeuse façon, ou peut-être appelait-il un autre groupe à la rescousse. Nat eut l'impression d'être dans un bateau qui, pour les orques, aurait pu constituer un bon repas. Le bateau allait peut-être être attaqué. Nat devrait s'en assurer auprès de Nuñez. Il balança ses pieds hors de la bannette et les lumières s'allumèrent. Il se rendit alors compte qu'il était seul et poussa un soupir de soulagement.

Un pantalon de toile fraîchement repassé était posé sur la chaise et il y avait une bouteille d'eau sur la table. Sur la paroi opposée à la bannette se trouvait un petit lavabo guère plus grand qu'un bol à café et constitué de la même peau que le reste du vaisseau. La veille au soir, Nat n'avait pas remarqué sa présence. Au-dessus du lavabo il y avait trois nodosités, semblables à celles qui commandaient les portes, mais Nat ne comprenait pas d'où l'eau pouvait venir. Il pesa sur l'une des nodosités et le lavabo commença à se remplir par une espèce de sphincter situé au fond. Nat appuya sur une autre nodosité et l'eau fut aspirée par le même orifice. Il tenta d'adopter un détachement très scientifique vis-à-vis du dispositif mais n'y arriva pas du tout. Il se sentait minable. Il avait désespérément besoin de se raser et se doucher mais il ne se voyait pas laver son mètre quatre-vingt-cinq dans un bol de vingt centimètres de diamètre avec un… un trou du cul au fond. Non merci, il en avait soupé de la haute technologie de chiotte. Il se passa de l'eau sur le visage et enfila le pantalon tout en se demandant si l'équipage pouvait faire apparaître un miroir de façon à ce qu'il puisse se raser.

Les membres d'équipage, justement, semblaient tous être sur le pont quand il s'y présenta. Sur la droite de l'écoutille, quatre baleineux étaient attablés devant les cartes marines et les deux pilotes étaient aux commandes. Nuñez, debout, se tenait près de la table sur la gauche de l'écoutille. S'y trouvait assise une femme blonde dans la trentaine et deux hommes, un brun, qui tutoyait la vingtaine d'années, et un chauve à la barbe grisonnante qui devait être dans la plénitude de la cinquantaine. Dans leur apparence, ils n'avaient pas grand-chose de militaire. Quand Nat entra, tout le monde se retourna et toutes les conversations (les paroles et les sifflements) cessèrent d'un coup. L'écho des appels des baleines tueuses résonnait autour du pont. Emily 7 détourna les yeux quand ils croisèrent ceux de Nat. Appuyée dans le coin qui hébergeait la cafetière, Nuñez fit son possible pour éviter le regard de Quinn.

— Salut ! fit Nat en fixant le chauve qui lui répondit par un sourire.

— Prenez place, fit le type en désignant un siège vide à la table. On va vous trouver quelque chose à manger. Je m'appelle Cal Burdick, ajouta-t-il en serrant la main à Nat. Je vous présente Jane Palovsky et Tim Milam.

— Jane, Tim, dit Nat en leur serrant la main.

Nuñez lui décocha un sourire, puis détacha son regard comme si la cafetière exigeait sa présence de toute urgence. À moins que ce ne fût parce qu'elle allait flancher. Ou les deux à la fois.

À la table, tous opinaient du chef et regardaient un point invisible face à eux, l'air de dire : « On est là, dans un vaisseau baleine bleue géant, à quelques centaines de pieds sous la surface de l'océan, avec des baleines tueuses alentour et Nat qui a baisé avec une extraterrestre, alors… »

— Il ne s'est rien passé, dit Nat en s'adressant à tous ceux présents sur le pont.

— Comment ? fit Jane.

— Vous êtes content de vos appartements, alors ? demanda Tim, un sourcil levé.

— Il ne s'est rien passé, répéta Nat, mais bien qu'il ne se fût *rien* passé, au ton de sa voix, il ne se serait pas cru lui-même. Non, il ne s'est vraiment rien passé.

— Bien sûr, dit Tim.

À l'exception d'Emily 7, tous les baleineux poussèrent des hennissements.

Quand il les regarda, Nat vit que tous les mâles agitaient leur zizi en l'air, d'avant en arrière, comme s'ils rythmaient un chant de Noël pornographique. Emily 7 posa sa grosse tête de baleineuse sur la table et la couvrit de ses bras.

— Puisque je vous dis qu'il ne s'est rien passé ! leur cria Nat.

Le silence plomba le pont. On n'entendit plus que l'écho des appels des baleines tueuses.

— Courons-nous un danger ? demanda Nat à Nuñez, essayant désespérément de changer de sujet. Vont-elles nous attaquer ? Elles ont faim, n'est-ce pas ?

Souvent, quand les baleines tueuses tombaient sur une baleine trop imposante pour leur groupe, ou quand elles trouvaient un banc de poissons particulièrement riche, elles appelaient d'autres groupes à la rescousse. Nat reconnut les appels, similaires à ceux qu'il avait étudiés à Vancouver en compagnie d'un ami biologiste.

— Non, ce sont des résidentes, elles vivent dans le coin, dit

Nuñez. Elles sont seulement excitées parce qu'elles sont tombées sur un banc, sûrement de sardines.

Les baleines tueuses *résidentes* ne mangeaient que du poisson, les *nomades* mangeaient des mammifères, des baleines et des phoques. Depuis quelques années, les scientifiques avaient tendance à les considérer comme des espèces totalement différentes, même si, pour le commun des mortels, elles étaient identiques aux autres.

— Vous les identifiez rien que par leurs appels ?

— Mieux que ça, dit Cal. Nous savons ce qu'elles disent. Les baleineux nous font la traduction.

— Toutes les baleines tueuses s'appellent Kevin. Vous le saviez ? dit Jane.

Elle avait un léger accent d'Europe de l'Est, peut-être russe. Elle paraissait amusée, avec ses yeux bleus pris sous la lueur jaune de la bio-luminescence, mais elle n'avait pas l'air de plaisanter. Elle tapota le siège qui se trouvait près d'elle pour inviter Nat à s'y asseoir.

— De la même façon que tous les pilotes s'appellent Trottinette et Skippy, c'est ça ? dit Nat.

— En fait, ils ont tous un numéro, comme Emily. Un numéro qu'ils choisissent. Mais comme ils ne sont jamais plus de deux à bord d'un même vaisseau, nous ne nous occupons pas de leur numéro.

Soudain, Nat réalisa que depuis tout ce temps à bord des vaisseaux baleines, mis à part les fois où les pilotes étaient sortis pour pêcher, ils lui avaient semblé ne jamais quitter les commandes.

— Ne dorment-ils donc jamais ?

— Bien sûr que si, répondit Jane. Nous sommes quasiment certains qu'ils dorment et ne mettent qu'une moitié de leur cerveau en sommeil, tout comme les baleines, ce qui fait qu'avec eux deux, on a toujours un pilote entier aux commandes. S'ils n'étaient pas aux manettes, nous ne serions qu'un gros tas de viande.

— Vous dites que vous en êtes quasiment certaine, vous n'en avez pas la certitude absolue ?

— Ben… c'est qu'eux-mêmes n'en sont pas sûrs, dit Jane, et ils ne sont guère enclins à nous voir pratiquer des expériences scientifiques sur leurs personnes. Maintenant que vous êtes des nôtres, peut-être parviendrez-vous à savoir ce qui se passe avec eux. Nous, nous sommes davantage du genre à improviser. Les baleineux et le Colonel s'occupent de tout. Cielle, vous ne lui avez pas tout dit ?

— On a été un peu bousculés, dit Nuñez. J'ai essayé de l'installer le plus tôt possible.

Nat voulut contester ce qu'elle appelait « installer ». Car enfin, il était prisonnier, mais ces gens ne se comportaient pas du tout comme des gardiens. Ils l'avaient immédiatement impressionné en adoptant une dynamique semblable à celle des équipes de chercheurs, le genre « nous sommes tous dans le même bateau, donnons le meilleur de nous-mêmes ». Qu'on l'abreuvât d'informations le mettait tout de même un peu mal à l'aise. Quand vos kidnappeurs retirent leurs masques, cela signifie que vous n'allez pas rentrer chez vous.

Nuñez déposa une assiette face à lui : une salade mixte composée d'algues, de carottes, de champignons, d'un morceau de poisson cuit, vraisemblablement du flétan, et de ce qui devait être du riz.

— Mangez tout, dit-elle. C'est pas deux verres de boisson protéinée qui ont pu vous faire retrouver la forme. Nous mangeons beaucoup de poisson cru, même à bord de cette baleine bleue, mais il vous faut aussi manger des féculents pour vous adapter à notre régime. Quand vous aurez fini ça, vous aurez droit à une montagne de riz.

— Merci.

Nat commença à piocher dans son assiette alors que tous les autres, à l'exception de Cal, s'excusèrent et partirent travailler dans une autre partie du vaisseau. À l'évidence, le plus âgé des hommes avait reçu pour mission de donner à Nat son deuxième cours d'intégration à bord.

Cal se gratta la barbe, et jeta un coup d'œil vers les pilotes avant de se pencher vers Nat pour lui dire à voix basse :

— Ils sont de mœurs légères, vous savez. Un peu comme les femelles, chez les dauphins, qui s'accouplent avec tous les mâles du groupe pour être sûres de brouiller les pistes quant à l'identité du père de leur petit. Elles pensent que cela empêche les pères de tuer les jeunes.

— Ça n'est qu'une théorie, dit Nat.

— Ils sont un peu comme ça. Vous verrez, quand on sera de retour à la base, il faudra composer avec un grand nombre de baleineux. Mais si vous vous engagez sur ce terrain-là… Je veux dire qu'il y en aura beaucoup à honorer.

— Mais puisque je vous dis que je n'ai pas eu de relations sexuelles avec elle, siffla Nat, postillonnant du riz à travers la table. Je n'ai baisé avec aucun baleineux… neuse.

— Quoi qu'il en soit, regardez, ils ne sont pas loin. À bord, ils n'ont pas de quartiers particuliers, ils partagent une seule grande cabine. Pour eux, baiser, c'est très banal. Ils savent bien que nous sommes un peu plus inhibés et certains d'entre eux semblent avoir un faible pour la timidité des êtres humains. En règle générale, sexuellement parlant, nous ne nous mélangeons pas avec eux. C'est pas que c'est interdit, mais c'est… comment dire… mal vu. Par ailleurs, la curiosité est quelque chose de normal chez un garçon et…

— Cal, fit Nat en posant sa fourchette, puisque je vous dis que je n'ai eu de relations sexuelles avec personne. Vous comprenez ? Personne !

— Tout à fait. Mais méfiez-vous des mâles. Surtout quand vous êtes dans l'eau avec eux. Ils vous enculent juste pour le plaisir de vous surprendre.

— Bon Dieu !

— Je vous dis ça pour votre bien.

— Merci, mais je ne vais pas rester assez longtemps pour m'en faire pour ça. («Après tout, se dit Nat, autant le leur balancer à la figure. »)

Le vieux type se mit à rire. Il faillit avaler de travers et régurgiter son café par le nez. Une fois remis, il ajouta :

— J'espère que vous voulez dire par là que votre plan consiste à mourir bientôt ? Parce qu'on ne s'évade pas d'ici.

— Ça ne vous gêne pas, demanda Nat en se penchant vers Cal, d'être prisonniers ?

— Ici, nous serions tous morts si les baleineux ne nous avaient pas ramassés.

— Pas moi.

— Vous tout particulièrement. Il vous restait douze heures à vivre quand on a commencé à vous regarder. Vous avez sûrement pensé au fait qu'il aurait été plus facile de vous tuer ?

Nat le fixa du regard le temps d'une seconde. Bien sûr que cette pensée lui avait traversé l'esprit, et il ne voyait aucune logique dans le fait qu'on l'ait épargné si tous voulaient qu'il arrête ses recherches. Il ne voulait pas faire état de cet argument, mais tout de même...

— N'y pensez plus, Nat. S'il vous est arrivé de **vous** demander si la vie était une aventure, vous avez la réponse : c'en est une !

— C'est vrai, répondit Nat. Mais avant que vous me demandiez où j'aimerais mieux être, laissez-moi vous rappeler qu'il y a un sphincter au fond de mon lavabo.

— Vous n'avez donc pas trouvé la douche ? Soyez un peu patient.

Quand Nat eut fini de manger, Cal lui remit un exemplaire de *L'île au trésor*. Mais quand Nat fut de retour à sa cabine, il eut bien du mal à se concentrer sur la lecture. « C'est marrant tout même tout ce qu'on peut apprendre sur soi au cours d'une brève conversation. » Primo : on l'accusait d'avoir eu une relation sexuelle avec une autre espèce plutôt qu'avec un autre mâle (pourtant d'une autre espèce). C'était là un préjugé intéressant. Deuzio : on disait qu'il était reconnaissant, non seulement d'être encore en vie, mais reconnaissant de vivre de nouvelles expériences à tout moment, même en étant prisonnier. Tertio : qu'apprendre restait un must, qu'il refusait de partager avec quiconque. Et enfin, qu'il était un tantinet jaloux, un peu moins cependant depuis qu'il avait appris qu'Emily 7, cette petite pute volage, couchait avec tous les baleineux du bord.

Bercé par les lointains appels des baleines tueuses, il piqua du nez avec Robert Louis Stevenson étalé sur la poitrine.

*

À l'extérieur, la bande d'une vingtaine de baleines tueuses, en majorité des fils et filles de la femelle matriarcale, s'interpellaient frénétiquement en contemplant un immense banc de harengs. Depuis fort longtemps, les biologistes avaient échafaudé de savantes théories sur l'incroyable complexité du vocabulaire des baleines tueuses, allant jusqu'à identifier certains groupes qui « s'exprimaient » dans un dialecte commun. Mais ils s'étaient montrés incapables de trouver autre chose que des bruits à caractère « social », des appels à « manger » ou de « détresse ». Cependant, s'ils avaient pu bénéficier de l'aide d'un traducteur, voilà ce qu'ils auraient entendu :

— Hé ! Kevin, poisson !

— Poisson ! J'adore !

— Regarde, Kevin, poisson !

— Miam, poisson.

— Kevin, toi aller faire un tour dans crevasse, toi faire semblant tourner à gauche, tourner à droite, et foncer dans banc de poissons.

— Y a quelqu'un qu'a parlé de poissons ?

— Ouais, Kevin. Poisson. Par là.

— Miam, poissons.

Et ça continuait comme ça. À vrai dire, les orques ne sont pas aussi complexes que les scientifiques se l'imaginent. Les baleines tueuses ne sont que des machins de quatre tonnes déguisés en bagnoles de flics.

CHAPITRE 26

Le cadenas du placard
de Davy Jones

— Mords-moi, lut Libby Quinn sur la queue de la baleine.

Tout doucement, l'appendice bascula, pixel par pixel, l'ordinateur extrapolant l'image et la restituant sous un nouvel angle. Margaret Painborne était au clavier. Clay et Libby se tenaient derrière elle. Kona travaillait de l'autre côté de la pièce sur l'ordinateur de Quinn remis en état.

— C'est bien « Mords-moi » ? répéta Clay. C'est pas possible.

Il repensa à ce que Nat avait dit à propos d'une nageoire caudale comme celle-ci. Il en frissonna.

Margaret frappa sur quelques touches et pivota vers la chaise de Clay.

— Clay, ce serait pas des conneries ?

— J'y suis pour rien. L'image provient des rushes du film.

Autant Clay trouvait Libby très attirante, autant trouvait-il Margaret repoussante, cette dernière chose étant peut-être liée à celle qui la précédait. C'était compliqué.

— L'image de la queue, avant que tu ne la fasses basculer, c'est exactement celle que j'ai vue en plongée.

— Vous avez bien toujours affirmé que les capacités de communication des baleines étaient sophistiquées ? dit Kona en essayant de prendre un ton très docte qui énervait tout le monde.

— Mais comment est-ce possible ? dit Libby. Même en le voulant, comment pourrait-on aller peindre quelque chose sur la queue d'une baleine ?

Margaret et Clay secouaient la tête.

— Avec de l'oléum[1] et de la rouille, suggéra Kona.

Tous se tournèrent vers lui et le dévisagèrent avec insistance.

— C'est pas la peine de me regarder comme si je sentais le gaz. Vous avez besoin d'étanchéité, non ?

— Tu as terminé la frappe de ces pages ? dit Clay.

— Ouais, mec.

— Bon, sauvegarde et essaie d'en sortir quelque chose.

— Sauvegarde en code binaire, ajouta rapidement Margaret, mais Kona avait déjà effectué la manœuvre et l'écran était vide.

Margaret roula dans son fauteuil vers l'autre côté du bureau, la traîne de ses cheveux la faisant ressembler à la Sorcière volante de l'île du Cul Serré. Elle repoussa Kona et lâcha :

— L'a encore fait une connerie.

— Quoi ? s'étonna Clay.

— Comment ? s'étonna Libby.

— Mais vous avez dit de l'enregistrer, dit Kona.

— Il l'a enregistré dans un dossier ASCII, qui est en mode texte et pas en mode binaire. Je vais vérifier.

Elle ouvrit le dossier et le texte apparut sur l'écran. Elle porta sa main gauche à la bouche et s'adossa dans le fauteuil de Clay.

— Oh, mon Dieu ! fit-elle.

— Qu'est-ce qu'il y a ? firent les autres en chœur.

— Tu es sûr, dit-elle à Kona sans le regarder, que tu as bien rentré les données comme elles apparaissaient sur les graphiques ?

— Affirmatif, répondit Kona.

— Qu'est-ce qu'il y a ? s'étonnèrent Libby et Clay.

1. Liquide huileux résultant de la dissolution de trioxyde de soufre dans de l'acide sulfurique concentré.

252

— Ça doit être une connerie, dit Margaret.

Clay et Libby traversèrent le bureau pour aller voir l'écran.

— Quoi ?

— C'est de l'anglais, dit Margaret en montrant le texte. Comment est-ce possible ?

— Mais c'est pas possible, dit Libby. Kona, qu'est-ce que tu as encore fait ?

— J'y suis pour rien ! J'ai seulement tapé les un et les zéros.

Margaret attrapa l'une des feuilles de bloc avec les un et les zéros et commença à entrer les chiffres dans un nouveau dossier. Quand elle en eut rempli trois lignes, elle les enregistra, puis rouvrit le dossier en mode texte. Ça disait : NOUS ALLONS SABORDER DEUXIÈME BATEAU...

— Mais c'est pas possible.

— Mais si.

Clay sauta sur les genoux de Margaret et commença à faire défiler la transcription de Kona.

— Regardez ! Ça continue tout un moment, puis ça devient n'importe quoi, et ça reprend ensuite.

Margaret regarda à nouveau Libby. Dans ses yeux, on lisait : « Fais quelque chose ! »

— C'est impossible que le chant puisse colporter un message en anglais. Le code binaire n'était qu'une piste. Je refuse de croire que les baleines à bosse utilisent l'ASCII et l'anglais pour communiquer.

Libby se détourna vers Kona.

— Ça sort bien des bandes vidéo de Nat ? Exactement comme tu m'as montré ?

Kona hocha la tête.

— Regardez-moi ça, les enfants, dit Clay. Ce sont les coordonnées de progression. Longitude, latitude, heures, dates. Et là on trouve les instructions pour couler mon bateau. Vous croyez que ce sont ces enculés qui l'ont coulé ?

— Quels enculés ? demanda Margaret. Tu parles de la baleine

253

avec MORDS-MOI écrit sur la queue ? fit-elle en essayant de voir par-dessus le large dos de Clay. Si c'était possible, alors la marine s'en servirait depuis longtemps.

— De quelle bande est-ce la dernière partie ? demanda Clay en se jetant au visage de Kona.

— De la toute dernière que Nat et Amy ont prise, le jour où Nat s'est noyé. Pourquoi ?

Clay se rassit sur les genoux de Margaret, la stupéfaction se lisait sur son visage. Il montra une ligne de texte sur l'écran. Tous se penchèrent alors pour lire : QUINN EST À BORD — RETROUVERONS LA BLEUE-6 — D'ACCORD POUR COORDONNÉES — 1600 MARDI — PAS DE SANDWICH AU BŒUF.

— Le sandwich, dit Clay d'un ton grave.

À ce moment précis, de retour de l'école, Claire entra dans le bureau pour trouver un beau ramassis de paumés qui regardaient l'écran d'ordinateur de Quinn.

— Bande de salauds, vous voulez tous entrer dans le même sand-wich et vous ne savez même pas quoi faire d'une seule femme.

— Non ! Pas la cuiller ! Pas la cuiller ! couina Kona, sa main protégeant la bosse grosse comme un œuf de pigeon qu'il portait sur le front.

*

Nat Quinn ouvrit un œil avec le sentiment qu'il allait devoir sortir de sa propre peau. S'il n'avait pas déjà ressenti cela avant, il aurait sûrement pensé qu'il avait la frousse (scientifiquement par-lant), mais il reconnut la sensation éprouvée lorsqu'on est bombardé de grosses vagues sonores subsoniques. Le vaisseau baleine bleue lançait des appels. Mais comme cela se situait sous les fréquences de sa propre capacité auditive, c'était très supportable. Les appels de la baleine bleue pouvaient franchir dix mille milles. Il se dit que le vaisseau devait pouvoir en faire autant.

Il se glissa hors de sa bannette et faillit tomber en prenant sa chemise. Il y avait autre chose dont il ne s'était pas aperçu immédiatement : le bateau ne bougeait pas et Nat avait toujours le pied marin.

Il s'habilla à la hâte et descendit le couloir jusqu'au pont. Il y avait une grande console qui enjambait l'espace entre les deux pilotes baleineux. Et cette console ne s'était pas trouvée là précédemment. À la différence de ce qui constituait le bateau, elle semblait avoir été fabriquée en métal et en plastique par des mains humaines. Les écrans des sonars, les ordinateurs, il y a avait là du matériel que Nat ne reconnaissait pas. Nuñez et Jane, la femme blonde, des écouteurs sur les oreilles, se tenaient face aux écrans des sonars. Tim se trouvait assis aux côtés d'un baleineux, au centre de la console, face à deux moniteurs d'ordinateur. Il portait des écouteurs et tapait sur son clavier. Le baleineux se contentait de l'observer.

Nuñez aperçut Nat qui entrait. Elle sourit et l'invita d'un geste à venir la rejoindre. « Comme kidnappeurs, ces gens-là ne valent pas un clou, se dit Nat. Pas l'ombre d'un quelconque gros dur parmi eux, au moins parmi les humains. »

— Ça vient d'où ces trucs-là ? demanda Nat.

Les appareils électroniques paraissaient incroyablement rudimentaires comparés à l'élégant design organique du vaisseau baleine, des baleineux et, pour la circonstance, de l'équipage humain. L'idée de comparer les apparences des appareils fabriqués par l'homme et ceux fabriqués selon des systèmes organiques ne lui était pas venue à l'esprit plus tôt parce qu'il n'avait jamais été programmé pour imaginer que des animaux puissent dessiner. Le vaisseau baleine entamait fortement ses convictions darwiniennes.

— Ce sont nos jouets, dit Nuñez. Normalement, la console demeure cachée en dessous, à moins qu'on n'ait besoin de la voir. Elle ne sert strictement à rien pour les baleineux puisqu'ils disposent d'une interface directe avec le bateau, mais ça nous procure l'illusion de savoir ce qui se passe.

— Et de plus, ils tapent comme des manches, comme ils n'ont pas de pouces, ajouta Tim en glissant les siens par en dessous et en mimant une frappe frénétique sur le clavier.

Le baleineux assis près de lui se mit à faire des tas de *pfft!* et à postillonner sur l'écran de Tim, qui se couvrit de gros points colorés que les crachats amplifièrent. Il gazouilla à deux reprises. Alors Tim hocha la tête et se remit à taper sur son clavier.

— Ils savent lire ? interrogea Nat.

— Lire, écrire un peu, et la plupart d'entre eux comprennent au moins deux langues humaines, bien que, comme vous vous en êtes aperçu, ils ne soient guère bavards.

— Ils n'ont pas de cordes vocales, dit Nuñez. Ils disposent d'une chambre à air dans la tête, qui produit les sons qu'ils émettent, mais ils ont de la difficulté à prononcer des mots.

— Mais ils savent parler. J'ai entendu Emil... Je veux dire, j'en ai entendu s'exprimer.

— Le mieux serait que vous appreniez le baleineux. C'est en gros ce qu'ils utilisent pour communiquer entre eux, et ça reste dans la gamme de fréquences de notre capacité auditive. Le baleineux, c'est plus facile à apprendre si vous avez déjà pratiqué d'autres langues de sensibilité tonale comme le navajo ou le chinois.

— Malheureusement, ce n'est pas le cas, répondit Nat. Alors comme ça, le bateau lance des appels ?

Tim ôta ses écouteurs et les tendit à Nat.

— Le baratin reste dans notre gamme de fréquences. Prenez ça, vous allez mieux entendre.

Nat se colla l'écouteur à l'une des oreilles. À présent qu'il pouvait entendre le signal, il pouvait également l'entendre démarrer et s'arrêter de façon plus nette dans sa propre poitrine. Mais le mieux de tout était qu'il améliorait le confort et qu'il pouvait entendre l'arrivée du message.

— Ça, c'en est un ? interrogea-t-il.

— Ouais, dit Jane en chaussant son casque. Ça se passe comme vous le supposiez. Nous l'entrons dans l'ordinateur qui le transcrit en creux et en pics sur une sinusoïdale que nous faisons écouter aux baleineux. Et ce sont eux qui transforment cette sinusoïdale en chant de baleine. Au fil des ans, nous l'avons étalonné.

Nat remarqua que le baleineux avait une main glissée dans une prise organique située sur la face externe de la console métallique face à laquelle il se trouvait assis. Cela faisait comme un câble de chair qui courait vers le vaisseau baleine à travers le pied de la console, une console identique à celles que les autres pilotes baleineux utilisaient.

— Pourquoi est-ce que les ordinateurs et tout l'appareillage fonctionnent comme si les baleineux réagissaient… disons… à l'instinct ?

Le baleineux assis à la console se moqua de Nat en riant. Il poussa un petit cri aigu avant de faire le geste, connu et reconnu internationalement, de la branlette.

— C'est la seule façon pour nous de nous maintenir dans le coup, dit Jane. Croyez-moi, on est longtemps restés en rade. Les baleineux sont dotés d'un sens de la navigation identique à celui des baleines. Nous n'y comprenons rien. Il s'agit d'une espèce de vocabulaire magnétique. Ce n'est que depuis le développement des ordinateurs et l'arrivée de gens qui savaient les faire fonctionner que nous avons pu adhérer au processus. Maintenant, nous pouvons faire surface, extraire des coordonnées GPS, les transmettre, et correspondre avec les autres équipages. Nous avons une *vague* idée de ce que nous faisons.

— Vous venez de dire « longtemps ». Ça fait combien de temps ?

Jane jeta un regard inquiet à Nuñez qui, à son tour, lui en jeta un de même nature. Nat pensa un instant que toutes les deux ressentaient un besoin urgent de foncer aux toilettes, ce qui, au vu de son expérience personnelle, est ce que les femmes font généralement avant de prendre une décision importante, comme par exemple quelles chaussures acheter ou bien « vais-je, ou ne vais-je pas, à nouveau coucher avec lui ? ».

— Ça remonte à longtemps, Nat. On ne se souvient plus exactement. Disons, avant l'apparition des ordinateurs, ça vous va comme réponse ?

Ainsi, elle pratiquait l'esquive et, s'il continuait à se montrer insistant, elle lui mentirait. Tout simplement. Brutalement, Nat se sentit davantage prisonnier, et en tant que tel, il se dit que l'urgence était de s'évader. Il était persuadé que c'était là la toute première obligation d'un prisonnier. D'ailleurs, il avait déjà vu ça au cinéma ; bien que, avec le recul, le plan de sa première tentative, celui qui consistait à sortir dans l'océan en passant à travers l'orifice du fond de la baleine, s'était avéré un chouïa irréfléchi.

— À quelle profondeur sommes-nous ? demanda-t-il.

— En règle générale, nous envoyons nos messages à deux mille pieds, ce qui, quelle que soit notre position géographique, nous met très précisément dans le canal Sylon.

Le canal Sylon (système de longues **ondes** de navigation) résultait d'une conjugaison naturelle entre la pression et la température de certaines profondeurs, conjugaison qui créait un courant de moindre résistance au sein duquel le son pouvait circuler sur des milliers de milles marins. La théorie consistait à dire que les baleines bleues et les baleines à bosse utilisaient ce canal pour communiquer entre elles sur des distances considérables à des fins de navigation. Bien évidemment, les baleineux et les gens qui travaillaient à bord s'en servaient aussi.

— Est-ce que ce signal reproduit un appel naturel de baleine bleue ?

— Oui, dit Tim. C'est là l'un des avantages de communiquer en anglais grâce à la sinusoïdale. Du temps que les baleineux communiquaient directement, il y avait davantage de variations dans l'appel, mais notre signal reste bien caché. Enfin... plus ou moins. Sauf pour des petits malins qui pourraient le détecter.

— Des gars dans mon genre, par exemple ?

— Oui, c'est ça. Nous sommes quelque peu inquiets des acousticiens qui travaillent à Woods Hole ou au Centre Marin d'Hatfield dans l'Oregon, de ces gens qui passent beaucoup trop de temps à examiner les spectrogrammes des sons sous-marins.

— Vous vous rendez compte, ajouta Nat, que je n'aurais jamais pu soupçonner l'existence de vos vaisseaux. Je n'ai jamais eu l'idée de me pencher sur un système binaire susceptible d'être contenu dans le chant des baleines. C'est un gamin complètement défoncé qui a trouvé ça.

— Eh oui, dit Jane. Si ça peut vous soulager, vous avez le droit de lui reprocher votre présence ici. Vous nous avez tenus en haleine jusqu'au moment où vous avez commencé à vous intéresser au code binaire du signal. C'est à ce moment-là qu'ils ont décidé de vous faire venir ici, si on peut dire les choses de cette façon.

Nat aurait bien voulu faire des reproches à Kona mais puisqu'il ne devait plus revoir la civilisation, réprimander quelqu'un ne lui sembla pas particulièrement pertinent. De plus, c'était le gamin qui avait eu raison.

— Mais comment avez-vous été mis au courant ? Je n'ai pas à proprement parler tenu de conférence de presse.

— Nous avons nos méthodes, dit Nuñez d'un ton qu'elle aurait souhaité ne pas être trop menaçant.

Tout cela amusa les baleineux assis à la console et les deux pilotes qui se trouvaient à l'extrémité. Cela les fit ahaner si fort qu'ils faillirent en tomber de leurs sièges.

— Oh, vos gueules, vous ! dit Nuñez. C'est pas comme ça que vous allez nous faire la démonstration que vous êtes des génies.

— Et c'est donc vous les zonards qui traîniez la nuit, ceux dont a parlé Tako Man, dit Nat en s'adressant aux pilotes. C'est vous qui avez coulé le bateau de Clay, n'est-ce pas ?

Les pilotes levèrent les bras au-dessus de leurs têtes et prirent une pose effrayante de monstres, puis ils découvrirent leurs dents et imitèrent des grognements avant de sombrer dans ce que Nat commençait à considérer comme étant des ricanements chez les baleineux. À son tour, le baleineux qui occupait la console commença à taper des mains et à rire.

— Franklin! On n'a pas terminé. On peut retourner à l'interface?

Franklin, à l'évidence celui des baleineux qui avait travaillé à la console, fit le dos rond et remit sa main dans la prise.

Une petite voix lâcha un « désolé » à travers son évent.

— Salope! fit une autre petite voix du côté des pilotes, aussitôt suivie d'un gazouillement de baleine.

— Envoyons à nouveau le signal. Je veux que la base sache que nous arriverons dans la matinée, dit Nuñez.

— La morale n'est donc pas un problème, alors? demanda Nat que l'énervement de Nuñez amusait.

— Oh! Ils se comportent comme de sales gosses, répondit Nuñez. On jurerait des dauphins. Vous les balancez en plein milieu de l'océan avec un ballon rouge et ils vont rester à jouer toute la journée. Ils s'arrêteront tout juste pour manger et baiser. Je vous le dis, c'est comme faire du baby-sitting avec des gamins en chaleur.

Franklin grinça et cliqueta une réponse. À ce moment-là, Tim et Jane joignirent leurs rires à ceux des baleineux.

— C'est quoi, ça? interrogea Nat.

— Jane! hurla Nuñez, je n'ai absolument pas besoin d'aller me faire sauter. C'est pigé?

— Bien, bien, fit la blonde.

— Je vais à mes appartements, dit Nuñez.

Elle quitta le pont sous les grincements des baleineux.

Tim se retourna vers Nat et d'un signe de tête désigna l'écran du sonar et le siège que Nuñez venait de libérer.

— Voulez-vous vous asseoir?

— Je suis prisonnier, dit Nat.

— Oui, mais d'une bien douce façon, fit Jane.

Et c'était la vérité. Depuis son arrivée, tout le monde avait été gentil avec lui, prévenant, même parfois trop. Il n'avait pas l'impression d'être prisonnier. Nat se demanda s'il n'était pas en train de développer le syndrome d'Helsinki, qui fait que l'on sympathise avec ses geôliers. À moins que ce ne fût le syndrome de Stockholm. Mais oui, le syndrome d'Helsinki, c'était un truc qui avait rapport avec la chute des cheveux. C'était donc bien le syndrome de Stockholm.

Il gagna sa place près de l'écran du sonar et chaussa le casque. Il perçut immédiatement le chant lointain d'une baleine à bosse. Il regarda vers Tim qui leva un sourcil comme pour dire : « Z'avez vu ça ? »

— Dites-moi alors ce que le chant signifie, dit Nat.

Voilà une question qui valait vraiment le coup d'être posée.

— Nous allions justement vous poser la question, fit Jane.

— Super ! dit Nat, qui soudain ne se sentit plus aussi bien.

Après tout ce qu'il avait vu, même ces gens, qui pourtant sillonnaient les mers au sein de baleines, ignoraient donc la signification des chants ?

— Ça va, Nat ? demanda Jane. On dirait que vous ne vous sentez pas bien.

— Je crois que je suis en train de développer le syndrome de Stockholm.

— Faites pas l'idiot, dit Tim. Vous avez encore tous vos cheveux.

— Vous voulez un peu de *Pento*[1] ? demanda Jane, qui était le médecin de bord.

« Oui, se dit-il, l'évasion est la première des priorités. » Il était quasiment certain que, s'il ne s'évadait pas, il finirait par craquer et tuer des gens ou au moins se montrer infect avec eux.

*

— Kona, on se calme ! dit Claire en posant son sac près de la porte. Tu vois bien que je n'ai pas de cuiller.

1. Crème miracle censée assurer la repousse des cheveux.

Clay sauta des genoux de Margaret. Kona et lui regardèrent Claire traverser la pièce pour donner l'accolade à Margaret et Libby, et s'attarder un peu avec cette dernière en faisant un clin d'œil à Clay.

— C'est si bon de vous revoir, dit Claire.

— Je ne vais pas sortir chercher la pizza, dit Kona, l'air toujours un peu terrifié. Il n'en est pas question.

— Et qu'étiez-vous en train de faire ? interrogea Claire.

Alors Margaret prit sur elle-même pour expliquer ce qu'ils avaient découvert au cours de ces dernières heures, Kona apportant des détails aussi personnels que pertinents. Pendant ce temps, Clay alla s'asseoir dans la cuisine et considéra la situation. Il se dit qu'il était temps de le faire.

Considérer la situation, c'est un peu comme réfléchir et un peu comme penser, mais en plus décontracté. Il faut laisser les faits tourner autour de la roue de la roulette de votre esprit. En arriver à décider sur quel numéro ils pourraient bien s'arrêter. Margaret et Libby étaient des chercheuses habituées à faire entrer les données dans la case appropriée aussi vite que possible. Et Kona était... ben... une espèce de pensée tournant dans son esprit, comme une balle de tennis dans un bol à café. Bref, tout cela était un peu trop flou pour avoir un certain impact. Quant à Claire, elle venait tout juste d'être mise au courant. Non, considérer la situation n'était pas le plus facile pour Clay. Assis sur un haut tabouret de la cuisine, il sirota une bière brune dans une bouteille embuée de gouttelettes et attendit que la roulette fasse son choix. Ce qu'il fit jusqu'à ce que Margaret Painborne en arrive à la conclusion de son histoire.

— Cela a évidemment un rapport avec la Défense, fit-elle. Personne d'autre n'aurait aucune raison de faire ça... déjà qu'*ils* sont incapables d'avoir une seule *bonne* raison. Moi je dis que nous devons dès ce soir écrire à nos sénateurs et rencontrer le capitaine Tarwater demain matin. Il doit sûrement savoir de quoi il retourne.

— Et c'est là que tu te mets le doigt dans l'œil jusqu'au coude, dit Clay.

Tous se retournèrent vers lui.

— J'ai considéré la situation (là, il marqua une pause pour renforcer l'impact de ce qu'il allait dire), et il m'est apparu que deux de nos amis ont disparu juste au moment où ils découvraient ce que nous avons découvert. Tout, depuis le saccage des bureaux jusqu'au sabordage de mon bateau (et là, il marqua une nouvelle pause), tout a à voir avec quelqu'un qui ne veut pas que nous découvrions ce que nous avons découvert. Alors je crois qu'il serait risqué d'aller crier sur les toits ce que nous savons avant de savoir que ce que nous savons est.

— C'est incorrect, dit Libby.

— « Avant de savoir que ce que nous savons est », dit Margaret, ça ne veut rien dire.

— Pour moi, c'est correct, dit Kona.

— Je t'arrête, Clay, dit Claire. Je suis d'accord avec toi et l'action conjuguée féminine, et je suis d'accord avec le couillon de rasta qui prône la souveraineté, mais je t'avertis que je ne supporterai pas le dévoiement des règles grammaticales ! Je suis institutrice quand même !

— On ne peut pas en parler à personne ! hurla Clay.

— Voilà, comme ça, c'est mieux, dit Claire.

— C'est pas la peine de crier, dit Libby. Margaret n'est qu'une biologiste spécialiste des cétacés, communiste, lesbienne, féministe, réactionnaire et hippie, n'est-ce pas, ma chère ? ajouta-t-elle en souriant à sa partenaire.

— Accordez-moi une seconde, et je vais faire un acronyme avec ça, grommela Claire en comptant les mots sur ses doigts. Mais dis-moi, ta carte de visite professionnelle doit être de la taille d'une descente de lit.

Margaret fixa Libby du regard, puis, se tournant vers Clay, elle dit :

— Tu penses vraiment que nous courons un danger ?

— On dirait. Regarde, je sais bien que sans ton aide nous ignore- rions tout, mais je ne veux pas que quelqu'un soit blessé. Nous sommes peut-être déjà dans les emmerdements.

— Si tu penses que c'est ce qu'il y a de mieux à faire, on peut garder ça secret, reprit Libby, tranchant ainsi pour le couple qu'elle formait avec Margaret. Mais en même temps, je crois que nous devrions nous pencher sur d'autres relevés acoustiques, histoire de voir à quand ça remonte et de trouver pourquoi parfois ce qui semble n'être qu'un bruit est en fait un message.

Margaret, nerveuse, pensive, le regard vide, tressait et détressait ses cheveux.

— Ils doivent se servir du chant des baleines comme d'un camou- flage, comme ça les sous-marins ennemis sont incapables de détecter les communications. Il nous faut plus de données et des enregistre- ments de populations de baleines à bosse extérieures aux eaux amé- ricaines, histoire de voir jusqu'où ils sont allés avec ce truc-là.

— Et il faudra aussi étudier les chants des baleines bleues et des baleines de Sei, dit Libby. S'ils utilisent des subsoniques, cela ne prend son sens que s'ils imitent de grosses baleines. Demain matin, j'appellerai Chris Wolf à l'université de l'Oregon. C'est lui qui suit de près les matrices des vieux sonars de la marine qu'ils avaient mis au point pour repérer les sous-marins russes. Il aura tous les enregis- trements dont nous avons besoin.

— Non, non, dit Clay. Personne en dehors de cette pièce ne doit être mis au courant.

— Mais enfin, Clay, tu deviens parano.

— Répète ce que tu as dit, Libby. Wolf suit de près les matrices des vieux sonars de qui ? L'armée garde toujours un œil sur ce dispositif de surveillance.

— Parce que tu penses que l'armée est derrière ça ?

— J'en sais rien, dit Clay en secouant la tête. Comment pourrais- je imaginer une seule raison qui expliquerait pourquoi des gars de la

marine iraient peindre MORDS-MOI sur la queue d'une baleine ?
Tout ce que je sais, c'est que ceux qui percent le secret de ce truc-là
disparaissent et que quelqu'un a envoyé un message disant que Nat
était sain et sauf après que nous avons tous cru à sa mort.

— Qu'est-ce que tu comptes faire alors ?

— Le retrouver, dit Clay.

— Ça risque pas de faire foirer son enterrement ? demanda
Claire.

TROISIÈME PARTIE

LA SOURCE

Nous sommes construits comme des machines génétiques et nous disposons d'une culture de machines, mais nous avons le pouvoir de nous retourner contre nos créateurs. Nous sommes les seuls sur terre à pouvoir nous rebeller contre la tyrannie des reproducteurs.

RICHARD DAWKINS,
Le gène égoïste

Quatre-vingt-quinze pour cent de toutes les espèces qui ont un jour existé ont disparu ; alors ce n'est pas la peine de prendre cet air supérieur.

GERARD RYDER

CHAPITRE 27

Découverte d'un monde

Le vaisseau baleine ouvrit sa gueule. Alors Nat et l'équipage débarquèrent sur la côte où les accueillit un groupe de baleineux. L'un d'eux offrit une paire de Nike à Nat avant d'aller échanger des bruits de cliquetis, des gazouillis et de se congratuler avec l'équipage de retour. La luminosité était telle, après dix jours passés au sein du vaisseau, que Nat fut dans l'impossibilité de voir ce qui se passait. Les êtres humains de l'équipage portaient des lunettes de soleil. Pour enfiler leurs chaussures ils s'assirent à seulement quelques mètres de la gueule du vaisseau. Le sol offrait une sensation de rigidité qui fit dire à Nat qu'il se trouvait sur une espèce de quai. C'est alors que Cal Burdick retira ses lunettes de soleil pour les donner à Nat.

— Tenez ! Moi, ça fait des années que je vois ça, mais je suis sûr que vous allez trouver ça intéressant.

Grâce aux lunettes, Nat put effectivement voir. Bien que ne souffrant pas de problèmes de vue, son cerveau eut quelques difficultés à digérer les images que ses yeux lui transmettaient. La lumière était identique à celle d'un jour couvert, alors que Nat ne se trouvait pas à l'extérieur. Ils étaient à l'intérieur d'une grotte tellement immense que Nat ne pouvait en distinguer les limites. Une douzaine de stades y auraient tenu et il serait même resté de la place pour y loger une fête foraine, un casino et le Vatican, à condition de raboter une ou deux basiliques. La voûte tout entière était source de lumière, une lumière froide, tantôt jaune, tantôt bleue, avec de grandes langues lumineuses de formes irrégulières, un peu comme si Jackson Pollock[1] avait peint une tempête solaire au plafond. La moitié de la grotte était recouverte d'eau, lisse et réfléchissante comme un miroir. Cet aspect uni était brisé par des groupes d'une demi-douzaine de baleineux nains qui marsouinaient ici et là, leurs évents projetant des jets de vapeur de façon synchronisée tous les trois ou quatre mètres. Nat se dit que ce devait être des petits de baleineux. Une quarantaine de vaisseaux baleines d'espèces différentes, dont les équipages s'activaient tout autour, étaient amarrés à la côte. D'énormes morceaux de tuyaux, sortes de vers de terre géants, étaient fixés des deux côtés de la tête de chaque vaisseau et connectés au rivage. Le sol ? Eh bien le sol était rouge et aussi dur que du linoléum lisse. Il courait sur des centaines de mètres, peut-être près de deux kilomètres, et semblait remonter jusqu'à mi-hauteur des murs de la grotte. Nat distingua des ouvertures dans ces murs, des passages de forme ovale qui pouvaient être des couloirs, des tunnels ou n'importe quoi. D'après la taille des gens et des baleineux qui allaient et venaient, Nat évalua le diamètre de certaines ouvertures à environ cinq mètres alors que d'autres étaient seulement de la grandeur de portes normales. Il y avait des fenêtres près de certaines ouvertures de taille réduite. Enfin, pour Nat il s'agissait vraisemblablement de fenêtres tout en arrondis et en courbes. Dans toute la grotte, on ne trouvait pas un seul angle droit. Des centaines de personnes évoluaient au milieu des baleineux. Ils veillaient à l'entretien des vaisseaux, transportant du ravitaillement et de l'équipement sur ce qui ressemblait à des diables et des charrettes tout à fait ordinaires.

— Mais où sommes-nous, bon Dieu ? dit Nat, manquant de se briser la nuque en voulant tout voir en même temps. Je veux dire : c'est quoi ce bordel ?

1. Peintre américain (1912-1956) représentatif de l'expressionnisme abstrait.

— Plutôt surprenant, n'est-ce pas ? dit Cal. J'aime bien regarder les gens qui découvrent Gluville pour la première fois.

Nat passa sa main par terre, enfin sur ce qui constituait le sol et la surface sur laquelle ils étaient assis.

— C'est quoi cette matière ?

C'était doux, mais avec une texture, des pores, une rugosité cachée, un peu comme de la pierre ou de la...

— C'est une carapace vivante, Nat. Comme celle d'une langouste. L'ensemble est un corps vivant. Tout : le sol, le plafond, les murs, le corridor qui mène à l'océan, nos maisons, tout cela n'est qu'un seul et même énorme organisme. On l'appelle la Glu.

— La Glu ? Nous sommes à Gluville, alors ?

— Oui, dit Cal dont le sourire dévoila une dentition irréprochable.

— Ce qui fait de vous des...

— C'est cela, des Gluvillois. Il y a là une logique implacable, qu'en pensez-vous ?

— Je ne pense plus, Cal. Vous savez bien, toute votre vie vous entendez des gens parler de choses complètement époustouflantes. Mais il s'agit seulement d'un cliché, d'une hyperbole, comme de dire que vous êtes lessivé ou que quelque chose vous a glacé le sang dans les veines.

— Je vois ce que vous voulez dire.

— Eh ben là, je suis époustouflé. Complètement époustouflé.

— Vous étiez déjà épaté par la taille des vaisseaux, n'est-ce pas ?

— Ouais, mais à côté de ça... Un organisme vivant qui s'est lui-même modelé pour créer ce complexe, ce... ce système. Je suis époustouflé.

— Essayez d'imaginer ce que ressent la bactérie qui habite votre intestin.

— Je crois qu'en ce moment elle en a gros sur la patate.

Un groupe de baleineux se rassembla à une dizaine de mètres d'eux. Ils montrèrent Nat du doigt et se mirent à hennir.

— Ils sont venus voir à quoi ressemble le petit nouveau. Ne soyez pas surpris si dans la rue on se frotte contre vous. C'est juste une manière de se saluer.

— Comment ça... dans la rue ?

— On appelle ça des rues. Parce que ça ressemble à des rues.

À présent, éloigné de la pâle lueur jaune des vaisseaux baleines, Nat prit conscience de la large palette de couleurs des baleineux. Certains étaient vraiment d'un bleu marbré, comme les baleines bleues, alors que d'autres étaient noirs comme les baleines pilotes, ou gris clair comme les baleines de Mink. D'autres encore étaient tachetés de noir et de blanc comme les tueuses et les dauphins aux flancs blancs du Pacifique. Un petit nombre, ici et là, étaient comme les bélugas : totalement blancs. Ils avaient tous à peu près la même silhouette. Seule la taille différait, comme chez les baleineux tueurs qui dépassaient les autres de trente bons centimètres et devaient bien peser cinquante kilos de plus, sans parler de leurs mâchoires qui faisaient en largeur le double de celles des autres. Dans la lumière plus intense Nat remarqua également qu'il était le seul humain bronzé. Tous les gens, même Cal et l'équipage, semblaient en bonne santé, sauf qu'aucun d'entre eux n'avait vu le soleil depuis longtemps. On aurait juré des Anglais.

Nuñez s'approcha et aida Cal et Nat à se lever.

— Vos chaussures ? Ça va ? demanda-t-elle à Nat.

— Ça fait bizarre quand on en n'a pas porté depuis longtemps.

— Pendant quelques heures, vous allez aussi vous sentir un peu chancelant et pendant un jour ou deux vous allez continuer à ressentir le mouvement quand vous vous tiendrez debout et immobile. Il n'y a pas de différence, c'est comme lorsqu'on est resté en mer à bord d'un bateau normal. Je vais vous conduire à vos nouveaux quartiers, vous faire découvrir l'environnement et vous installer. Le Colonel vous enverra probablement chercher dans peu de temps. Les gens vous aideront. Aussi bien les humains que les baleineux. Ils sauront tous que vous êtes nouveau.

— Combien sont-ils, Cielle ?

— Qui ? Les humains ? Il y en a presque cinq mille qui vivent ici. Les baleineux sont à peu près deux fois moins nombreux.

— Ici, c'est où ? On est où ?

— Je lui ai parlé de Gluville, dit Cal.

Nuñez leva la tête vers Nat. Elle descendit ses lunettes sur le nez afin qu'il puisse voir ses yeux.

— Arrangez-vous pour ne pas me mettre en boule, c'est vu ?

Nat secoua la tête. Mais qu'est-ce qu'elle croyait ? Qu'elle allait lui dire que ceci ou cela était plus étrange, plus majestueux ou plus bizarre que tout ce qu'il avait pu voir précédemment ?

— Le toit au-dessus de ce plafond, qui est fait de roche épaisse — bien qu'on ne soit pas très sûrs de l'épaisseur — bref, le toit se trouve à environ six cents pieds sous la surface de l'océan Pacifique. Nous sommes à environ deux cent milles au large de la côte chilienne, sous le plateau continental. En fait, nous sommes arrivés en passant à travers une falaise de ce même plateau continental.

— Vous dites que nous sommes à six cents pieds sous la surface ? Mais la pression ?

— Nous avons franchi un long tunnel, les vaisseaux passent à travers une série d'écluses jusqu'à ce qu'ils soient à la pression de la surface. J'aurais aimé vous les montrer mais je n'ai pas osé vous réveiller.

— Je vous en suis reconnaissant.

— Allons à vos nouveaux appartements, une longue marche nous attend.

Elle s'écarta de la rive et lui fit signe de la suivre.

Nat faillit tomber en essayant de se retourner pour regarder les vaisseaux baleines alignés dans le port. Tim le rattrapa par le bras.

— C'est dur à encaisser. Il y a des gens qui ont vraiment paniqué. Il vous faut accepter que la Glu fera en sorte que rien de mal ne puisse vous arriver. Le reste n'est qu'une suite de surprises. Comme dans la vie normale.

Nat plongea son regard dans les yeux sombres du jeune homme afin d'y déceler une quelconque ironie, mais l'expression du garçon était aussi dénuée de sous-entendus qu'un bol de lait.

— Alors comme ça la Glu va prendre soin de moi ?

— Mais oui, répondit Tim en l'entraînant vers la paroi de la grotte, vers le véritable village de Gluville, avec ses portes et ses fenêtres découpées de façon organique, ses poignées, ses nodosités, ses passages en carapace de langouste, ses bandes de baleineux, travaillant ou jouant dans l'eau, vers ce village où Nat pensait trouver des activités humaines aussi joyeuses que farfelues.

*

Après deux jours à chercher un sens aux formes hachées des sinusoïdales et aux un et aux zéros des feuilles de bloc recopiées à la va-vite dans l'ordinateur, Kona trouva, sur la côte nord de l'île, un surfeur pirate informatique du nom de Lolo qui accepta de tout transcrire en langage Linux en échange de son *long board*[1] et d'une quinzaine de grammes de marijuana de la meilleure qualité.

— À tout hasard, il ne se contenterait pas de liquide ? demanda Clay.

— C'est un artiste, expliqua Kona. Du liquide, tout le monde en a.

— Je me demande bien comment je vais pouvoir justifier ça auprès du comptable.

— Quoi ? La beu ?

Clay jeta un regard empreint de tristesse sur la pile de pages de bloc entassées sur le bureau près duquel Margaret Painborne tapait. Il tendit un rouleau de billets à Kona et dit :

— Va lui acheter son herbe et ramène-le. Et rapporte-moi la monnaie.

---

1. Littéralement, *longue planche*. Longue planche de surf hawaïenne, ancêtre des planches actuelles.

— Étant donné que je sacrifie ma planche pour la bonne cause, dit Kona, je pourrais peut-être partager l'aspect mystique de la chose.

— Tu tiens vraiment à aller raconter à Tatie Claire que tu m'as extorqué de l'argent ?

Clay avait pris l'habitude d'utiliser Claire comme une épée de Damoclès, une première assistante, une menace dominatrice et diabolique à l'encontre de Kona ; et ça marchait à tous les coups.

— J'y fonce, mon frère.

Soudain, une étincelle s'alluma dans l'esprit de Clay, comme un phénomène de déjà-vu.

— Kona, attends !

Le surfeur s'arrêta et se retourna.

— La première fois que tu es venu ici, tu te souviens, le jour où Nat t'a envoyé au labo pour récupérer le film, tu y es vraiment allé ?

— Non, chef, fit Kona en secouant la tête. Blanche-Neige m'a vu partir. Elle m'a dit de garder l'argent et que ce serait elle qui irait au labo. Quand je suis revenu avec mon herbe, elle m'a remis les photos pour que je les donne à Nat.

— C'est bien ce que je craignais, dit Clay. Vas-y, fonce. Ramène ce qu'il nous faut.

*

Et donc, trois jours plus tard, ils étaient tous à observer Lolo lorsqu'il tapa sur la touche « Entrée » du clavier. La sinusoïdale subsonique d'un chant de baleine bleue commença à se dérouler au bas de l'écran alors qu'au-dessus apparurent des lettres transcrites depuis les données. Lolo avait un an de plus que Kona. C'était un de ces Japonais américains brûlés par le soleil, avec des petites mèches blondes sur la nuque et une fresque maorie tatouée sur le dos et les épaules.

Lolo se retourna vers Clay et les autres.

— Un jour, j'ai mixé une séquence de cinquante minutes de trans avec des samples de percus, c'était une autre paire de manches.

Lolo avait fait une incursion dans le domaine du son en tant que DJ dans un club d'Honolulu.

— Ça ne donne rien, dit Libby Quinn. C'est n'importe quoi.

— Ben c'est comme ça depuis le premier jour, non?

— On savait que ça pouvait arriver, qu'il n'y aurait peut-être aucun message de contenu dans ces échantillons. Il faut en trouver d'autres.

Libby prit un ton suppliant:

— Clay, la saison ne dure pas longtemps. Nous devons reprendre la mer. Maintenant que tu disposes de ce logiciel, tu n'as plus besoin de main-d'œuvre. Margaret et moi, nous t'apporterons d'autres bandes. On s'en est fait expédier par des gens de confiance, mais nous ne pouvons pas prendre le risque de foutre notre saison en l'air.

— Sans compter qu'il va nous falloir rendre publique cette affaire de batterie de torpilles, ajouta Margaret, d'un ton moins aimable que celui de Libby.

Clay hocha la tête et fixa ses pieds nus sur le plancher de bois brut. Il prit une profonde respiration, leva les yeux et sourit.

— Vous avez raison. Mais ne dites rien à personne et espérons que rien ne filtrera. Cliff Hyland m'a dit que les statistiques de plongée étaient la seule chose qui les souciait. Il va vous falloir prouver que les baleines à bosse plongent jusqu'au fond de la passe, sinon la marine prétendra que vous n'êtes qu'une bande de défenseurs des baleines et qu'il n'y a aucun danger pour les animaux. Même avec la batterie de torpilles.

— Tu es donc d'accord pour que l'on rende la chose publique? demanda Libby.

— Les gens seront informés de la présence des torpilles bien assez tôt. Je ne crois pas que vous courriez un quelconque risque. Mais ne dites rien pour le reste, d'accord?

Les deux femmes se regardèrent et hochèrent la tête.

276

— On doit y aller, dit Libby. On t'appellera, Clay. On ne te laissera pas tomber.

— Je sais, répondit Clay.

Après leur départ, Clay se tourna vers les deux surfeurs. Il avait passé trente ans de sa vie à travailler avec le gratin des scientifiques, les meilleurs plongeurs du monde et voilà où il en était arrivé : à coopérer avec deux gamins complètement défoncés.

— Les gars, je peux comprendre que vous ayez des trucs à faire, leur dit-il.

— J'me casse ! dit Lolo, qui était déjà debout et courait vers la porte.

Le regard de Clay tomba sur l'écran face auquel Lolo était assis. Il vit s'y inscrire :

ARRIVERONS À PV APPROXIMATIVEMENT 13.00 LUNDI-AI PAIRE
BASKET TAILLE 43 POUR QUINN-FIN
MESS-AAAA-BAXYXABUDAB

— Rappelle-le, dit Clay à Kona. Faut qu'on sache de quelle bande ça provient.

— Libby les lui a toutes données.

— Je sais. Mais j'ai besoin de savoir d'où ça sort, où et quand ça a été enregistré. Appelle Libby sur son portable. Vois si tu peux la retenir.

Clay essaya d'imprimer l'écran avant que le message n'ait disparu.

— Mais comment ça marche ce truc-là ? s'interrogea Clay.

— Comment savez-vous que je ne suis pas parti ? demanda Kona.

— Ce matin, tu t'es réveillé, Kona. Quelle autre raison avais-tu de sortir du lit à part naturellement d'aller surfer et fumer de l'herbe ?

— Retrouver Nat, mec.

— Eh ben alors ?

— J'appelle Libby, chef.

277

— Tu sais, gamin, la loyauté, c'est important. Je vais m'arranger pour trouver Lolo. Il faut qu'il me confirme de quelle bande ça sort.

— Taisez-vous, chef, voyez pas que j'essaie de composer le numéro ?

Derrière eux, le message crypté jaillit de l'imprimante.

CHAPITRE 28

Animal unicellulaire

Syndrome de Stockholm ou pas, Nat commençait à en avoir ras le bol de la vie communautaire façon hippie, tout le monde il est beau et la Glu pourvoira à tout. Nuñez était venue trois jours d'affilée pour lui faire découvrir la ville. Tous les gens qu'il avait rencontrés affichaient cet air béat lié au fait qu'ils vivaient à l'intérieur d'un organisme géant à six cents pieds sous la surface de l'océan. Comme s'il s'agissait d'un truc normal. Lui ne s'accommodait pas du programme et posait des questions. Au moins, les baleineux continuaient-ils à faire des *pfft!* mouillés et des gazouillis sur son passage. Au moins dans tout cela conservaient-ils un peu d'absurdité, malgré le fait qu'ils n'auraient même pas dû exister, ce qui semblait vraiment être un gros point de dénégation de leur part.

On avait installé Nat dans ce qu'il pensa être un appartement de luxe, enfin dans ce que vous auriez appelé un appartement, au second étage, avec vue sur la grotte. Les fenêtres étaient ovales et les carreaux, bien qu'invisibles, demeuraient rétractables. En fait, c'était comme de regarder le monde à travers un préservatif, et ce fut juste le début de ce qui le mit hors de lui-même. Il avait un évier, un lavabo et une douche (tous les trois dotés d'un gros sphincter au fond) et le joint de la porte du frigo (à supposer qu'on appelle ça comme ça) semblait fabriqué à partir de chair de limace ou tout du moins d'une substance qui vous tachait d'une traînée irisée si vous la frottiez. Dans la cuisine, il y avait aussi un vide-ordures muni de dents dont Nat se gardait bien de s'approcher. Le pire de tout était que l'appartement ne faisait pas le moindre effort pour cacher qu'il était vivant. Lors de sa première journée, quand l'équipage des humains du vaisseau baleine était venu boire un verre pour la pendaison de crémaillère, un bouton écailleux était apparu sur le mur de l'entrée, bouton qui, lorsqu'on pesait dessus, ouvrait la porte. Après que l'équipage fut parti et que Nat eut pris sa douche, la poignée de la porte avait disparu. Il n'était resté qu'une cicatrice dans le coquillage. Nat était enfermé.

Il entendit comme un tam-tam provoqué par des pierres qui venaient frapper la fenêtre de devant. Il alla voir, regarda l'immense grotte et le port, puis, en se penchant, il découvrit la raison de ses tourments. Un banc de petits baleineux jetait des pierres contre sa croisée. Bang ! Bang ! Bang ! Les pierres rebondissaient en ne laissant aucune trace. Quand Nat apparut à la fenêtre, les jets redoublèrent de violence. Les petits baleineux prirent le rythme et c'était Nat qu'ils visaient, comme si un tir bien placé pouvait actionner une manette qui le ferait tomber dans un tonneau plein d'eau.

Bang ! Bang ! Bang ! Clac ! De temps en temps une pierre mal lancée cognait contre le chambranle en coquillage de la fenêtre. On eût dit une bille venant frapper contre une tuile.

« Je dois ressembler au vieux Spangler quand il nous engueulait mon frère et moi, quand on allait lui voler ses pommes, pensa Nat. Mais comment ai-je pu en arriver là ? Je ne veux pas devenir comme le vieux Spangler. »

On frappa doucement sur le coquillage de l'entrée. Alors que Nat se retournait, la porte s'ouvrit comme des volets, les deux morceaux de coquillage se rétractant sur des muscles cachés dans le mur. Surpris, Nat vit Cielle Nuñez qui se tenait dans l'entrée, des sacs d'emplettes en toile pliés sous le bras. Agréable, attirante, compétente, elle n'intimidait pas. Nat était certain que c'était pour ces qualités qu'on l'avait choisie pour être son guide.

— Nat, êtes-vous prêt pour aller faire les magasins ? Je vous ai appelé pour vous annoncer ma venue, mais vous n'avez pas répondu.

L'appartement était doté d'un interphone. C'était une sorte de tube, très décoré, qui produisait des sifflements et des bruits voisins des battements d'ailes de scarabées quand quelqu'un appelait. Nat en avait peur.

— Cielle, ne pourrions-nous pas cesser de prétendre que nous sommes copains ? Rien que pour aujourd'hui ? Vous m'avez enfermé quand vous êtes partie.

— Pour votre propre sécurité.

— Ouais, c'est toujours l'argument qu'emploient les matons.

— Vous voulez venir acheter des vêtements et à manger ? C'est oui ou c'est non ?

Nat haussa les épaules et la suivit dehors. Ils marchèrent sur le pourtour de la grotte qui semblait être un croisement de vieux village anglais et de lotissement Art nouveau, avec ses portes et ses fenêtres aux formes irrégulières qui donnaient sur des boutiques où l'on vendait de la nourriture cuite et des plats préparés. Évidemment, la Glu n'était pas chaude pour qu'il y ait du feu un peu partout pour cuire les aliments. Donc, tous ceux qui étaient cuits étaient préparés dans une autre partie du complexe. L'appartement de Nat était doté d'une boîte à réchauffer. Ça ressemblait à une espèce de boîte à pain conçue à partir d'un coquillage géant d'armadille. Ça fonctionnait très bien. Il suffisait de relever le couvercle, d'y mettre la nourriture, et vous perdiez aussitôt l'appétit.

— Allons vous acheter quelques vêtements, dit Cielle. Ce pantalon n'est qu'un prêt. Seuls les équipages des vaisseaux baleines sont autorisés à en porter de semblables.

Comme ils marchaient, une demi-douzaine de petits de baleineux leur emboîtèrent le pas, en gloussant et gazouillant.

— J'aurais des ennuis si je bottais le cul de ces petits baleineux dans la rue ?

— Naturellement, fit Cielle en riant. Nous avons des lois ici, c'est comme partout.

— Mais apparemment vous n'en avez pas qui interdisent le kidnapping et l'emprisonnement abusif.

Nuñez s'arrêta et prit Nat par le bras.

— Mais de quoi vous plaignez-vous, enfin ? On est bien ici. On ne vous maltraite pas. Tout le monde est gentil avec vous. Où est le problème ?

— Où est le problème ? Mais le problème, c'est que tous les gens qui sont ici ont été arrachés à leur vie, ôtés à leur famille et à leurs amis, séparés de tout ce qu'ils connaissaient et vous vous comportez tous comme si ça ne vous gênait pas le moins du monde. Eh bien moi, ça me gêne. Ça m'emmerde un maximum. Je ne comprends rien à toute cette colonie, à cette cité, à ce machin. Comment est-ce que ça peut exister sans que personne n'en sache rien ? Pendant toutes ces années, pourquoi n'y a-t-il eu personne pour en sortir et briser le secret de son existence ?

— Mais je vous l'ai dit : nous allions tous mourir noyés et…

— C'est des conneries, ça. Avec moi, ça marche pas. Le coup de la gratitude envers celui qui vous sauve, ça va cinq minutes, mais c'est tout. Ça ne dure pas toute une vie. Tous les gens que j'ai vus sont complètement béats. Vous êtes tous à genoux devant la Glu, pas vrai ?

— Nat, vous refusez d'être enfermé, vous ne le serez plus. Vous pouvez vous balader dans Gluville et aller où bon vous chante. Il existe des centaines de kilomètres de couloirs. Il y en a que je n'ai jamais vus. Allez-y. Quittez la grotte et aventurez-vous dans un de ces couloirs. Mais vous savez quoi ? Dès ce soir vous chercherez à rentrer dans votre appartement. Vous n'êtes pas prisonnier, vous vivez seulement dans un autre endroit et d'une manière différente.

— Vous ne répondez pas à ma question.

— La Glu est la source, Nat. Vous verrez, le Colonel…

— J'emmerde le Colonel ! Ce n'est qu'un mythe à la con !

— Vous ne pensez pas qu'on devrait aller prendre un café ? Je vous sens ronchon.

— Mais bon Dieu, Cielle, ça n'a aucun rapport avec mon mal de tête dû au manque de caféine.

En fait, cela avait à voir, enfin… en quelque sorte. Nat n'avait pas bu de café depuis son réveil.

— Et de plus, dit-il, est-ce que c'est du vrai café qu'on nous sert ? C'est sûrement une espèce de boisson mutante faite de grains de café et de loutre de mer.

— C'est vraiment ce que vous voulez ?

— Non, c'est pas ce que je veux. Ce que je veux, c'est une poignée de porte qui ne soit pas un nodule organique… Je veux une poignée de porte à pêne dormant, avec un pêne qui dort depuis la nuit des temps, pas un machin avec lequel on était copains dans le temps.

Cielle Nuñez s'était écartée de Nat de quelques pas et les petits baleineux qui les avaient suivis s'étaient tus et regroupés, prêts à se battre, les plus grands à l'extérieur. Les badauds qui normalement ne manquaient pas l'occasion de hocher la tête et de sourire quand on les croisait se mirent à éviter Nat. Il y eut des sifflets bien singuliers au sein du groupe de petits de baleineux.

— C'est tout ce qui manque à votre bonheur ? demanda Nuñez. Une poignée de porte ? Alors je vais vous en trouver une. Et après, vous serez un homme heureux ?

Pourquoi fallait-il qu'il soit mal à l'aise ? Parce qu'il avait effrayé les gamins ? Parce qu'il avait mis ses ravisseurs dans une position embarrassante ? Peu importe, il se sentit mal à l'aise.

— Des boules Quies, si vous en aviez. J'aimerais bien. Pour dormir.

Sur vingt-quatre heures, la grotte sombrait dans l'obscurité pendant dix heures. Cielle expliqua que c'était pour le confort des êtres humains, pour les aider à conserver un semblant de rythme circadien normal. Les gens avaient besoin du jour et de la nuit, sans cela certaines personnes perdaient le sommeil. Le problème était que les baleineux ne dormaient pas. Ils se reposaient mais ne dormaient pas. Alors, quand l'obscurité se faisait dans la grotte, ils vaquaient à leurs occupations. Cependant, dans le noir, leur sonar émettait sans arrêt des cliquetis. La nuit, on aurait juré que la grotte était envahie par une armée de danseurs de claquettes. Pas seulement la grotte, l'appartement de Nat également.

Nuñez hocha la tête.

— On peut probablement vous trouver ça. Bon! Ça vous dirait d'aller boire une bonne tasse bien fumante de loutre de mer?

— Hein?

— Je plaisante. Allez, Nat, souriez.

— Je veux rentrer chez moi.

Ses paroles avaient dépassé sa pensée.

— Ce n'est pas possible. Mais je vais en parler. Je crois que le moment est venu que vous rencontriez le Colonel.

Ils passèrent la journée à faire les magasins. Nat trouva des pantalons de coton qui lui allaient, des chaussettes, des sous-vêtements et dans une minuscule boutique une pile de tee-shirts. On ne donnait pas d'argent. Nuñez faisait un signe de tête au vendeur et Nat prenait ce qu'il voulait. Les magasins offraient un éventail réduit de marchandises et la plupart de ce qu'ils proposaient provenait du monde d'en haut, qu'il s'agisse des vêtements, du tissu, des livres, des lames de rasoir, des chaussures ou du petit matériel électronique. Cependant, certaines échoppes offraient des articles qui, apparemment, avaient été confectionnés à Gluville, comme des brosses à dents, du savon et des lotions. Tous les emballages semblaient dater du XVIIe siècle, les vendeurs enveloppant tous les articles dans du papier huilé dont Nat se dit qu'il dégageait une vague odeur d'algue et avait vraiment la même couleur vert olive que le varech géant. Les clients apportaient leurs propres pots pour acheter de l'huile, des cornichons ou toute autre denrée un peu molle. Nat vit de tout, du plus moderne pot à mayonnaise à de la vaisselle fait main dont l'origine remontait au siècle précédent.

— Ça fait combien de temps ? demanda-t-il en regardant un commerçant compter des dattes sucrées dans une jarre en verre soufflé qu'il scella avec de la poix. Ça fait combien de temps que les gens sont ici ?

Cielle suivit son regard posé sur la jarre et dit :

— La plupart des denrées proviennent de naufrages de bateaux. Alors ne soyez pas surpris de voir des antiquités. L'océan est un grand conservateur. Cette jarre, on l'a peut-être récupérée la semaine dernière. Un de mes amis conserve des pommes de terre dans une amphore à vin grecque qui a deux mille ans.

— C'est ça, et puis moi je garde ma petite monnaie dans le Saint Graal. Répondez : ça fait combien de temps ?

— Vous êtes mal luné aujourd'hui, Nat. Je ne sais pas depuis combien de temps. Longtemps.

Il avait des dizaines, des centaines de questions à lui poser ; par exemple, où se procuraient-ils des pommes de terre alors qu'ils ne bénéficiaient pas de la lumière du soleil pour faire pousser quoi que ce soit ? Ils ne trouvaient pas les pommes de terre sur des bateaux naufragés. Mais Cielle le laissait s'enferrer dans ses questionnements avant de plaider l'ignorance.

Ils déjeunèrent à un comptoir de bar qui n'avait que quatre tabourets. La patronne était une étonnante Irlandaise, qui avait de surprenants yeux verts et une grosse touffe de cheveux roux. Comme tout le monde apparemment, elle connaissait Cielle et savait qui était Nat.

— Voulez pas un Walkman, docteur Quinn ?

— Aujourd'hui, Brennan, on va lui trouver des boules Quies, dit Cielle.

— La musique, y a rien de tel pour se débarrasser des sifflets des baleineux, fit la femme avant de disparaître à la cuisine.

Les murs du café étaient décorés de très vieux plateaux à bière, collés ici et là, comme Nat devait l'apprendre, grâce à un adhésif proche de ce que les anatifes sécrètent pour se coller à la coque des navires. Enfoncer des pointes était plutôt mal vu, car cela faisait saigner les murs blessés pendant quelque temps.

Nat mordit dans son sandwich de bon pain français croustillant aux boulettes de viande et à la mozzarella.

— Comment vous faites ? demanda-t-il à Cielle en soufflant les miettes sur le comptoir, comment vous y prenez-vous pour faire ça s'il n'y a pas de feu ?

— Je n'en ai aucune idée, dit Cielle en haussant les épaules. Il doit exister une boulangerie, je suppose. Tous les plats cuisinés sont préparés à l'extérieur de la grotte. Je n'y suis jamais allée.

— Vous ignorez comment c'est fait ? Mais comment est-ce possible ?

Cielle Nuñez posa son sandwich, s'appuya sur un coude et sourit à Nat. Elle avait un regard incroyablement gentil et Nat dut se faire violence pour se souvenir qu'elle avait reçu l'ordre de devenir son amie. C'est intéressant, pensa-t-il, qu'ils aient choisi une femme. Sert-elle d'appât ?

— Nat, demanda-t-elle, avez-vous lu *Un Yankee du Connecticut à la cour du roi Arthur* ?

— Bien sûr. Comme tout le monde.

— Ce type, qui vit à la fin du XIXᵉ siècle, débarque à Camelot et bluffe tout le monde avec ses connaissances scientifiques, notamment parce qu'il sait fabriquer de la poudre à canon, vous vous souvenez ?

— Oui, et alors ?

— Vous êtes un scientifique, alors vous devriez comprendre mieux qu'un autre. Prenez par exemple un citoyen moyen, disons, un type qui travaille dans une solderie. Balancez-le en plein XIIᵉ siècle, vous savez ce qui va arriver ?

— Continuez.

— Il va très vraisemblablement mourir d'infection bactérienne. Et ses ultimes paroles seront : « Il existe un truc qui s'appelle l'antibiotique, je ne plaisante pas. » Là où je veux en venir, c'est que j'ignore comment ces denrées ont été préparées, parce que je n'ai pas éprouvé le besoin de le savoir. Personne ne sait comment sont fabriquées les choses dont on se sert. Je suppose que je pourrais le savoir et vous le dire, mais je vous assure que je ne vous cache rien histoire d'avoir l'air mystérieux. Nous récupérons des tas de denrées à bord des vaisseaux baleines et nous disposons d'un réseau commercial dans le monde d'en haut qui nous procure beaucoup de choses. Quand les marins d'un cargo déchargent des palettes de vivres pour les habitants dans des îles reculées du Pacifique, tout ce qu'ils savent, c'est qu'ils ont été payés et qu'ils ont livré les vivres sur la côte. Ils n'attendent pas pour voir qui va venir chercher les vivres. Les vieux de la vieille disent que la Glu se chargeait de tout leur procurer. Rien de l'extérieur n'entrait ici qui n'ait pas été apporté sur leur dos à leur arrivée.

Nat mordit dans son sandwich et hocha la tête, comme s'il considérait ce que Cielle venait de dire. Depuis son arrivée à Gluville, au cours des discussions, il n'avait pensé qu'à deux choses : comment cet endroit pouvait fonctionner et comment en partir. La Glu devait tenir son énergie de quelque part. Rien que celle pour éclairer toute la grotte exigeait des millions de calories. Si l'énergie arrivait de l'extérieur, peut-être était-il possible d'utiliser le même chemin en sens inverse pour sortir de là...

— Et vous la nourrissez ? La Glu ?

— Non.

— Ben alors...

— J'en sais rien, Nat. Je n'en sais tout simplement rien. Vous savez, vous, comment fonctionne le nettoyage à sec ?

— Je suppose qu'ils utilisent des solvants qui... En fait, les biologistes n'ont pas beaucoup d'affaires qui nécessitent d'être nettoyées à sec. Je suis certain que ce n'est pas un procédé très compliqué.

Cielle se leva et regroupa ses paquets.

— Allons-y, Nat. Je vais vous raccompagner à votre appartement.

Puis après je vais aller à la tanière des baleineux pour voir s'ils peuvent décider le Colonel à vous rencontrer. Aujourd'hui même.

Nat n'avait pas encore terminé son sandwich.

— Hé ! Il me reste encore deux-trois bouchées à finir, dit-il.

— C'est pas vrai ? Mais à ce propos, vous êtes-vous posé la question de savoir où l'on se procurait des boulettes de viande à Gluville ? Et avec quelle sorte de viande elles étaient faites ?

Nat lâcha son sandwich.

— Ah ! Mais c'est qu'on fait sa chochotte, dit Brennan en sortant de la cuisine pour débarrasser leurs assiettes.

*

Nat était en train de lire un roman minable qui parlait d'un juge, roman trouvé dans la bibliothèque de son appartement, quand les baleineux vinrent le chercher. Ils étaient trois, deux gros mâles couleur de baleine tueuse et une femelle, plus petite, de l'espèce des bleues. Ce n'est que lorsque la bleue gazouilla un « Salut, Nat » d'une voix d'elfe écrabouillé qu'il reconnut Emily 7.

— Ah ? Salut, Emily. Au fait, Emily, ça suffit ? Ou dois-je ajouter le 7 ?

Nat se sentait toujours maladroit après coup.

Emily croisa les bras sur sa poitrine et sortit son œil gauche de son orbite.

— C'est bon, dit Nat en s'activant. Je crois qu'on devrait y aller. Vous avez vu ma poignée de porte ? Toute neuve ! Et en acier inox ! Je m'aperçois qu'elle fait tache dans le décor mais elle a comme un petit parfum de liberté.

« Bon, ça va, Nat, pensa-t-il, ça n'est qu'une poignée de porte. »

Ils l'emmenèrent par les extérieurs, au-delà du village, et s'engagèrent dans l'un des immenses corridors qui conduisaient hors de la grotte. Ils marchèrent pendant une demi-heure à travers un dédale de souterrains qui devenaient de plus en plus étroits et dont la couleur des parois, d'un rouge vif de carapace de langouste, virait au nacré à mesure qu'ils avançaient, jusqu'à pâlir et laisser juste assez de lumière pour voir où ils mettaient les pieds.

Puis le passage s'élargit à nouveau pour déboucher sur une grande pièce qui ressemblait à une sorte d'amphithéâtre ovale, entièrement nacrée, et qui produisait sa propre lumière. Des bancs étaient alignés le long des murs de la salle, tous donnant sur une grande rampe qui menait à un portail de forme circulaire, de la taille d'une porte de garage, fermé et doté d'un iris de coquillage noir.

— Oh! Oh! fit Nat, le grand et puissant Oz va te recevoir.

Les baleineux, qui d'habitude riaient de tout, détournèrent le regard. L'un des deux tachés de blanc et de noir se mit à siffloter à travers son évent *Aux portes du roi de la Montagne*, à moins que ce ne fût une chanson de Barbra Streisand, mais de toute façon c'était une mièvrerie.

Du revers de la main, Emily 7 frappa le siffleur en pleine poitrine. Le baleineux arrêta de siffloter immédiatement. Puis elle passa une main sur l'épaule de Nat pour l'inciter à gravir les marches vers la porte circulaire.

— C'est bon, je sais que c'est là, fit Nat en montant les marches à reculons pendant que les baleineux prenaient leurs distances. Hé, les gars! Feriez bien de pas me laisser seul, sinon je ne vais jamais retrouver mon chemin.

Emily 7 lui décocha son charmant demi-sourire de saumon dont elle avait le secret et lui fit un signe de la main.

— Merci, Emi. T'es chouette, tu sais? Est-ce que je t'avais dit que tu étais… resplendissante! fit Nat en se disant que «resplendissante», c'était pas mal du tout.

Dans le dos de Nat l'iris s'ouvrit et les baleineux tombèrent à genoux, leur mâchoire inférieure touchant le sol. Nat se retourna et vit que la rampe nacrée débouchait sur une chambre d'un rouge vif dont les murs, chatoyant de moisissure, semblaient respirer en rythme avec la lumière. À présent, cela ressemblait à une chose vivante, à l'intérieur d'une chose vivante. C'était bien plus impressionnant que ce que Nat avait pu connaître quand il avait été avalé par la baleine. Il avança. Quelques mètres plus loin la rampe se fondit en une sorte de chair rougeâtre dont Nat remarqua les vaisseaux sanguins et les nerfs. Il ne pouvait évaluer la taille de l'endroit où il se trouvait. L'espace paraissait tantôt s'agrandir pour le recevoir et tantôt se rétracter après son passage, un peu comme si une bulle se déplaçait en même temps que lui. Quand l'iris disparut dans la Glu rose, Nat sentit la panique l'envahir. Il prit une profonde inspiration d'air humide et bizarrement se mit à repenser à ce que Poynter et Poe lui avaient dit à bord de la baleine à bosse : « Ce sera plus facile si vous acceptez l'idée que vous êtes déjà mort. » Il prit une seconde profonde inspiration, avança encore de quelques mètres, et enfin s'arrêta.

— J'ai la foutue impression d'être un spermatozoïde, cria-t-il. (Après tout, n'était-il pas déjà mort ?) Je suis supposé rencontrer le Colonel.

En guise de réponse, la Glu commença à s'ouvrir face à lui, lui donnant l'impression de se trouver au sein d'une fleur en pleine éclosion. Une lumière plus brillante illumina la nouvelle pièce qui se découvrit, suffisamment grande pour abriter Nat et un interlocuteur en leur laissant un intervalle d'environ trois mètres. Vautré dans une grosse masse de poix, habillé comme pour partir à la chasse au grand fauve, la tête couverte d'une casquette de l'équipe des Giants de San Francisco, ainsi apparut le Colonel.

— Nat Quinn ! dit-il. Heureux de vous revoir. Ça faisait si long-temps.

CHAPITRE 29

Comment vanter le mort

Nat n'avait pas revu son vieux prof, Gérard « Ronchon » Ryder, depuis quatorze ans. Mis à part sa grande pâleur, le biologiste était resté le même : petit et costaud, avec une mâchoire en lame de couteau et une longue mèche de cheveux gris qui menaçait perpétuellement de tomber et de cacher ses yeux vert clair.

— Alors c'est vous, le Colonel ? demanda Nat.

Ryder avait disparu en mer, dix ans plus tôt, au large des îles Aléoutiennes.

— J'ai hésité un moment pour le titre. Pendant une semaine ou deux, j'ai été Viandard le Magnifique, mais je me suis dit qu'on allait dire que je cherchais à compenser quelque chose, alors j'ai décidé d'opter pour un truc plus militaire. J'ai fait ça à pile ou face entre le Capitaine Némo de *Vingt mille lieues sous les mers* et le Colonel Kurtz d'*Au cœur de la nuit*. J'ai tout simplement choisi « le Colonel ». C'est plus inquiétant.

— En effet.

Une fois encore, pour Nat, la réalité prenait un aspect contextuel et il essaya de ne pas y succomber. Ce type, qui autrefois avait été extrêmement brillant, parlait du choix de son pseudonyme de mégalo, assis dans une masse de poix.

— Désolé de vous avoir fait attendre avant de vous faire venir ici.

Mais maintenant que vous y êtes, ça fait quoi de se trouver en présence de Dieu ?

— Sauf le respect que je vous dois, monsieur, vous êtes un putain d'écureuil.

*

— Ça ne va pas, murmura Clay à l'oreille de Libby Quinn. On ne devrait pas être ici, aux obsèques de Nat, puisqu'il est encore vivant.

— Ce ne sont pas des obsèques, c'est une célébration, répondit Libby.

Ils étaient tous là réunis, au sanctuaire des baleines. Au premier rang : Clay, Libby, Margaret, Kona, Claire et la Vieille Peau. Derrière, on trouvait Cliff Hyland, Tarwater et leur équipe, Mordicus et ses jeunes têtes chercheuses, Jon Thomas Fuller et tous les membres d'équipage des bateaux de la Compagnie baleinière d'Hawaï, ce qui regroupait une trentaine de personnes. Au fond, se trouvaient les flics maritimes, les barmen et deux serveuses du Longee's. Il y avait des habitués du coin, comme les skippers des bateaux charters, le capitaine du port, les filles des guérites et les guides de plongée, des matelots et un gars qui tenait le bar à café près de la station-service portuaire. Il y avait également des chercheurs de l'université d'Hawaï et, assez bizarrement, deux plongeurs de corail noir, tous serrés dans la salle de conférences, leurs odeurs mélangées à la brise vespérale par les pales des ventilateurs.

— Tout de même, dit Clay.

— C'était un lion, dit Kona, l'œil mouillé de larmes. Un grand lion.

C'était là le plus grand compliment qu'un rasta puisse faire.

— Mais il n'est pas mort, dit Clay. Tu le sais bien, espèce d'idiot.

— Tout de même, répondit Kona.

C'était un enterrement à la mode du pays ; c'est-à-dire que tout le monde était en tongs et en short. Les hommes avaient cependant enfilé leur plus belle chemise hawaïenne et les femmes leur plus pimpante robe imprimée. Nombreux étaient ceux qui avaient apporté des guirlandes de fleurs. Ils les avaient déposées sur les couronnes mortuaires, à l'entrée de la salle, ces couronnes représentant Nat Quinn et Amy Earhart. Pendant dix minutes, un prêtre de l'Église unifiée parla de Dieu, de l'océan et de la vocation avant de laisser la place à quiconque souhaitait dire un mot. Il y eut un long silence avant que la Vieille Peau, vêtue d'un paréo imprimé d'une baleine en train de rire, une douzaine d'orchidées plantées dans les cheveux, ne se décide à trottiner vers l'estrade.

— Nat Quinn est vivant, dit-elle.

— Je pourrais pas avoir un « ainsi soit-il » ? cria Kona avant que Claire ne lui tire ce qui lui restait de dreadlocks.

Tous les biologistes et étudiants de dernière année présents se regardèrent, les yeux écarquillés, interloqués, chacun se demandant si l'un d'entre eux n'avait pas réellement apporté un « ainsi soit-il » dont il aurait pu se débarrasser. Personne ne leur avait dit qu'ils auraient besoin de ça, sinon ils en auraient apporté un. Les scientifiques impressionnaient tous les marins du port et les habitants de Lahaïna, et ces derniers n'étaient pas décidés à se débarrasser d'un « ainsi soit-il », comme ça, devant toutes ces têtes d'œuf. Non, non, pas question. Les flics maritimes, qui voyaient d'un mauvais œil le fait que Kona ne soit pas derrière les barreaux, n'avaient aucune envie de lui donner quoi que ce soit, et encore moins un « ainsi soit-il ». Finalement, ce fut un des pêcheurs de corail noir qui, la nuit d'avant, avait expérimenté le cocktail parfait pour une veillée mortuaire, à savoir un chouia d'ecstasy, un joint et une bouteille de boisson maltée, qui, à l'attention de tous les endeuillés, se fendit d'un faible et très endormi « ainsi soit-il » qui reniflait du goulot.

— Et je sais, reprit la Vieille Peau, que s'il ne s'était pas obstiné à refuser un sandwich au bœuf fumé à ce chanteur qui hante la passe, que Nat serait ici parmi nous aujourd'hui.

— Mais s'il était parmi nous…, murmura Claire.

— Chut! lui intima Margaret Painborne.

— Tu n'as pas à me dire « chut » comme ça, sinon je vais te faire bouffer la moquette avec une paille, moi!

— Ma chérie, je t'en prie, dit Clay.

La Vieille Peau raconta comment, chaque jour de ce dernier quart de siècle, elle s'était entretenue avec les baleines, comment elle avait fait la connaissance des jeunes et stupides Nat, Clay et Cliff quand ils avaient débarqué sur l'île, combien ils avaient changé puisqu'ils n'étaient aujourd'hui plus très jeunes. Elle rappela le sérieux de Nat, la considération dont il jouissait, mais aussi le fait que, s'il n'avait pas été aussi tête en l'air, il aurait pu trouver une honnête femme qui aurait su l'aimer. Elle dit qu'elle ignorait où était Nat Quinn, mais dit aussi que s'il ne se magnait pas le cul à rentrer à Mauï le plus tôt possible, elle lui tirerait les oreilles quand elle le verrait. Puis elle s'assit dans un silence assourdissant troublé de gloussements de compassion. Enfin, les regards se tournèrent vers Clay qui contemplait un ventilateur plafonnier.

Après une longue minute de malaise, après que le prêtre eut feint à plusieurs reprises de rejoindre l'estrade comme pour mettre un terme à la cérémonie, Gilbert Box, alias Mordicus, se leva. Pour une fois, il n'avait pas son éternel chapeau, mais il portait néanmoins ses énormes lunettes de soleil enveloppantes. Sans son couvre-chef qui atténuait l'aspect triangulaire du visage, ses lunettes lui donnaient l'air d'une sorte de mante religieuse, toute pâle dans son habit de toile. Il ajusta le micro à sa taille, s'éclaircit la gorge avec ostentation et dit :

— Je n'ai jamais aimé Nat Quinn…

Chacun s'attendit à ce qu'il ajoute un « mais », mais le « mais » ne vint pas. Gilbert Box adressa un hochement du chef à l'assistance et se rassit sous les applaudissements de ses jeunes têtes chercheuses.

Le suivant à s'exprimer fut Cliff Hyland, qui, pendant dix minutes, rappela quel type extraordinaire et quel excellent chercheur avait été Nat. Puis ce fut au tour de Libby de s'approcher pour enfin parler de l'aspect canadien de Nat et de la façon dont il avait su défendre le Grand Sceau de Colombie-Britannique, qui était, selon lui, bien supérieur à tous les sceaux des autres provinces du fait qu'il associait un orignal et un bélier en train de fumer un narguilé, prouvant par là même un esprit de coopération et de tolérance, **alors** que le sceau de l'Ontario représentait un orignal et un élan essayant de **bouffer** un ours, que celui de la Saskatchewan montrait un orignal et **un lion** en train d'allumer un feu pour faire une fondue — ces deux sceaux exploitant clairement la frousse innée que les Canadiens ont de l'orignal — et qu'enfin le sceau du Québec affichait une femme en toge en train de montrer un nichon à un lion, ce qui était d'un esprit très français. Nat avait passé les sceaux de toutes les provinces en revue, mais c'étaient là les seuls dont elle pouvait se souvenir. Puis Libby avait reniflé et s'était rassise.

— C'est seulement à ça que vous êtes arrivés ? siffla Clay. Après quoi ? Cinq ans de mariage ?

— Fallait bien que je parle d'un sujet qui n'offenserait pas Margaret, murmura Libby à l'oreille de Clay. Mais je ne t'ai pas vu te ruer vers l'estrade.

— Je vais quand même pas parler de feu mon copain alors que je pense qu'il n'est pas mort.

Sans prévenir, Jon Thomas Fuller gagna l'estrade et remercia Nat pour le soutien apporté à son nouveau projet, puis il rappela combien il se félicitait de voir que la communauté scientifique adhérait à son « delphinarium interactif », ce qui fut ressenti comme un gros scoop de la part des chercheurs présents. Au cours du bref discours, Claire avait pris la nuque de Clay d'un mouvement qui pouvait passer pour un geste de consolation mais qui était en fait une solide prise apprise en voyant les flics faire ça à la télé.

— Chéri, si tu réponds à ça, en moins de deux tu vas te retrouver KO. Ce serait manquer de respect à la mémoire de Nat.

Mais son effort n'empêcha pas Kona, situé de l'autre côté, de tousser en lâchant un « Foutaises ! » à l'instant où Jon Thomas regagnait sa place.

Après, une étudiante de maîtrise qui travaillait pour Cliff Hyland se leva et raconta comment les travaux de Nat avaient fait naître chez elle de l'intérêt pour ce domaine d'études. Puis quelqu'un du Service de la conservation et des ressources naturelles d'Hawaï sut dire combien Nat avait toujours été à la pointe du combat en faveur de la conservation et de la protection des baleines à bosse. Le capitaine du port parla de la compétence et de la conscience professionnelle de Nat en tant que marin. Tout cela prit une heure, et quand il parut évident que plus personne n'allait se lever pour parler, le prêtre s'avança vers l'estrade. Mais Kona, qui réussit à se dégager de la main de fer de Claire, le devança. Après être arrivé au premier rang, il fit alors :

— Comme a dit la vieille Tatie, Nat est vivant. Mais aujourd'hui, personne n'a prononcé un seul mot en souvenir de Blanche-Neige qui — Jah ait pitié d'elle — sert d'appât aux poissons dans la grande bleue. (Sanglots.) Je ne l'ai pas connue longtemps, mais je crois pouvoir dire, au nom de tous, que j'ai toujours rêvé de la voir à poil. C'est la vérité, les mecs. Et quand je repense à la rondeur et à la fermeté de...

— Elle nous manquera beaucoup, coupa Clay en mettant un terme au discours du faux Hawaïen.

Il bâillonna Kona d'une main et le tira vers la porte.

— C'était une gosse vraiment brillante, ajouta Clay.

Sur ce, le prêtre sauta sur l'estrade pour tous les remercier d'être venus et déclara dans une prière que chacun avait présenté ses hommages. Amen.

*

— C'est évident, la santé mentale peut être un problème, dit Ronchon Ryder. D'être la conscience de Dieu, c'est un sacré boulot.

Nat jeta un coup d'œil circulaire et, comme si elle avait suivi son

296

regard, la Glu se rétracta autour d'eux jusqu'à ce qu'ils se trouvent dans une chambre, en fait une sorte de bulle, de cinq mètres de diamètre. « On dirait qu'on fait du camping dans la vessie de quelqu'un », se dit Nat.

— C'est mieux comme ça ? demanda Ryder.

Nat s'aperçut que c'était le Colonel qui contrôlait la forme de la chambre dans laquelle ils étaient.

— Un coin pour s'asseoir, ce serait pas mal, fit Nat.

Dans le dos de Nat la Glu prit la forme d'une chaise longue. Le chercheur y toucha timidement, tout en se disant que des filaments de vase allaient lui coller au bout des doigts quand il retirerait ses mains, mais bien que la Glu se mît à briller comme une surface humide, sur la chaise longue, c'était sec. Chaud et répugnant, mais sec. Nat prit place dans le siège.

— Tout le monde croit que vous êtes mort, fit Nat.

— C'est la même chose en ce qui vous concerne.

Nat n'avait pas beaucoup pensé à ça, mais le Colonel avait raison, c'était la vérité. On devait le croire mort depuis longtemps.

— Vous êtes ici depuis que vous avez disparu, il y a… quoi, dix ans, c'est ça ?

— Oui. Ils m'ont capturé avec une baleine franche modifiée, ils ont bouffé tout mon Zodiac avec, mon équipement, tout ! Ils m'ont amené ici à bord d'une baleine bleue. Pendant le voyage, j'ai cru devenir dingue. Je n'arrivais pas à me faire à l'idée de ce qui m'arrivait. Ils m'ont gardé attaché la plupart du temps. Jusqu'à notre arrivée ici. Je suis sûr que ça n'a pas aidé, fit Ryder en haussant les épaules. J'ai commencé à aller mieux quand j'ai accepté la façon dont ici les choses fonctionnaient. J'ai alors compris pourquoi ils m'avaient kidnappé.

— Et c'était pour quelle raison ?

— La même que pour vous. Grâce à mes travaux sur ce que cachaient les signaux des différentes sortes d'appels des baleines, j'étais sur le point d'imaginer leur existence. Ils nous ont capturés tous les deux dans le seul but de protéger le secret des vaisseaux baleines et aussi, au bout du compte, la Glu elle-même. On devrait leur être reconnaissants de ne pas nous avoir tués.

Nat avait pensé à cet aspect des choses auparavant.

— D'accord, mais pourquoi ne l'ont-ils pas fait ?

— Eh bien, ils m'ont pris vivant parce que la Glu et les gens d'ici voulaient savoir ce que je savais vraiment et par quel moyen j'en étais venu à soupçonner le contenu des appels des baleines. Ils vous ont aussi capturé parce que je leur en ai donné l'ordre.

— Mais pourquoi ?

— Comment ça : pourquoi ? Parce que nous étions collègues, parce que j'ai été votre prof, parce que vous êtes brillant et intuitif, que je vous aime bien et que vous êtes un type honnête. Pourquoi ? Pourquoi ? Vous m'emmerdez avec vos pourquoi.

— Ronchon, vous vivez dans un repaire de vase et vous vous êtes construit une identité de seigneur mystérieux des profondeurs. Vous commandez une armada de cuirassés dotés d'équipages composés de baleineux humanoïdes et vous êtes présentement vautré dans une masse vivante de glu visqueuse dont on pourrait se demander si elle ne sort pas du Paradis de la Gélatine, alors pardonnez-moi si je vous emmerde avec mes questions à propos de vos motivations.

— OK, bien vu. Je peux vous offrir quelque chose à boire ?

Comme nombre de scientifiques que Nat avait connus, Ryder avait fait son bonhomme de chemin et réalisé à mi-parcours qu'il était passé à côté de certains raffinements sociaux pratiqués par ses congénères civilisés, mais dans le cas présent, il était totalement à côté de la plaque.

— Non, je ne veux rien boire. Ce que j'aimerais, c'est savoir comment tout cela est arrivé. Qu'est-ce que c'est que ce truc dans lequel nous sommes ? Vous êtes biologiste, Rochon, vous vous êtes forcément interrogé.

— Je suis toujours resté curieux. Ce que je sais, c'est que ce machin est responsable de la création de tout ce qui existe à Gluville, de tout ce que vous avez vu ici, des bâtiments, des corridors, de la plus grande partie de la machinerie, tout est l'œuvre de la Glu. On n'a affaire qu'à un seul et même organisme géant. Il peut prendre la forme de n'importe quel organisme existant sur terre, et il a la capacité d'en créer d'autres si le besoin s'en fait sentir. C'est la Glu qui a créé les vaisseaux baleines et les baleineux. Et le pompon, Nat, c'est que ça n'a pas pris trente millions d'années. La totalité des espèces n'ont pas plus de trois siècles.

— C'est impossible, dit Nat.

En tant que biologiste, il existe certains principes que vous acceptez, et l'un d'eux veut que tout organisme complexe soit le fruit d'une évolution par sélection naturelle. Le fait que vous obtenez une nouvelle espèce parce que les gènes qui ont favorisé sa survie dans un environnement donné furent reproduits dans ces espèces-là, résultat d'un procédé qui prit des millions d'années. On ne remplit pas un bon de commande, on ne trouve pas la nouvelle espèce la semaine suivante dans sa boîte aux lettres. Il n'y a pas de super-Trois Suisses cosmiques, il n'y a pas de grand horloger ou de super-designer. Il n'y a que l'évolution et le facteur temps.

— Comment pouvez-vous savoir ça ? demanda Nat.

— Ce que je sais, je l'ai appris au contact de la Glu, mais je ne suis pas loin de la vérité. C'est peut-être moins de trois siècles, peut-être deux.

— Comment ça : deux siècles ? Les baleineux sont définitivement des êtres doués de sensations et si je ne sais rien des vaisseaux baleines, je sais tout de même qu'ils sont vivants. Ce type d'organisme complexe n'arrive pas à maturité en si peu de temps.

— En effet. Je dirais que la Glu existe depuis trois milliards et demi d'années. Les rochers autour de ces grottes sont parmi les plus vieux du globe. Je dis simplement que les baleineux et les vaisseaux sont de création récente, qu'ils n'ont que quelques centaines d'années parce que avant la Glu n'avait pas ressenti le besoin de les créer.

— La Glu aurait eu besoin d'eux, alors elle les aurait créés pour s'en servir ? Comme si elle était dotée de volonté ?

— Elle l'est. Elle est sûre d'elle. Et elle en connaît un rayon. En fait, Nat, j'irais jusqu'à dire que la Glu est le dépositaire de chaque bribe de connaissance de la planète. On ne verra jamais rien de plus proche de Dieu que ce machin, que cette Glu. C'est la soupe idéale.

— La soupe primaire ?

— Tout à fait. Il y a quatre milliards d'années, de grosses molécules organiques se sont regroupées, probablement autour d'une source sous-marine de chaleur géothermique, et elles y ont appris à se diviser et à se reproduire. Puisque la reproduction est le nom du jeu de la vie, elle a très rapidement envahi la planète, probablement en moins d'un million d'années. De grosses molécules organiques ne pourraient plus exister aujourd'hui parce que des millions de bactéries les mangeraient, mais à l'époque il n'y avait pas de bactéries. À un moment donné, la surface globale organique des océans s'est trouvée peuplée d'une seule chose vivante capable de reproduction. À l'évidence, comme les reproducteurs se sont trouvés exposés à toutes sortes de conditions, ils ont fini par muter et se développer sous la forme de nouvelles espèces, se nourrissant les unes des autres, certaines colonisant d'autres espèces et devenant ainsi des animaux complexes, eux-mêmes devenant encore plus complexes, mais une partie de cet animal premier s'est retiré à l'endroit d'où il était originaire. C'est à ce moment que des données chimiques ont été échangées, d'abord grâce à l'ARN, puis à l'ADN. Chaque nouvelle espèce évoluant, elle emportait le nécessaire pour créer la future espèce, et ces informations revinrent à l'animal originel qui avait son propre repaire et tirait son énergie de la chaleur de la terre, bien abritée par les rochers dans les profondeurs de l'océan. Elle a pris toutes les informations de chaque animal avec lequel elle s'est trouvée en contact mais elle n'a évolué que dans le seul but de se protéger et de se reproduire. Alors que des millions et des millions d'espèces apparaissaient et mouraient dans l'océan, cet animal originel subissait une très lente évolution sans jamais cesser d'apprendre. Pensez-y, Nat : à l'intérieur de chaque cellule de votre corps se trouve non seulement l'empreinte de tout ce qui vit sur terre mais aussi celle de ce qui y a vécu. Quatre-vingt-dix-huit pour cent de votre ADN se contente de faire du stop. Ce sont juste des petits gènes assez veinards et assez futés pour s'aligner eux-mêmes sur d'autres gènes plus prospères. Une espèce de mariage d'argent, si vous préférez. Mais la Glu possède non seulement tous ces gènes mais aussi le diagramme qui permet de les activer ou de les laisser en sommeil. Ce fauteuil sur lequel vous êtes assis peut très bien avoir trois milliards d'années.

Soudain, Nat sentit quelque chose qu'il n'avait éprouvé précédemment qu'en se réveillant dans un hôtel avec le couvre-lit autour du visage : un profond et sérieux espoir, motivé par le dégoût, que depuis son arrivée, quelqu'un avait balancé le matériel génétique. Il se leva, juste pour être sûr.

— Ronchon, comment pouvez-vous savoir tout ça ? Ça va à l'encontre de tout ce que nous connaissons sur l'évolution.

— Non. Ça colle même parfaitement. En effet, un procédé aussi complexe que la vie peut se développer, si on lui en donne le temps, mais nous savons également qu'un animal qui a trouvé le milieu idéal n'est pas soumis au changement. Les requins sont restés à peu près les mêmes depuis cent millions d'années, le nautile à coquille chambrée depuis cinq millions d'années. Vous êtes juste en train de contempler l'animal qui a le premier trouvé son milieu. C'est le tout premier, la source originelle.

Nat secoua violemment la tête en rapport avec ce qu'il venait d'entendre.

— Vous pourriez peut-être expliquer le fait que la piste évolutive a été préservée, mais vous ne pouvez expliquer la conscience, la pensée analytique, le procédé qui, pour fonctionner, requiert un mécanisme compliqué. Vous ne pouvez pas faire l'impasse sur cette complexité fonctionnelle grâce à de bonnes grosses molécules organiques.

— Les molécules ont évolué, mais elles ont gardé la mémoire. La Glu est une forme de vie complexe, bien qu'amorphe. Elle ne ressemble à rien d'autre. Nat s'écarta du Colonel et la Glu se détendit pour lui faire de la place. Le mouvement eut sur lui un bref effet de vertige et il en perdit l'équilibre. La Glu lui sauva la mise. La paroi monta jusqu'aux épaules de Nat, juste assez pour le stabiliser. Nat fit un rapide demi-tour et la Glu se rétracta.

— Bon Dieu, mais c'est dégueulasse !

— Eh bien vous voyez, Nat. Vous seriez surpris des connaissances de la Glu, de ce qu'elle peut nous dire. Vous pouvez continuer à vivre ici. Vous verrez des choses ici comme nulle part ailleurs, vous réaliserez des choses que vous ne feriez pas faire ailleurs. Et dans le même temps vous pourriez m'aider à éclaircir la plus grande énigme biologique de l'histoire du monde.

— Après avoir dit un truc comme ça, Colonel, vous êtes supposé partir d'un rire hystérique, n'est-ce pas ?

— Si vous m'aidez, je vous donnerai ce que vous avez toujours désiré.

— Malgré ce que vous pouvez penser, ce que je veux c'est rentrer chez moi.

— Ça n'arrivera pas, Nat. Jamais. Vous êtes un type brillant. Je ne vous ferai pas l'injure de faire comme si les circonstances n'étaient pas différentes de ce qu'elles sont en vérité. Vous ne quitterez jamais ces grottes vivant. Il vous faut donc choisir la façon dont vous souhaitez vivre. Ici, vous pouvez disposer de tout ce que vous ne pouvez pas avoir à la surface. Bien plus que ça, en fait. Mais vous ne partirez jamais.

— Très bien. Alors dans ce cas, Colonel, voyez donc avec votre crotte de nez géante si elle ne peut pas vous cloner ; comme ça vous pourrez vous enculer vous-même.

— Je connais le secret du chant des baleines, Nat. Je sais à quoi il sert.

Nat eut le sentiment qu'il venait d'être mis KO par ses propres obsessions, mais il chercha à en masquer l'impact.

— Mais ça n'a plus d'importance à présent, vous ne croyez pas ?

— Je comprends, Nat. Prenez un peu de temps pour réfléchir, mais il y a tout de même urgence. Il ne s'agit plus de reculer et de recueillir des statistiques, il faut agir. J'ai besoin de votre aide. Nous en reparlerons bientôt.

La Glu s'affaissa et sembla envelopper le Colonel. Il y eut un bruit de papier que l'on déchire et, derrière Nat, s'ouvrit un long tunnel rose qui conduisait à la porte en iris par laquelle il était entré. Il jeta un dernier regard par-dessus son épaule, mais il n'y avait plus rien que la Glu, Ryder avait disparu.

Dans le hall, Nat retrouva les deux gros baleineux. Ils le dévisagèrent, se regardèrent, puis se mirent à hennir en dévoilant leurs dents. Emily 7 n'était plus avec eux.

— Quel putain d'écureuil ! dit Nat.

Les baleineux furent secoués d'un rire sifflant, qui redoubla alors qu'ils accompagnaient Nat dans le corridor qui conduisait à la grotte. « On peut dire ce qu'on veut, pensa Nat, mais la Glu a créé ces gaziers-là pour qu'ils aient du bon temps. »

*

Dès qu'il entra chez lui, Nat sut qu'il n'était pas seul. Il remarqua une odeur. Pas uniquement celle, omniprésente, de l'océan, mais une odeur artificielle, plus discrète. Il jeta rapidement un coup d'œil dans les pièces principales et dans la salle de bains. Quand la porte de la chambre s'ouvrit, il aperçut une forme sous les couvertures de son lit double. La lumière bio ne s'alluma pas automatiquement comme à l'habitude. Nat poussa un soupir. La forme, sous les couvertures, s'était blottie dans un coin, exactement comme elle l'avait fait à bord du vaisseau baleine.

— Emily 7, tu es une gentille... comment dire... personne, vraiment, mais je suis...

Qu'était-il au fait ? Il ne savait plus quoi dire. Essayait-il seulement d'en savoir un peu plus sur lui-même ? Avait-il besoin d'espace ? Puis il se rendit compte que quoi que ce fût ou qui que ce fût caché sous les couvertures, c'était trop petit pour être la baleineuse amoureuse. Était-ce Nuñez ? Ce qui s'annonçait pire qu'Emily 7. Nuñez, même si elle n'était pas de son bord, restait sa seule connaissance féminine à Gluville. Il ne souhaitait pas et n'avait pas les moyens de se griller avec ce contact. Il entra dans la chambre, essayant de trouver un truc qui rendrait la situation impossible.

— Je vous aime bien. Si, si, je vous assure. Et je sais que nous avons passé pas mal de temps ensemble et...

— Super ! fit Amy en rejetant les couvertures. Moi aussi, je vous aime bien. Alors ? Vous venez ?

CHAPITRE 30

Empenné de sa mère

Clay et Kona avaient passé la journée à nettoyer la boue à bord du *Toujours Confus* renfloué. À présent, Clay se trouvait sur la digue du port de Lahaïna. Le soleil, espèce de grosse boule rouge, s'enfonçait dans le Pacifique, inondant l'île de reflets pourpres. Clay était tiraillé entre cette mélancolie et cet énervement que procure l'absorption de café et de whisky irlandais lors de la veillée mortuaire de quelqu'un qu'on ne connaissait pas, et qui se termine la plupart du temps en bagarre. Il sentait qu'il devait faire quelque chose, sans savoir quoi. Il fallait qu'il bouge. Mais pour aller où ? Libby lui avait confirmé que le dernier message de Nat avait été enregistré une semaine après la disparition de ce dernier et c'était une nouvelle preuve que Nat avait survécu à son accident survenu dans la passe. Mais où pouvait-il être ? Où voulez-vous courir au secours de quelqu'un si vous ignorez où il se trouve ? Depuis lors, toutes leurs analyses des bandes avaient montré qu'il s'agissait de simples appels des baleines. Clay en perdait son latin.

— Qu'esse vous faites ? demanda Kona, pieds nus, puant l'eau de Javel, en arrivant derrière Clay.

— J'attends le rayon vert.

Ce n'était pas vraiment la vérité, mais ça lui arrivait parfois de l'attendre à l'instant où le soleil disparaissait à l'horizon. Clay avait besoin qu'il se passe quelque chose.

— Je l'ai déjà vu. C'est dû à quoi ?

— Ben… heu… (voilà autre chose, se dit-il, car il n'en savait pas assez en sciences naturelles pour mener à bien tout ce qu'il voulait faire), je crois que lorsque le soleil disparaît sous l'horizon c'est dû au résidu de spectre qui se réfléchit sur la mucusphère, c'est ça qui crée le rayon vert.

— Ouais, mec, la mucusphère, ça doit être ça.

— C'est scientifique, dit Clay qui savait que cela n'avait pas de rapport avec les sciences.

— Quand le bateau il va être nickel, on va sortir avec pour aller enregistrer les baleines et faire des trucs comme ça ?

« Bonne question », se dit Clay. Collecter des stats, il savait faire, mais les analyser, il ne possédait pas les connaissances nécessaires pour le faire. Il avait compté sur Amy pour ce travail.

— J'en sais rien. Si on retrouve Nat, peut-être.

— Vous pensez qu'il vit encore, alors ? Même après tout ce temps ?

— Ouais. J'ai espoir. Je crois qu'on devrait continuer à travailler jusqu'à ce qu'il revienne.

— Ouais. Nat, il a dit que les Japonais ils vont tuer nos baleines de Mink si vous travaillez pas dur.

— Les baleines de Mink… Bien sûr. Je suis allé une fois à bord d'un bateau, norvégien qu'il était.

— C'est dégueulasse de faire ça.

— Peut-être. Mais il y a beaucoup de Mink, leur espèce n'est pas menacée. Les Japonais et les Norvégiens n'en tuent pas suffisamment pour mettre la survie de l'espèce en danger, alors pourquoi on les laisserait pas les tuer ? Ce que je veux dire c'est : quel argument on a pour les arrêter de faire ça ? Parce que les baleines, c'est gentil ? Les Chinois font bien des fricassées de chats… et on dit rien.

— Les Chinois font des fricassées de chats ?

— Je dis pas que je suis d'accord avec les Chinois, mais on n'a pas d'argument percutant.

306

— Les Chinois font des fricassées de chats ? répéta Kona dont la voix montait chaque fois un peu plus dans les aigus.

— Peut-être que grâce aux études qu'on mène ici on pourra prouver que ces animaux ont une culture, qu'ils sont plus près de nous qu'on le pense. Là, alors, on disposera d'un argument.

— Des chats ? Des gentils petits chats ? Ils les font cuire à la poêle ?

Triste, frustré, Clay méditait en regardant le soleil se coucher quand les mots sortirent de ses lèvres comme un long soupir incongru.

— Évidemment, quand j'étais à bord de ce baleinier, j'ai compris comment les Japonais voyaient les animaux. Ils les voient comme du poisson. Pour eux, c'est ni plus ni moins qu'un thon. Mais j'étais en train de photographier une femelle cachalot avec son petit et le baleineau s'est séparé du groupe. La mère est revenue le chercher et a écarté son petit du Zodiac. Visiblement, les baleiniers ont été émus. Ils ont vu qu'il y avait une relation mère-enfant qui n'avait rien à voir avec celle des poissons. C'est peut-être pas une cause perdue.

— Des chats ? soupira Kona sur le même ton de résignation que venait d'employer Clay.

— Ouais, répondit Clay.

— Mais comment on va faire pour retrouver Nat pour pouvoir faire du bon boulot et sauver les baleines à bosse et les Mink ?

— Parce que c'est ce qu'on fait ?

— Non, pas en ce moment. En ce moment, on attend le rayon vert.

— Je ne connais rien à la science, Kona. Pour le rayon vert, j'ai tout inventé.

— Ah ? Je savais pas. Mais la science, quand on y connaît rien, c'est comme de la magie.

— Je crois pas à la magie.

— Dis pas ça, mon frère. Sinon la magie va venir te pincer le cul et tu vas crier au secours.

Au cours de ces instants en compagnie du surfeur, Clay sentit disparaître une partie du poids de sa mélancolie, mais l'envie de passer à l'action l'énervait, comme s'il avait eu une puce dans l'oreille.

— Kona, allons faire un tour en campagne.

— Ils font vraiment des fricassées de chats en Chine ? dit Kona d'une voix si haut perchée que les chiens des alentours se mirent à gémir.

*

— Amy ? Mais comment est-ce possible ?

La lumière s'était allumée et Nat pouvait voir que c'était bien Amy qui se trouvait dans son lit, surtout une partie d'Amy qu'il n'avait pas vue auparavant.

— Ils m'ont capturée, Nat. Tout comme vous. Quelques jours plus tard. C'était horrible. Vite ! Prenez-moi dans vos bras !

— C'est également un vaisseau baleine qui vous a avalée ?

— Oui, tout comme vous. Prenez-moi dans vos bras, j'ai si peur…

— Et ils vous ont amenée jusqu'ici ?

— Oui, tout comme vous, sauf que pour une dame, ç'a été pire. Je me sens… si… si nue. Prenez-moi.

— Une « dame », dites-vous ? Mais plus personne n'emploie ce mot-là.

— Ben, disons une Afro-Américaine alors.

— Vous n'êtes pas afro-américaine.

— Je ne me souviens plus des termes politiquement corrects. Nat, je vous en prie… Il faut que je vous fasse un dessin ? Montez dans le lit, fit Amy en tapotant les couvertures avant de les repousser et de prendre une pose de pin-up toute souriante.

Mais Nat recula.

— Vous mettez votre tête sous l'eau pour écouter la baleine. La seule personne que je n'aie jamais vue faire ça, c'était Ryder, dit-il.

— Regardez mes marques de bronzage, Nat, répondit Amy.

Elle fit courir ses doigts sur ses traces de bronzage qui, pour Nat, ressemblaient davantage à une ligne de couleur beige. Néanmoins, Amy captait son attention.

— Je n'ai jamais eu de marques comme ça avant.

— Amy !

— Quoi ?

— Vous êtes en train de me piéger !

— Je suis toute nue. Vous y avez pensé ?

— Oui, mais…

— Ha ! Je crois que je viens de marquer un point.

— Amy, ce « ha », c'est pas très professionnel.

— M'en fous ! Je ne travaille plus pour vous, vous n'êtes plus mon patron et en plus, regardez-moi ce cul, fit-elle en se retournant.

Et il regarda.

— Arrêtez ! dit-il en se tournant vers le mur. Vous m'avez espionné. Vous êtes responsable de tout ce qui arrive.

— Ne soyez pas ridicule. Je ne suis que partiellement responsable, mais tout est pardonné. Visez un peu si je suis appétissante, dit Amy en passant sa main sur son corps, comme si Nat l'avait gagnée dans une tombola.

— Voulez-vous arrêter ça ?

Nat tendit la main et lui remonta les couvertures jusqu'au cou. Les repoussant, elle dit en découpant les syllabes et tout en dévoilant ses seins :

— Su-per-be.

Nat quitta la pièce.

— Habillez-vous et venez ici. Je ne peux pas vous parler dans ces conditions-là.

— Très bien. Alors ne dites rien, lui retorqua-t-elle, glissez-vous près de moi.

— Vous êtes trop jeune pour moi, lui lança-t-il depuis la cuisine.

— Écoutez, mon vieux, je ne suis plus si jeune que ça.

— Cette conversation ne reprendra que lorsque vous vous serez rhabillée complètement.

Nat s'assit à sa petite table et tenta de diminuer son érection.

— Mais vous êtes quoi au juste ? demanda Amy, une tantouze ? Un dégonflé ? Une tapette ? Hein ?

— Ouais, c'est ça, répondit Nat.

Le silence se fit dans la chambre.

— Oh ! mon Dieu, je me sens si conne, fit Amy d'une voix radoucie.

Elle sortit de la chambre en trébuchant, le drap enroulé autour d'elle.

— Nat, je suis vraiment désolée. Je ne savais pas, j'ai cru que je vous intéressais. Sinon je n'aurais pas...

— Ha ! dit Nat. Vous voyez ce que ça fait ?

*

La Vieille Peau leur offrit du thé glacé au gingembre et elle installa Kona derrière l'objectif d'un des télescopes afin qu'il scrute la lune. Elle prit place près de Clay sur la véranda et ils passèrent quelques instants à écouter la nuit.

— C'est chouette ici, dit Clay. Je ne me souviens pas d'être déjà monté chez vous la nuit.

— D'habitude, à cette heure-ci, je suis couchée, alors j'espère que vous n'allez pas penser que je suis idiote parce que j'essaie d'y voir clair dans mes idées.

— Bien sûr que non, Elizabeth.

— Merci. Je sais bien que pendant des années Nat et vous avez raconté à tout le monde que j'étais timbrée parce que je disais pouvoir communiquer avec les baleines. Et puis voilà que vous montez chez moi, au beau milieu de la nuit, pour m'annoncer la stupéfiante nouvelle que ce que je vous ai toujours dit est du domaine du possible. C'est bien ça ? dit-elle, appuyant son menton sur son poing et regardant Clay les yeux grands ouverts.

— On n'a jamais dit que vous étiez timbrée, Elizabeth. C'est très exagéré.

— Peu importe, Clay. Je ne suis pas folle, répondit-elle en sirotant son thé. Et je ne vous en veux pas non plus. J'habite ces îles depuis très longtemps, j'ai passé la plus grande partie de ma vie sur les flancs de ce volcan. J'ai passé plus de temps que n'importe qui sur cette planète à scruter la passe et à aucun moment, ni vous ni Nat ne m'en avez demandé la raison parce qu'on ne crache pas dans la main qui vous nourrit, je suppose. C'était plus facile pour vous de penser que j'avais une case de vide que de me demander ce qui pouvait m'intéresser.

Clay sentit la sueur lui couler le long de l'échine. Il lui était déjà arrivé d'être mal à l'aise aux côtés de la Vieille Peau, mais d'une tout autre manière, plutôt à la façon dont une vieille tante vous pince la joue en vous remémorant le bon vieux temps, pas comme maintenant. Là, il avait le sentiment d'être mis plus bas que terre par un procureur.

— Je ne crois pas que Nat et moi pouvions répondre à cette question, Elizabeth ; il n'est donc pas étonnant que nous ne vous l'ayons pas posée.

— Ça faisait longtemps, Tatie, que j'avais pas entendu autant de conneries, dit Kona sans quitter l'objectif du télescope à miroir de vingt-cinq centimètres de diamètre.

— Il est gentil ce gamin, dit la Vieille Peau. Clay, saviez-vous que M. Robinson, feu mon époux, était dans la marine ? Vous ai-je jamais dit ce qu'il y faisait ?

— Non, m'dame. J'ai toujours cru qu'il était officier.

— Je comprends pourquoi vous avez pu penser ça, mais tout l'argent vient de mon côté. Non, mon cher, il n'était que sous-off, un tout petit chef qui s'occupait des sonars. En fait, on m'a dit qu'à l'époque, dans toute la marine, il était le meilleur de sa catégorie.

— J'en suis persuadé, Elizabeth, mais…

— Taisez-vous, Clay. Vous êtes venu chercher de l'aide, alors je vous aide.

— Oui, madame, fit Clay avant de la boucler.

— James — c'était le prénom de M. Robinson — adorait les baleines à bosse. Il disait qu'elles compliquaient sérieusement son travail, mais il les aimait. À l'époque, nous étions en poste à Honolulu. Les équipages des sous-marins partaient pour des campagnes de cent jours, ce qui fait que lorsqu'il mettait pied à terre nous partions à Maui, louions un bateau et naviguions dans la passe. Il souhaitait que je connaisse l'univers dans lequel il travaillait, celui des sons sous-marins. Vous me suivez, Clay ?

— Bien sûr.

Mais Clay ne voyait pas d'un bon œil cette descente dans le puits des souvenirs. Il était venu pour apprendre certaines choses, et il n'était pas sûr que ce que la Vieille Peau lui racontait en faisait partie.

— C'est à cette époque que j'ai acheté Papa Lani, avec une partie de l'héritage de mon père. Nous pensions y vivre à demeure, peut-être même en faire un hôtel. Bref, passons. Un jour, James et moi avons décidé de louer une petite vedette pour aller camper sur la côte océane de Lanaï. Le temps était beau, la balade s'annonçait sans problème. En route, une grosse baleine à bosse a fait surface à nos côtés. Elle semblait changer de cap quand nous en changions nous-mêmes. James a ralenti de façon à ce qu'on puisse rester en compagnie de notre nouvelle amie. À cette époque, il n'existait pas de règlement sur les distances à respecter quand on s'approche des baleines. On ne se doutait même pas qu'un jour il faudrait les sauver. James aimait les baleines, tout simplement, et je m'y suis mise à mon tour. Sur l'île de Lanaï, en ce temps-là, il n'y avait que les employés de la plantation d'ananas. On a trouvé une plage déserte et on s'est dit qu'on allait y faire un feu de camp pour préparer le dîner, s'envoyer quelques whiskies allongés dans nos godets en métal, nager à poil et puis… vous savez ce que c'est, peut-être faire l'amour sur le sable. Ah! Mais je vois que je vous ai choqué.

— Non, dit Clay, vous ne m'avez pas choqué.

— Si, si. Je suis désolée.

— Non, non, je vous assure. Tout va bien, continuez votre histoire.

« Les vieilles, je vous jure… », se dit Clay.

— Ce soir-là, quand les alizés se sont levés, on a planté la tente à quelque distance de la plage, dans une petite gorge abritée du vent. Bref, j'ai taillé une super-turlute à James et il s'est endormi juste après.

Clay faillit s'étrangler avec son thé glacé.

— Que se passe-t-il, mon cher? Un glaçon serait-il passé par le mauvais tuyau? Kona chéri, venez par ici et donnez une tape dans le dos de Clay.

— Non, ça va, fit Clay en faisant signe au surfeur de ne pas se déplacer. C'est vrai, ça va très bien, ajouta-t-il alors que des larmes lui coulaient sur les joues et qu'il s'essuyait le nez avec un pan de sa chemise.

Il se félicita grandement de ne pas avoir amené Claire.

— Faut juste que je reprenne mon souffle, dit-il.

Kona, qui venait de se rendre compte que l'histoire l'intéressait, s'assit en tailleur à leurs pieds.

— Allez! Continuez, Tatie.

— Ben, je me suis mise à avoir un peu mal à la tête. Alors j'ai décidé de retourner au bateau pour prendre de l'aspirine dans la trousse à pharmacie. À la réflexion, ça devait être dû au fait que j'avais trop tendu le cou. Chaque fois que je faisais ça j'attrapais un torticolis, mais James aimait tellement ça.

— Je vous en prie, Elizabeth, si vous pouviez vous recentrer sur l'histoire, dit Clay.

— Je suis désolée, je vous ai choqué, n'est-ce pas?

— Non, ça va. Je suis seulement impatient de savoir ce qui s'est passé.

— Bon, si vous me dites que je ne vous ai pas choqué... Je suppose que je devrais montrer un peu plus de discrétion devant le garçon, mais ça fait partie de l'histoire.

— Non, je vous en prie, que s'est-il passé sur la plage ?

— Vous savez, on pouvait baiser toute la nuit comme des malades et ça ne me donnait jamais mal à la tête, mais les tur...

— Revenons à la plage, s'il vous plaît.

— Quand j'y suis arrivée, j'ai vu deux hommes près du bateau. On aurait dit qu'ils bricolaient le moteur. Je me suis accroupie derrière un rocher avant qu'ils ne me voient. À la lueur de la lune je les ai regardés. Il y en avait un petit et un grand. Le grand, on aurait dit qu'il portait une espèce de casque ou de combinaison. Mais le petit a dit quelque chose et le grand s'est mis à rire, à hennir en fait, et c'est alors que j'ai vu son visage dans la lumière de la lune. C'était pas un casque, Clay, c'était son visage : un visage lisse, brillant, avec une mâchoire pleine de dents. Ce n'était pas un être humain, Clay. Alors j'ai rebroussé chemin et j'ai réveillé James pour lui dire de venir voir. Je l'ai emmené à l'endroit où je m'étais cachée. Les deux hommes, enfin... l'homme et la chose qui l'accompagnait étaient toujours là, mais derrière eux, quasiment sur la plage, il y avait une baleine à bosse, une énorme. Il n'y avait sûrement pas plus de trois mètres d'eau où elle était, et elle était pourtant là, tranquille comme Baptiste. Bon, tout ce que James a vu, c'étaient les deux gars qui bricolaient notre bateau. Je crois qu'on avait bu quelques cocktails et James s'est senti obligé de jouer à l'homme. Alors il est allé vers eux en gueulant aussi fort que ses poumons le lui permettaient, pour essayer de les faire déguerpir. Le grand, celui qui n'était pas humain, a plongé sous l'eau aussitôt, mais l'homme a regardé autour de lui, comme s'il était fait. Il a commencé à se diriger vers la baleine et James lui a couru après. Et James a enfin vu la baleine. Il s'est arrêté au milieu des vagues et est resté à la regarder. C'est à ce moment-là que la chose est sortie de l'eau derrière lui. C'est arrivé d'un coup. J'ai voulu hurler mais j'avais trop peur. La chose a frappé James avec je ne sais quoi, peut-être une pierre, et James est tombé dans l'eau. À ce moment-là, j'ai crié aussi fort que possible, mais je ne suis même pas sûre qu'ils m'ont entendue avec le bruit du vent et des vagues. L'homme a pris James par un bras, la chose par l'autre, et ils ont nagé jusqu'à la baleine en traînant James. Et alors, Clay, aussi fou que ça puisse paraître, voilà ce qui s'est passé : la baleine a roulé sur le côté et ils ont entassé James dedans, par la fente des parties génitales, je crois. Et les deux autres sont entrés dedans par le même chemin. Puis la baleine a donné des coups de queue jusqu'à ce qu'il n'y ait plus de fond et elle a pris le large. Je n'ai jamais revu mon mari.

La Vieille Peau prit la main de Clay et la lui serra.

— Je vous jure, Clay, que c'est comme ça que ça s'est passé.

Clay ne savait plus quoi dire. Depuis toutes ces années, la Vieille Peau en avait raconté des conneries, mais là, c'était le pompon. Cependant, Clay ne l'avait jamais vue aussi sérieuse. La croire n'avait aucune importance ; il n'y avait qu'une seule chose à lui dire :

— Je vous crois, Elizabeth.

— C'est pour ça, Clay. C'est pour ça que je vous ai aidé financièrement pendant toutes ces années, et c'est pour ça que j'ai épié la passe, c'est pour ça que je possède un hectare en bord de mer, même si j'ai toujours habité sur les hauteurs.

— Je ne vous suis pas, Elizabeth.

— Clay, ils sont revenus. Cette même nuit, la baleine est revenue et la chose est revenue sur la plage, mais je me suis cachée. Ils sont revenus pour moi. Le lendemain, ils ne sont même pas retournés au bateau. Je suis rentrée par mes propres moyens à la plantation d'ananas. C'est là que j'ai trouvé de l'aide. On m'a ramenée à Lalaïna dans l'un des gros camions. Depuis, je ne suis jamais retournée en mer. Le plus près où j'ose aller, c'est quand il y a une manifestation au sanctuaire, avec beaucoup de monde autour de moi.

Clay pensa à ce soldat japonais retrouvé dans une île du Pacifique où il s'était caché des Américains pendant une vingtaine d'années après la fin de la guerre.

— Vous n'en avez parlé à personne ? interrogea-t-il. La marine a sûrement dû vouloir savoir ce qui était arrivé à l'un de ses meilleurs spécialistes des sonars.

— Ils ont posé des questions. Je leur ai tout dit. Ils ne m'ont pas crue. Ils ont dit que James était parti nager de nuit et qu'il s'était noyé parce qu'il était soûl. Ils ont envoyé des hommes ici, tout comme la police de Mauï. Ils ont trouvé le bateau qui était resté sur la plage. Il était en bon état. Ils ont trouvé notre bivouac et une bouteille de rhum, vide. Et l'affaire s'est terminée comme ça.

— Pourquoi ne m'en avez-vous jamais parlé ? Ou à Nat ?

— Je voulais que vous poursuiviez le travail commencé. Et pendant ce temps-là, j'ai continué à monter la garde. Vous savez, j'ai aussi lu toutes les revues scientifiques. J'y ai cherché ce qui aurait pu fournir une explication. Venez avec moi.

Elle se leva et rentra à l'intérieur de la maison. Clay et Kona la suivirent sans rien dire. Dans la chambre, elle ouvrit une commode en cèdre et en sortit un grand cahier de brouillon. Elle le posa sur le lit et le feuilleta jusqu'à la dernière page. C'était la nécrologie de Nat.

— Nat était l'un des meilleurs dans son domaine et cette jeune fille a dit qu'il avait été avalé par une baleine. Puis elle a disparu en mer, dit Elizabeth avant de tourner une page. Il y a dix ans, le docteur Gerard Ryder a disparu en mer alors qu'il étudiait les appels des baleines, des baleines bleues.

Elle tourna une nouvelle page.

— Ce type-là, c'était un spécialiste russe des sonars qui est passé en Angleterre. Il a disparu dans les Cornouailles en 1973. On a dit que c'était un coup du KGB.

— C'était probablement un coup du KGB. Je suis désolée, Eliza-

316

beth, mais chacun de ces accidents semble avoir une explication parfaitement normale et ils se sont produits sur une longue période et dans des endroits différents. Je ne vois pas de lien entre eux.

— Clay, ils ont tous un lien avec les sons sous-marins. Et ces accidents ne sont pas normaux. Toutes ces personnes, y compris James, étaient des experts des écoutes sous-marines.

— Êtes-vous en train de sous-entendre que quelqu'un aurait entraîné des baleines ? Que ces créatures auraient kidnappé des spécialistes des sonars et les auraient donné à bouffer aux baleines ?

— Ne soyez pas grossier, Clay. Vous êtes monté ici parce que vous aviez besoin d'aide. Moi, j'essaie de vous aider. J'ignore qui ils sont, mais ce que vous m'avez dit au sujet de ce langage secret caché dans le chant des baleines, eh bien, pour moi, ça ne fait que confirmer qu'ils ont enlevé Nat et James et tous les autres. C'est tout ce que je sais. Je suis aussi en train de vous dire que Nat est vivant. C'est un autre morceau du puzzle.

Clay s'assit sur le lit à côté du cahier de brouillon. Il y avait des articles de revues scientifiques sur la biologie des cétacés, sur l'acoustique sous-marine, sur les échouages de baleines, certains sans rapport avec les autres. C'était là le cheminement de quelqu'un qui ne savait pas ce qu'il cherchait. Cela faisait si longtemps qu'il prenait Elizabeth pour une cinglée qu'il n'avait jamais pris au sérieux ses connaissances. Il était en train de réaliser ce qui l'avait motivée. Il se sentit piteux.

— Elizabeth, dit-il, c'est quoi cette histoire de sandwich et de baleines qui vous parlent ? Je ne comprends pas.

— J'ai bien reçu un appel. Quant à l'autre chose, je fais des rêves dans lesquels les baleines me parlent, et j'y accorde du crédit. Après cinquante ans de recherches, je prends les réponses là où je peux. Vu ce que je cherche, pour moi, la divination et la magie sont aussi crédibles, comme méthodes, que tout autre moyen.

— Qu'est-ce que je disais ? fit Kona. Que la science qu'on ne comprend pas, c'est de la magie.

— Je crois que j'ai dispersé ma foi dans tous les sens, sans faire attention. J'espère que je n'ai rien fait de grave.

— Mais non, Tatie, l'amour de Jah vous protège toujours, même si vous avez balancé votre foi à tort et à travers comme une malade.

— Tais-toi, Kona! dit Clay. Elizabeth, que voulez-vous signifier quand vous dites que vous avez peut-être fait quelque chose de grave?

Elle prit le cahier et le referma, puis s'assit sur le lit à côté de Clay et courba la tête. Une larme vint mourir sur la couverture noire du cahier.

— Quand j'ai reçu l'appel et que la baleine a précisé qu'elle désirait un sandwich à la viande de bœuf, j'ai reconnu la voix. Clay, j'ai reconnu la voix et j'ai insisté auprès de Nat pour qu'il sorte en mer et emmène le sandwich avec lui.

— C'était sûrement une farce, Elizabeth, quelqu'un que vous connaissez. De toute façon Nat serait sorti ce jour-là. Vous n'êtes pas responsable.

— Non, Clay, vous ne comprenez pas. Le sandwich au bœuf fumé, c'était le préféré de mon James. Quand il rentrait de ses missions en sous-marin, je lui en préparais toujours un. Au téléphone, la voix, c'était celle de mon James.

CHAPITRE 31

La belle et la bite

Quand Amy sortit de la chambre pour la seconde fois, elle avait remis son habituel short de randonnée, ses tongs et un tee-shirt barré d'un LES BALEINES SONT NOS AMIES.

— Ça va mieux ? demanda-t-elle.

— Je ne vais pas mieux, si c'est ce que vous demandez, répondit Nat qui était assis à la table face à une canette de jus de pamplemousse et à une bouteille de vodka.

— Je voulais dire : vous sentez-vous mieux maintenant que je suis rhabillée ? Parce que je peux me mettre à poil en deux secondes sinon…

— Vous voulez boire quelque chose ?

Nat voulait oublier le fait d'avoir trouvé Amy toute nue le plus rapidement possible. Au point où il en était, la plus efficace des solutions restait l'alcool.

— Volontiers, dit-elle.

Elle prit un verre dans un des placards dont la porte transparente se rétracta comme la paupière protectrice sur un œil de grenouille.

— Vous voulez un verre ? demanda-t-elle.

Nat avait siroté tantôt à même la canette de jus et tantôt au goulot de la bouteille jusqu'à ce qu'il y ait assez de place dans la canette pour y verser la vodka.

— Ouais. Je n'aime pas mettre la main dans les placards.

— Vous êtes plutôt délicat pour un biologiste, mais je suppose qu'il faut s'acclimater.

Amy posa les verres face à Nat et le laissa mélanger les boissons. Il n'y avait pas de glace.

— Vous vous adaptez.

— C'est surtout vous qui semblez vous être adaptée. Quand vous ont-ils prise ? Vous deviez être bien jeune.

— Moi ? Je suis née ici. J'y ai toujours vécu. C'est pour ça que j'étais la personne idéale pour aller travailler avec vous. Pendant des années, le Colonel a été mon prof de biologie des cétacés.

Nat se fit la réflexion qu'il avait vu quelques enfants d'êtres humains à Gluville et n'avait pas eu le sentiment qu'ils y avaient grandi. Ils devaient bien avoir des profs. Alors pourquoi pas ce satané Colonel ?

— J'aurais dû me douter, dit-il. Le dernier jour, quand vous cherchiez à localiser la baleine rien qu'en l'écoutant, j'aurais dû me douter.

— À ce propos, vous me devez toujours un dîner pour ça.

— Amy, je crois que ce genre de pari n'a rien à voir avec la réalité. Vous étiez une espionne.

— Nat, avant que vous ne soyez trop fâché, vous devez vous souvenir de l'alternative à mon espionnage et à la découverte de vos travaux. Cela aurait pu causer votre perte. Ç'aurait été tellement plus facile.

— On dirait que Ryder et vous m'avez fait une fleur. Comme si vous m'aviez sauvé d'un grand péril. Mais le seul danger, c'était vous. Alors arrêtez de m'impressionner avec votre pitié. Vous êtes responsable de tout, du saccage du labo, du sabordage du bateau de Clay, de tout ! C'est pas vrai ?

— Pas directement responsable. Ce sont Poynter et Poe qui ont saccagé le labo. Mes baleineux ont coulé le bateau de Clay. J'ai

320

subtilisé les négatifs dans le paquet de photos chez le photographe. J'ai informé les autres et je me suis assurée que vous vous trouviez là où ils avaient besoin que vous soyez. C'est tout. Nat, je n'ai jamais voulu vous faire de mal. Jamais.

— J'aimerais en être persuadé. Et puis vous réapparaissez, comme si de rien n'était, et juste après le discours de Ryder vous essayez de me convaincre qu'ici c'est l'endroit idéal pour vivre.

Il vida son verre et se versa à nouveau à boire, cette fois en n'ajoutant qu'une goutte de jus de pamplemousse.

— Mais de quoi parlez-vous? Je n'ai pas vu Ryder depuis mon retour. Et je suis rentrée il y a à peine quelques heures.

— Eh ben c'est que ça doit faire partie de la stratégie : laissons Amy leurrer le biologiste… pour qu'il reste.

— Nat, regardez-moi.

Elle lui prit le menton et le regarda droit dans les yeux.

— Je suis venue ici de mon propre chef, sans instructions de Ryder ou de quiconque. En fait, personne ne sait où je suis, mis à part peut-être la Glu, parce que ça, on ne peut jamais en être sûre. Je suis venue pour vous voir, sans masque et sans jouer le moindre rôle.

— Et vous ne pensiez pas me faire tourner en bourrique avec votre petit numéro de «visez un peu si je suis appétissante»?

Elle baissa les yeux. Nat se dit qu'il l'avait blessée. Ou faisait-elle semblant de l'être? Si elle se mettait à pleurer, ça ne serait pas important. Il ne lèverait pas le petit doigt.

— Je savais que ça vous rendrait dingue, mais je me disais que vous dépasseriez ça. J'ai juste voulu jouer à l'allumeuse. Désolée, mais je ne suis pas très bonne à ce jeu-là. C'est pas le genre de talent qu'on développe dans une cité sous-marine. Pour dire la vérité, le carnet de rendez-vous à Gluville n'est pas épais. Je voulais seulement avoir l'air sexy. Je n'ai jamais dit que j'étais une bonne allumeuse.

Nat lui tapota la main.

— Non, vous savez très bien vous y prendre, ce n'est pas ce que j'ai voulu dire. Je ne parlais pas de votre capacité à… à m'allumer. Je parlais de votre sincérité.

— Mais j'étais sincère. Je vous apprécie beaucoup. Vraiment. Je suis vraiment venue pour vous voir, pour être avec vous.

— C'est vrai ?

« Quelle pourrait bien être la comparaison animale ? se dit Nat. Une araignée mâle, de l'espèce des veuves noires, qui succombe au charme tout en sachant pertinemment, et de façon innée, où il met les pattes, conscient jusqu'au plus profond de son ADN que la femelle va le tuer et le bouffer après la copulation, mais il se dit qu'il pensera à ça plus tard. Donc, encore une fois, Monsieur Veuf Noir va passer ses gènes d'esclave sexuel à la future génération d'esclaves sexuels qui, à leur tour, tomberont dans le panneau. Quand on y réfléchit bien, Monsieur Veuf Noir, c'est intéressant comme nom. Qu'en penses-tu ? Mais parle-moi de toi. Qui ? Moi ? Oh ! Je suis un gars ordinaire, que sa nature de mâle destine à suivre sa petite libido d'arachnide jusqu'à plus soif. Mais parlons de vous. J'adore le sablier rouge que vous avez au cul. »

— C'est vrai, dit Amy.

Elle avait les yeux gonflés de larmes. Elle leva la main de Nat à ses lèvres et l'embrassa.

— Amy, je ne veux pas rester ici. Je ne suis pas… Je veux… Je suis trop vieux pour vous, même si vous n'étiez pas une dévoreuse et une menteuse…

— D'accord, dit-elle en posant la main de Nat contre sa joue.

— Ça veut dire quoi ce « d'accord » ?

— Que vous n'avez pas à rester ici. Mais je peux rester ici cette nuit ?

— Pour ça, je ne suis pas encore assez soûl, dit-il en détachant la main de la jeune femme de sa joue.

Amy soutint son regard.

— Moi non plus, dit-elle en allant vers l'effrayant frigo. Il vous reste encore de la vodka ?

322

— Il en reste une bouteille dans ce machin.

Il se surprit à regarder les fesses d'Amy pendant qu'elle allait chercher la bouteille.

— Vous avez dit « d'accord », ça veut dire que vous connaissez un moyen de sortir d'ici ?

— Taisez-vous et buvez. Qu'est-ce que vous voulez faire : picoler ou parler ?

— C'est pas bon pour la santé, fit remarquer Nat.

— Merci, docteur je-sais-tout. Allez, versez-moi à boire.

*

De retour à son bungalow à Papa Lanaï, Clay s'assit sur le lit, la tête entre les mains, pour que Claire lui masse les nœuds qu'il avait dans les épaules. Il lui avait raconté l'histoire de la Vieille Peau et Claire avait écouté posément, posant quelques questions au fil de la narration.

— Tu crois ce qu'elle dit ? demanda-t-elle.

— Je ne sais même pas ce que je suis supposé croire. Ce dont je suis certain, c'est qu'elle est persuadée de dire la vérité. Elle nous a offert un bateau. Un gros. Elle a offert de nous acheter un bateau de recherches, de recruter un équipage, de tout payer.

— Pour quoi faire ?

— Pour retrouver Nat et James, son mari.

— Mais je la croyais ruinée ?

— Elle n'est pas ruinée, elle est pleine aux as. Le bateau, ce sera un bateau d'occasion, d'accord, mais un gros qui ira chercher dans les plusieurs millions. Elle veut en trouver un… avec un équipage.

— Et si tu disposais d'un bateau, tu retrouverais Nat ?

— Je ne saurais pas où chercher. La Vieille Peau pense qu'il est quelque part sur une île, dans un coin secret où vivent ces créatures. Bon Dieu, si ce qu'elle dit est vrai, il se pourrait très bien que ce soit des extraterrestres. Si c'est faux… eh ben je ne me vois pas faire le tour du monde en bateau, m'arrêter dans les îles, et demander aux gens si par hasard ils n'auraient pas vu des êtres sortir en rampant du derrière d'une baleine.

— Mon chéri, techniquement parlant, les baleines n'ont pas de derrière. Il faut se tenir debout pour avoir un popotin.

— Tu vois ce que je veux dire.

— C'est un point important, dit-elle en glissant sur ses genoux et en lui passant les mains autour du cou.

Malgré sa nervosité, Clay sourit.

— Techniquement parlant, l'homme n'est pas l'espèce dominante. Sur terre, pour chaque être humain, il y a au moins cinq cents kilos de termites.

— Eh bien je te fais cadeau des miennes, merci.

— Ce qui fait que l'espèce humaine n'est pas l'espèce dominante, bien qu'elle ait un cerveau et un cul.

— Mais, mon chéri, je n'ai jamais dit que l'homme était l'espèce dominante, j'ai dit que nous, les femmes, étions l'espèce dominante.

— Parce que vous avez un cul ?

En guise de réponse elle s'agita sur ses genoux, puis appuya son front contre le sien et le regarda dans les yeux.

— Bien vu, dit Clay.

— À propos de ce bateau, tu vas laisser la Vieille Peau te l'acheter ? Tu vas partir à la recherche de Nat ?

— Et je commencerais par quoi ?

— Par suivre un des signaux enregistrés. Il faudrait trouver ce qui l'a produit et le suivre.

— Pour ça, on aurait besoin de le localiser.

— Et comment on fait ça ?

— Il faudrait trouver quelqu'un qui connaisse le vieux réseau de sonars que la marine a immergés dans tous les océans pendant la guerre froide pour repérer les sous-marins. Je connais des mecs à Newport qui font ça, mais il faudrait leur dire ce qu'on cherche.

— Tu ne pourrais pas seulement leur dire que tu cherches une espèce bien particulière de baleine ?

— Je pense que ce serait possible.

— Et si tu avais ton bateau et ces renseignements, tu pourrais remonter la piste de la baleine, du vaisseau, ou de je ne sais quoi jusqu'à son origine.

— Mon bateau, as-tu dit ?

— Tourne-toi, que je te masse le dos.

Mais Clay ne bougea pas. Il réfléchissait.

— Ça ne me dit toujours pas par où commencer.

— Tourne-toi, capitaine.

Clay retira sa chemise hawaïenne et roula sur le ventre.

— Mon bateau…, dit-il.

*

Soudain Nat eut froid, et dès qu'il ouvrit les yeux, il fut persuadé que sa tête allait exploser.

— Je suis sûr que ma tête va exploser, dit-il.

Quelqu'un secoua violemment son lit.

— Allez, grosse bête, le Colonel m'a envoyé vous chercher. Il faut y aller.

À travers ses doigts, dont il se servait pour maintenir les morceaux de sa tête en place, Nat aperçut le visage menaçant, mais amusé, de Cielle Nuñez. Il ne s'attendait pas à ça, enfin… à elle. D'une jambe il balaya rapidement le lit, ce qui lui confirma qu'il était seul dedans.

— J'ai bu, dit Nat.

— J'ai vu les bouteilles sur la table. Vous avez beaucoup bu.

— Je n'ai pas fait monter une poignée à ma porte pour que n'importe qui puisse entrer quand ça le chante.

— J'ai remarqué votre poignée. Elle fait tache dans le décor.

À ce moment-là, Nat se rendit compte qu'il était nu. Nuñez était debout, au-dessus de lui. Pour se couvrir le corps, il allait devoir lâcher les morceaux de sa tête, qui partiraient où bon leur semblerait. Il cherca un drap, le tira sur lui, s'assit et jeta les jambes hors du lit.

— Il va me falloir un peu de temps.

— Dépêchez-vous.

— Faut que j'aille pisser.

— C'est bien.

— Et vomir.

— C'est bien aussi.

— C'est bon, vous pouvez partir.

— Lavez-vous les dents, dit-elle avant de quitter la pièce.

Nat chercha des signes de la présence d'Amy mais n'en trouva pas. Il ne se souvenait plus où elle avait laissé ses vêtements. Il se rappela que la dernière fois qu'il les avait vus, ils n'étaient plus sur elle. Il se traîna jusqu'à la salle de bains et regarda dans la cuvette nacrée équipée de ses petits siphons et de son écoulement à sphincter vert. C'en était trop, et Nat vomit.

— Salut, dit Amy en passant la tête par la porte rétractable de la douche.

Nat essaya de dire quelque chose en rapport avec les araignées dotées d'une trappe, mais il ne produisit qu'un borborygme.

— Continue, je t'en prie, dit Amy, je vais rester là.

Et la porte de la douche se referma comme une huître effarouchée.

Quand Nat eut fini de passer en revue le contenu de son estomac, il se débarbouilla et le lavabo vida sa vessie dans cette chose sur laquelle Nat refusait de s'asseoir. Puis Nat s'appuya contre le lavabo et resta quelques secondes à grommeler avant de rassembler ses esprits.

Une tête sortit de la douche.

— Alors ? Ç'a été ?

— Il n'y a pas d'eau dans la douche ?

— Je ne me douche pas, je me planque. Je ne voulais pas que Nuñez me voie. Le Colonel n'a pas à savoir que je suis venue ici. Je partirai après toi. N'oublie pas de te laver les dents.

Et elle se renferma dans sa coquille.

Il se brossa les dents, se les rinça, recommença l'opération et dit :

— C'est bon !

Amy sortit, l'attrapa par les cheveux et l'embrassa violemment.

— Super, la nuit, dit-elle avant que la porte de la douche ne se referme.

— Je suis trop vieux pour ça.

— Ouais, je voulais t'en parler. Pas maintenant, plus tard. Allez, file, Nuñez t'attend.

CHAPITRE 32

Le reproducteur contre l'imitateur

Nuñez lui offrit une grande tasse de café dans un bistrot où des baleineux consommaient des boissons lactées dans des récipients de la taille d'un extincteur, tout en échangeant des cliquetis et des sifflets à un volume assourdissant.

— S'il y avait par hasard une créature qui n'avait pas besoin de caféine…, dit Nat.

Nuñez continua d'avancer alors qu'il s'arrêtait sans cesse pour se pencher au-dessus des choses.

— Ne levez jamais le coude avec eux, lui dit Nuñez. Surtout pas avec les mâles. Vous connaissez leur sens de l'humour. Et je ne vous sens pas prêt à recevoir une bite humide dans l'oreille. Je parle d'une très grosse bite.

— Je crois que j'ai encore envie de vomir.

— Nat, acceptez les choses telles qu'elles sont. Ne vous faites pas de mal en vous montrant rancunier.

Il n'éprouvait pas de rancune. Il avait seulement la gueule de bois, il était chamboulé, à moitié amoureux et victime d'un sentiment cousin de l'amour, avec cette particularité que la douleur se situait davantage dans les tempes alors qu'en temps normal elle englobait son corps en entier et ruinait toute sa vie.

328

— C'est possible qu'on s'arrête à la confiserie pour acheter de l'aspirine ?

— Vous êtes déjà en retard.

Dans les couloirs, elle le confia à deux baleineux de l'espèce des baleines tueuses.

— Vous devriez être honoré, vous savez, dit Nuñez. Il ne reçoit que très peu de monde.

— Si ça vous dit, je vous fais cadeau de mon entrevue.

*

Le Colonel avait fait en sorte qu'une chaise longue en glu soit à la disposition de Nat lorsque ce dernier passerait la porte dotée d'un iris. Nat y prit place, tenant sa tasse de café contre sa poitrine, comme un gilet pare-balles.

— Alors ? Admettez-vous à présent que la vie ici peut ne pas être si désagréable ?

Nat réfléchit à toute vitesse. Amy avait dit que le Colonel n'était pas au courant, mais la Glu savait-elle quelque chose ? Dans ce cas, était-il au courant ? Était-ce lui qui lui avait mis Amy dans les pattes ? Tout cela n'était-il qu'une supercherie ? Car après tout, c'était bien le Colonel qui avait envoyé Amy à Hawaï pour l'espionner. Nat aurait aimé avoir confiance en Amy. Mais quel était le plan de Ryder ?

— Ronchon, vous pouvez me dire ce qui est différent ? Quand je vous ai rencontré il y a neuf heures, j'étais prisonnier, et je le suis toujours.

Ryder parut surpris. Il balaya rageusement la mèche de cheveux gris qui lui tombait dans l'œil, comme si elle était responsable d'une erreur qu'il venait de commettre.

— Il y a neuf heures, d'accord, mais vous avez eu le temps pour réfléchir, dit-il, peu sûr de lui-même.

— Je me suis soûlé et je me suis évanoui. Colonel, dans la

lumière cauchemardesque de ce nouveau jour, je vous répète que je veux rentrer chez moi.

— Vous savez, le temps…, fit Ryder en câlinant le fauteuil vivant dans lequel il était assis, ce qui, là où il tapotait, produisit des vagues de rougeurs à travers la Glu rose.

Voyant cela, Nat eut des frissons.

— Le temps, poursuivit Ryder, n'a pas la même valeur ici, il est…

— Relatif? proposa Nat.

— Disons qu'il se situe sur une échelle différente.

— Qu'attendez-vous de moi, Colonel? Que pourrais-je éventuellement offrir qui justifie ce traitement particulier qui me voit honoré de divers rendez-vous avec le… le grand sachem? demanda Nat qui faillit dire «avec le Barjo Alpha», mais il pensa à Amy et réalisa que quelque chose avait changé. Il ne croyait plus qu'il n'avait plus rien à perdre.

D'une main, Ryder balaya sa mèche et de l'autre serra la chair de son fauteuil. Il commença à se balancer doucement.

— Je crois que j'attends que quelqu'un me dise que j'ai les idées claires. Je rêve de choses dont la Glu est au courant, et je pense qu'elle sait ce dont je rêve, mais je n'en suis pas certain. Je suis un peu dépassé.

— Vous auriez peut-être dû penser à ça avant de vous autoproclamer sorcier.

— Parce que vous croyez que j'ai eu le choix? Je n'ai pas choisi, Nat. C'est la Glu qui m'a choisi. J'ignore combien de personnes ont été amenées ici depuis toutes ces années, mais j'ai été le premier biologiste, le premier à avoir une idée du fonctionnement de la Glu. Il a fallu que des baleineux me conduisent dans un tel endroit, où existait cet animal fruste et informe, qui ne m'a jamais autorisé à partir. J'ai essayé d'améliorer la vie des gens de Gluville, mais…

Les yeux de Ryder se révulsèrent, comme s'il allait être victime d'une attaque, puis il redevint normal et demanda :

330

— Vous avez vu l'électricité à bord des vaisseaux baleines ? C'est moi qui ai fait ça. Mais ce n'est pas... C'est différent de ce que c'était avant.

Nat éprouva soudain de la pitié pour le vieil homme. Ryder se conduisait comme quelqu'un qui vient d'être frappé par la maladie d'Alzheimer et qui prend conscience qu'il ne reconnaît plus ses petits-enfants.

— Racontez-moi tout, dit Nat.

Ryder hocha la tête, déglutit avec difficulté et poursuivit. Il était loin de donner l'image du puissant chef qu'il avait montrée la veille au soir.

— Je crois qu'après que la Glu a trouvé ici un refuge sûr sous la mer, elle a eu besoin de plus d'informations, besoin aussi d'obtenir davantage d'échantillons d'ADN pour renforcer sa protection. Elle a produit une minuscule bactérie capable de se répandre dans tous les océans, de faire partie du grand écosystème planétaire et de fournir des informations génétiques à sa source originelle. On l'a appelée la bactérie SAR-11. Elle est mille fois plus petite qu'une bactérie normale, et elle existe dans chaque litre d'eau salée de la planète. Pendant trois milliards d'années, elle a parfaitement effectué son travail de collecte et de renvoi d'informations vers la Glu. Tout ce qui pouvait être connu se trouvait dans l'eau. Puis il s'est passé quelque chose.

— Les animaux ont quitté l'élément marin, c'est ça ?

— Exactement. Jusqu'alors, chez les créatures qui vivaient dans la mer, chaque bribe de connaissance était transmise à travers l'ADN des reproducteurs. La Glu disposait d'une connaissance universelle. Rendez-vous compte, cela pouvait prendre un million d'années pour apprendre à créer un arthropode à coquille segmentée. Cela pouvait prendre deux millions d'années pour apprendre à créer une branchie, disons, vingt millions d'années pour créer un œil, mais la Glu se sentait à l'aise dans son repaire, elle avait le temps, elle n'avait pas à se trouver là où il fallait qu'elle soit. L'évolution n'a pas de voie

331

toute tracée. Elle progresse au hasard des possibilités. C'est pareil pour la Glu. Mais quand la vie a quitté l'élément aquatique, la Glu est devenue aveugle.

— J'ai un peu de mal à saisir l'urgence de votre histoire, Colonel. Je veux dire, pourquoi, au-delà du fait que je suis assis à l'intérieur même de la chose, êtes-vous si pressé de me raconter ça ?

— Parce que quatre cents millions d'années plus tard, les créatures terrestres, devenues complexes, sont retournées à l'élément aquatique.

— Vous faites allusion aux premières baleines ?

— Oui. Quand les mammifères sont revenus à la mer, ils ont apporté quelque chose, que même les dinosaures, les reptiles ou les amphibiens qui étaient déjà retournés à l'élément liquide n'avaient pas, quelque chose que la Glu ignorait, une connaissance qui ne se reproduisait pas elle-même au travers de l'ADN mais par imitation, par acquisition du savoir, pas par transmission. C'étaient les mèmes.

Nat connaissait certaines choses au sujet des mèmes, qui sont les équivalents informatifs d'un gène. Un gène existait pour se reproduire lui-même et avait besoin d'un support, d'un organisme sur lequel effectuer le processus. C'était la même chose avec les mèmes, à cette différence près qu'un mème pouvait se reproduire au travers des supports ou des cerveaux. Une chanson qu'on ne pouvait se sortir de la tête, une mauvaise histoire drôle ou la Joconde étaient des espèces de mèmes, une façon rigolote de penser. Les ordinateurs avaient créé l'idée d'éléments d'informations autoreproductibles plus évidents avec les virus informatiques, mais qu'est-ce que cela avait à voir avec… Ce qui frappa Nat fut la question de savoir pourquoi il s'était intéressé aux mèmes dès le début.

— Le chant des baleines, dit-il, le chant des baleines à bosse, c'est un mème, n'est-ce pas ?

— Bien sûr. Ce fut la première culture, la première découverte à laquelle la Glu n'a rien compris. C'était, il y a quoi… trois milliards d'années, quand elle a pigé qu'elle n'était plus toute seule. Trois milliards d'années, ça fait un sacré bail, on a le temps de s'habituer à vivre dans ce qu'on croit être sa propre maison. Tout ça pour finir par s'apercevoir que quelqu'un a aménagé dans l'appartement du dessus pendant que vous dormiez.

— Pendant longtemps la Glu ne s'est pas aperçue que les gènes et les mèmes étaient en désaccord. Les baleines ont été les premiers porteurs. C'étaient de gros cerveaux parce qu'ils avaient besoin d'imiter des comportements complexes, d'enregistrer des tâches compliquées et parce qu'elles pouvaient se procurer la nourriture riche en protéines capables de créer les cerveaux dont les mèmes avaient besoin. Mais la Glu est arrivée à un accord avec les baleines. Elles sont un élégant mélange de gènes et de mèmes, les reines incontestées de leur catégorie. Énormes, grosses mangeuses, immunisées contre les prédateurs autres qu'elles-mêmes.

« Mais quelque chose a commencé à tuer les baleines. À les tuer dans des proportions inquiétantes. Et c'était quelque chose qui venait de la surface, quelque chose que la Glu pouvait découvrir à l'aide de son système nerveux né dans les océans. Et c'est à ce moment-là que je pense qu'elle a créé les vaisseaux baleines ou une version des vaisseaux baleines. Je pense que c'était vers le XVIIe ou le XVIIIe siècle. Puis je crois que, lorsque la Glu a recueilli suffisamment d'échantillons d'ADN d'êtres humains, c'est là qu'elle a créé les baleineux. Pour rester cachée mais pour tout voir, pour amener des gens ici de façon à les étudier. Je suis peut-être le dernier chaînon qui a déclenché la guerre.

— Quelle guerre ? Il y a une guerre ?

Nat disposait d'une vision rapide des mégalos paranoïaques, ceux dont le Colonel disait qu'ils avaient pour pseudonymes Capitaine Némo et le Colonel Kurtz, deux emmerdeurs de première.

— Oui, la guerre entre les mèmes et les gènes. Entre un organisme spécialisé dans la reproduction des machines à gènes : la Glu, et un organisme spécialisé dans la reproduction des machines à mèmes : c'est-à-dire nous, les êtres humains. J'ai apporté ici l'électricité et la technologie informatique. J'ai apporté à la Glu le savoir théorique des mèmes et des gènes et leur façon de fonctionner. Là où se trouve la Glu aujourd'hui, et là où elle était avant mon arrivée, il y a la même différence qu'entre être capable de conduire une voiture et être capable de construire une voiture à partir de morceaux d'acier brut. La Glu est en train de se rendre compte de ce qui la menace, elle est en train d'en prendre conscience.

Ryder regarda Nat avec l'air d'attendre quelque chose. Nat le regarda comme s'il ne comprenait pas. Quand il avait étudié sous la supervision de Ryder, l'homme lui avait paru si irrésistible, si clair. Ronchon, mais clair.

— Je vois, dit Nat lentement, avec l'espoir que Ryder dirait quelque chose. Alors comme ça, vous avez besoin de moi pour... heu...

— Pour m'aider à trouver le moyen de tuer la Glu.

— Ha ! Celle-là, je ne l'avais pas vue arriver...

— Nous sommes en guerre contre la Glu. Il faut trouver un moyen de la tuer avant qu'elle comprenne ce qui se passe.

— Mais alors, vous ne croyez pas que vous devriez parler à voix basse ?

— Elle ne communique pas comme ça, répondit le Colonel, que la remarque de Nat sembla perturber.

— Vous attendez de moi que je trouve le moyen de tuer votre déesse ?

— Oui, avant qu'elle ne balaie la race humaine d'un seul coup.

— Ce qui serait préjudiciable.

— Et nous devons le faire sans tuer personne à Gluville.

— Oh, ça, on peut y arriver, dit Nat, très confiant, à la façon dont il avait vu les négociateurs d'otages agir dans les films de gangsters, quand ils disent aux braqueurs de la banque que leurs exigences ont été acceptées et que l'hélicoptère est en route. Mais il va me falloir un peu de temps.

Lorsque Nat quitta la chambre du Colonel après avoir été en contact direct avec la Glu, la chose la plus étrange fut que sa gueule de bois avait totalement disparu.

CHAPITRE 33

Ça pourrait être pire,
ça pourrait être
des années merdiques

— À l'évidence, là où on a déconné, c'est quand on a tué les baleines.

— Pas du tout, dit Amy.

— Nous avons dévoilé notre jeu. Involontairement.

— En devenant des machines à mèmes, c'est ça?

— Ouais. Tu es sûre que tu n'espionnes pas pour lui?

— Comment peux-tu dire ça? Quand j'espionnais, t'ai-je touché à cet endroit-là?

— Non.

— Et t'ai-je des fois autorisé à me toucher là? dit-elle en lui prenant la main.

— Non. Et surtout pas en public.

— C'est vrai. Nous devrions peut-être retourner chez toi…

Elle l'avait appelé sur cette espèce d'appareil équipé d'ailes d'insecte, et qui émettait des bourdonnements. Nat s'était fait un pense-bête mental pour en demander le nom exact au plus vite. Ils s'étaient retrouvés pour un café dans un bar de Gluville qui servait les baleineux. Elle lui avait assuré que personne n'avait remarqué leur présence et, assez bizarrement, les baleineux les avaient complètement ignorés. Nat faisait peut-être déjà partie des meubles.

— S'ils font la moindre remarque, je leur dirai qu'on est en train de faire l'amour, dit Amy.

— Mais tu disais qu'il ne fallait pas que je dise au Colonel que je t'avais vue.

— C'est vrai, mais c'était avant qu'il ne t'informe de son plan secret.

— Au temps pour moi.

— Quoique j'ai un peu honte de ton âge. On devrait aborder le problème.

— Je devrais peut-être changer ma main de place, alors ?

— Ouais. Descends-la et mets-la un chouïa sur la droite.

— Filons vite chez moi.

*

De retour à son appartement, une fois dans la cuisine, Nat dit en désignant le machin :

— Hé ! Comment tu appelles ce truc-là ?

— Un téléphone.

— Tu déconnes ?

Il hocha la tête comme s'il l'avait toujours su.

— Où en étions-nous déjà ? demanda-t-il.

— Tu disais que nous avions eu tort de tuer les baleines.

— Ah oui.

— On en était aussi à parler de ton âge.

— Donc, poursuivit-il, tuer les baleines a été une grosse erreur.

— Tu le sais bien puisque c'est à cause de ça que tu es devenu un pauvre couillon.

— Non, c'est faux.

— Scuse-moi : un pauvre couillon d'activiste.

— Tu veux vraiment savoir pourquoi j'ai travaillé dans ce domaine ?

— Non. Enfin… je veux dire, oui. Tu me parleras plus tard de la destruction de la race humaine.

— Promets-moi que tu ne vas pas rire.

— Bien sûr, fit-elle avec un incroyable accent de sincérité.

— Au cours de ma seconde année, dans ma cambrousse, à l'université de la Saskatchewan…

— Arrête…

— Quoi ? C'est une excellente école. Tu as promis de ne pas te moquer.

— Tu veux dire que dès le tout début de l'histoire je n'ai même pas le droit de rigoler ? Excuse-moi.

— Je suis pas sûr que mon université soit au niveau de celle de Gluville…

— C'est pas sympa de dire ça.

— Donc, un ami et moi avions décidé, afin de briser l'ennui de notre petite vie d'étudiants, de prendre des risques et d'aller…

— Parler à une fille ?

— Non. On a décidé d'aller en Floride pour les vacances de printemps, comme les étudiants américains, pour aller picoler, bronzer et *après* aborder une fille. Enfin… des filles.

— Donc vous êtes partis.

— Ça nous a pris presque une semaine pour arriver là-bas avec le break Vista Cruiser du père de mon ami. Et j'ai vraiment fait la connaissance d'une fille. À Fort Lauderdale. C'était une fille de Fort Lauderdale. Et je lui ai parlé.

— Ben mon cochon ! Tu lui as dit : comment ça va, toi ?

— Entre autres choses. On a causé. Et elle m'a invité à venir voir un lamantin.

— Tir ! Et but !

— Moi je croyais que c'était un mot américain pour dire « lamentable ». J'ai cru qu'on irait au cinéma voir un navet. Tu sais, on croit pas ces choses-là possibles.

— Mais ça l'était.

— Elle travaillait bénévolement dans une clinique vétérinaire d'urgence où l'on soignait les mammifères marins, principalement des lamantins qui avaient été heurtés par les bateaux. Ils s'occupaient d'un dauphin à nez étroit. On est restés trois heures à soigner les animaux. Elle m'a appris plein de choses à leur sujet. C'est là que j'ai attrapé le virus. Je n'avais même pas encore passé ma licence, mais dès que je suis rentré à l'université, j'ai fait des études de biologie et c'est depuis que j'étudie les mammifères marins.

— Mon Dieu! Et tu l'as même pas baisée!

— Je m'étais découvert une passion pour la vie, une passion qui n'a jamais cessé de m'animer.

— J'arrive pas à croire que je suis tombée amoureuse d'un looser aussi pathétique.

— Hé, question baleines, je ne suis pas si mauvais que ça. Dans mon domaine, on me respecte.

— Tu oublies que tu es mort.

— Oui, mais je parle d'avant. Dis donc, tu ne viens pas de dire que tu étais amoureuse?

— J'ai dit que j'en pinçais pour un looser pathétique, s'il est à ma convenance…

Il l'embrassa. Elle lui rendit son baiser. Ça dura comme ça un petit moment. Ils y prirent du plaisir. Puis ils arrêtèrent.

— Tu n'as pas dit que tu voulais parler de notre différence d'âge? dit Nat qui s'amourachait toujours de femmes qui lui brisaient le cœur.

Sentant que son cœur était justement prêt à être brisé, il était décidé à aller jusqu'au bout.

— Ouais, ça pourrait se faire. Mais on devrait peut-être s'asseoir.

— Sur le lit?

— Non, à la table. Tu pourrais avoir envie de boire un coup.

— Non, ça va.

«Allons-y pour le massacre cardiaque», se dit-il. Et ils s'assirent.

— Ainsi donc, dit-elle en enroulant ses jambes sous elle comme une gamine, ce qui donna à Nat encore davantage l'air du vieillard libidineux qui louche sur une petite fille, tu sais que ça fait des années que les baleineux attirent ici les victimes des naufrages et des crashs aériens ?

— Cielle m'en a parlé.

— Elle en pince pour toi. C'est moi qui te le dis, mais nous nous éloignons du sujet. Sais-tu que les baleineux ont ramené des équipages entiers de sous-marins naufragés, sans parler des opérateurs de sonars kidnappés au fil des années.

— Ça, je l'ignorais.

— C'est pas grave vu que ça n'a aucun rapport avec ce que j'ai à te dire. Te rends-tu compte que des gens perdus en mer, comme l'équipage du sous-marin *Scorpio* qui a coulé en 67, ont en fait échoué ici ?

— Ouais, c'est logique. La Glu se cherche elle-même de plus en plus. Elle veut accumuler du savoir.

— Ouais, mais c'est pas là où je veux en venir. Ce que je veux dire, c'est que ces types ont mis au point toute une partie de la technologie que tu as vue à bord des vaisseaux baleines, de la technologie humaine, mais c'est pas important. Ce qui l'est, c'est que tout le monde croie que l'équipage du *Scorpio* repose au fond de l'Atlantique, alors que c'est pas vrai. Tu me suis ?

— Oui, dit Nat, très lentement, comme lorsqu'il avait dit au Colonel qu'il avait perdu le fil de la conversation.

— Et comprends-tu à présent pourquoi, lorsque j'ai postulé pour travailler avec Clay et toi, j'ai donné mon vrai nom, Amy Earhart, et qu'Amy se trouve être le diminutif d'Amelia[1] ?

— Nom de Dieu ! fit Nat.

— Ha ! s'exclama Amy.

---

1. Amelia Earhart (1897-1937) aviatrice, héroïne de l'histoire de l'aviation, détentrice de nombreux records, sorte de Mermoz féminin, disparue en mer lors d'un vol.

C'est dans le port de Manille, aux Philippines, que le courtier en bateaux trouva le bâtiment que recherchait Clay. Pour un peu moins de deux millions de dollars, avec l'argent de la Vieille Peau, Clay l'acheta sur la base de photos envoyées par fax, d'une liste des caractéristiques techniques et d'un récent certificat d'état de la coque. Construit vers la fin des années cinquante, long de cent quatre-vingts pieds, il s'agissait d'un ancien patrouilleur des gardes-côtes américains chargé de la surveillance des zones de pêche. Depuis sa construction, il avait été réaménagé à plusieurs reprises. Une fois dans les années soixante-dix, pour la pêche, une autre dans les années quatre-vingt, pour la surveillance des océans, et enfin au cours des années quatre-vingt-dix où il avait été transformé en navire-hôtel pour des touristes en mal de plongée et d'aventure. Il disposait de nombreuses et confortables cabines, de compresseurs, de plates-formes de plongée et de grues pour hisser et descendre les annexes de ravitaillement sur le pont arrière, bien que, à l'exception des chaloupes de sauvetage, il devait être livré sans annexe. Clay se dit qu'il pourrait alors utiliser le pont arrière comme héliport, même s'il n'avait pas d'argent pour acheter un hélico, mais, vous savez bien ce que c'est, il pourrait venir à l'idée de quelqu'un en hélicoptère de vouloir se poser là, et ça mangerait pas de pain de peindre un grand H sur le pont arrière. Parce que pour la peinture du grand H, Clay *avait* l'argent. Sans être tout à fait du dernier cri, le bâtiment était opérationnel et bénéficiait d'un équipement de navigation, d'un radar, d'un pilote automatique et d'un sonar, certes ancien, mais en bon état, souvenir de la période où il avait été armé pour la pêche. Les deux moteurs Diesel de mille deux cents chevaux pouvaient aussi distiller quotidiennement vingt tonnes d'eau potable à l'usage de l'équipage et des passagers. Doté de cabines et pouvant recevoir une quarantaine de personnes, le navire entrait également dans la troisième catégorie de la nomenclature des brise-glace, une caractéristique dont Clay espérait ne jamais avoir besoin car il avait horreur de l'eau froide.

Grâce à un autre courtier, et de façon anonyme, Clay recruta un équipage d'une dizaine d'hommes trouvés sur les quais de Manille, tous frères, cousins et oncles de la famille Mangabay. Le courtier garantit à Clay qu'il ne s'agissait pas d'assassins, ou tout du moins, s'ils étaient de minables voleurs, n'avaient-ils pas été accusés de crimes. Le plus âgé des oncles, Ray Mangabay, conduirait le bateau jusqu'à Honolulu où Clay ferait sa connaissance.

— Il va piloter mon bateau, dit Clay à Claire après avoir appris qu'il avait un équipage et un premier matelot.

— Laisse faire les choses, lui répondit Claire. Si le bateau coule, il n'aura pas vraiment été le tien.

— Mais c'est tout de même mon bateau.

— Et comment vas-tu le baptiser ?

Il envisagea *L'Intrépide*, *Le Sans Pitié* ou quelques noms ronflants du même acabit. Il pensa à *Loyal* ou à *L'Implacable* ou encore à *Ne renonce jamais*, parce qu'il était déterminé à retrouver son ami et que cela ne le dérangerait pas d'écrire un nom comme ça à la proue.

— Justement, je pensais à…

— Tu y pensais très fortement, n'est-ce pas ? le coupa Claire.

— Oui, et je pensais l'appeler *La Belle Claire*.

— *Claire* suffira, mon chéri. Tu ne veux pas encombrer toute la proue, je suppose ?

— Va pour le *Claire*.

Assez bizarrement, en y réfléchissant à nouveau, à lui seul, ce nom de *Claire* résumait assez bien les *Intrépide*, *Sans Pitié*, *Ne renonce jamais* et *Loyal*. « En outre, on y décèle une allusion à une détentrice de popotin infernal, ce qui, pensa-t-il, pour un navire, peut être considéré comme un bonus. »

— Ouais, c'est un bon nom.

— Il sera là dans combien de temps ?

— Deux semaines. Il n'est pas rapide. Sa vitesse de croisière est de douze nœuds. Si nous devons nous rendre quelque part, j'enverrai le bateau en premier et le rejoindrai plus tard en avion dans un port d'escale.

— Bon, maintenant qu'on l'a appelé *Claire*, j'espère qu'ils vont le ramener ici sans encombre.

— Mon bateau…, fit Clay, anxieux.

*

— Tu as quoi? dit Nat, dans les quatre-vingt-dix… cent ans?

— Je ne les fais pas, n'est-ce pas?

Amy prit la pose et se fendit d'une demi-courbette aguichante suivie d'un coup de postérieur à la Betty Boop, une contorsion un peu osée pour une femme de quatre-vingt-dix ans.

— Ce qui t'a séduit, c'est mon âge, n'est-ce pas? dit-elle en prenant place face à lui. C'est mon corps de jeune fille qui a travaillé ton andropause? Tu t'es dit que tu allais rattraper ta jeunesse, que tu serais à nouveau autre chose qu'une note de bas de page dans l'histoire de l'humanité, que tu retrouverais ta virilité, ta vitalité d'homme dominant, tout ça parce qu'une femme, définitivement affriolante, dirais-je, et plus jeune que toi, t'avait choisi. Je me trompe?

— No… Non, répondit Nat.

Mais elle avait tort, n'est-ce pas?

— Waouh! Dans ton université de bouseux, Nat, tu participais aux conférences-débats? Je veux dire qu'avec ton talent…

— Mon université de cambrousse s'appelait l'université de la Saskatchewan, rectifia-t-il.

— Revenons à l'âge. Ça te pose un problème?

— Tu as cent ans. Ma propre grand-mère ne les a même pas, et elle est morte.

— Non, je ne suis pas si vieille que ça, fit-elle en rigolant.

Elle tendit le bras à travers la table pour lui prendre la main.

— OK, Nat, je ne suis pas Amelia Earhart.

— Ah bon ?

Nat sentit ses poumons se relâcher, comme si l'un des cerclages d'acier de sa cage thoracique venait de céder. Il avait respiré par tout petits coups, mais à présent l'oxygène lui remontait au cerveau. C'était marrant tout de même, il était quasiment certain qu'aucune des femmes qu'il avait connues n'était Amelia Earhart, mais il ne se souvenait pas d'avoir été autant soulagé précédemment.

— J'aurais dû m'en douter. Ce que je veux dire, c'est que tu ne ressembles pas aux photos d'Amelia. Tu n'as pas les lunettes de pilote d'avion.

— Je voulais juste te charrier. Je suis la fille d'Amelia. Ha !

— Arrête, Amy, c'est pas drôle. Si tu essaies de m'avoir, eh ben c'est fait. Oui, tu es une jeune femme attirante, et c'est peut-être ton jeune âge qui m'a séduit, mais c'est seulement biologique. Tu ne peux pas m'en vouloir pour ça. Je ne t'ai pas fait d'avances. Quand on travaillait ensemble, je ne t'ai pas harcelée. Je t'ai traitée comme j'aurais traité n'importe quel assistante de recherches, sauf que tu t'en es peut-être mieux tirée qu'une autre parce que je t'aimais bien. Tu ne peux pas me ridiculiser parce que j'ai répondu à tes avances quand tu es venue me retrouver ici. Les règles du jeu ne sont pas les mêmes.

— Je ne cherche pas à te ridiculiser, Amelia Earhart est vraiment ma mère.

— Arrête.

— Tu veux faire sa connaissance ?

Nat chercha un signe sur le visage d'Amy, un sourire, un tremblement de la gorge qui aurait pu trahir la sortie imminente d'un nouveau « Ha ! ». En vain. Elle n'offrait que cette douceur qu'elle essayait généralement de masquer.

— Cependant, de vivre ici t'a empêché de vieillir. Amelia Earhart est donc ta mère ?

— Nous vieillissons, mais pas comme à la surface. Je suis née en

1940. J'ai à peu près le même nombre d'années en plus que tu avais de plus que moi il y a une demi-heure. Quelque chose comme ça. Tu vas me larguer ?

— C'est dur à avaler.

— Comment peux-tu dire ça après tout ce que tu as vu ? Tu as été témoin de ce que la Glu est capable de faire. Pourquoi est-ce si dur à croire que j'ai soixante-quatre ans ?

— D'abord parce que tu es si immature.

— Tais-toi. Je suis restée jeune d'esprit.

— Pendant une seconde je me suis persuadé que nous étions condamnés, fit Nat en se frottant les tempes, peut-être pour les détendre afin de se grossir la tête et d'y intégrer l'idée qu'Amy avait soixante-quatre ans.

— Non, ça va, nous n'en sommes pas encore là. Nous sommes toujours condamnés.

— Oh, Dieu soit loué, répondit Nat. Moi qui me faisais du souci.

*

Plus tard, après avoir mis momentanément le monde de côté, fait l'amour et dormi dans les bras l'un de l'autre, Amy bougea pour remettre le couvert et Nat se réveilla empreint d'une angoisse aussi immédiate qu'incertaine.

— On est vraiment condamnés ? demanda-t-il.

— Oh, Nat, tu fais chier ! dit-elle en montant sur lui à califourchon, de façon à bien le tenir avant de le frapper à coups de poing sur la poitrine. Tu n'es qu'un sale putain d'amateur !

Nat pensa aux femelles mantes religieuses auxquelles il arrivait parfois d'arracher la tête du mâle au cours de la copulation et à la façon dont le mâle continuait la pariade jusqu'à son terme.

— Excuse-moi, dit-il.

Elle roula sur le côté et fixa les faibles rayures de luminescence verte du plafond.

— Ça va, dit-elle, je n'avais pas l'intention de t'arracher la tête avec les dents.

— Que dis-tu ?

— Que nous sommes probablement condamnés. Pour la même raison que j'ai cette apparence et que la Glu nous fait paraître beaucoup plus jeune que nous le sommes en réalité. Réveille un gène et tu te mets à vieillir. Mets-le en sommeil et tu arrêtes le vieillissement. J'ai même vu ici des gens qui rajeunissaient. Tu appuies sur un bouton et tu te retrouves avec un cancer du pancréas à vingt-deux ans, tu appuies sur un autre et tu peux fumer quatre paquets de cigarettes par jour et finir centenaire. Si la Glu pense que la race humaine se trouve en danger, elle a juste à tourner un bouton, prélever un gène, créer un virus et l'humanité s'éteindra. Je n'ai jamais pensé auparavant que cela pouvait constituer une menace. Toute ma vie, j'ai été au service de la Glu. Tu le sais ? Elle prend soin de nous. C'est elle, la source.

Il ne sut quoi répondre. Devait-il sérieusement considérer la demande d'aide du Colonel ? Devait-il trouver un moyen de tuer cette étonnante créature afin de sauver sa propre espèce ?

— Amy, dit-il, je ne sais pas quoi faire. Il y a deux jours, je voulais partir d'ici. Mais maintenant ? Le Colonel et toi, vous m'avez dit tous les deux que j'avais de la chance d'être encore en vie. Est-ce que la Glu a tué des gens qui ont été tentés de la trahir ?

— Honnêtement, j'en sais rien. Je n'ai jamais entendu dire ou vu que ça s'était produit, mais je... enfin, nous, nous remplissons nos tâches. Nous ne posons pas beaucoup de questions. Pas parce qu'on nous l'interdit ou quelque chose comme ça, c'est juste que, si tu as tout ce dont tu as besoin, tu peux vivre longtemps sans te poser les questions essentielles.

Pour la première fois Nat vit la marque des années sur le visage d'Amy, non pas dans des rides mais dans l'ombre qui voila son regard.

— Je me demandais…, dit-il.

— Si je pense qu'éthiquement parlant la Glu est capable de détruire l'espèce humaine ?

— Oui.

— Nat, je ne sais même pas si la Glu a un sens de l'éthique. D'après le Colonel, la Glu, c'est seulement un véhicule pour les gènes et nous, nous véhiculons des mèmes, de sorte que la collision frontale est inévitable.

— Que se passerait-il si ça n'arrivait pas ?

— On suppose que le conflit s'est engagé il y a des millions d'années et à présent le Colonel veut à tout prix en arriver à la bataille finale. Ce que je sais c'est que tu dois lui parler pour qu'il renonce à la tuer.

— Mais c'est lui le chef, dit Nat.

— Ouais, mais il n'a jamais parlé de ça à personne. Je crois qu'il doute de son propre jugement. Tout comme moi.

— Mais c'est toi qui as dit que la Glu pouvait tuer tout le monde sur la planète d'une simple pichenette.

— Ouais.

Elle se redressa et s'appuya sur un coude.

— Tu as faim ? Moi j'ai faim.

— Ça pourrait se faire.

CHAPITRE 34

Le club des Nécrophiles Anonymes
de Gluville

C'est avec deux pintes de bière, en porcelaine et bouchées, qu'Amy entra dans la chambre du Colonel. Le maître de Gluville surgit en glissant du mur rose comme si ce dernier venait de lui donner la vie. Le Colonel tendit les bras pour embrasser Amy, mais au lieu de faire de même, elle lui offrit une pinte.

— Je vous ai apporté de la bière.

— Amy, tu sais bien que je ne m'alimente plus.

— Je me suis dit qu'une bière, comme dans le bon vieux temps.

— Qu'est-ce que tu fais ici ?

— Je ne vous ai pas vu depuis mon retour de Maüi. J'ai pensé que vous souhaiteriez me faire un débriefing ou quelque chose dans le genre.

— Je me suis entretenu avec Nat Quinn.

— Ah bon ?

— Ne fais pas l'innocente, Amy, je sais ce qu'il y a entre vous.

— Je n'ai guère eu le choix, Colonel, je suis innocente. C'est mon fardeau.

— Il sait qui tu es, n'est-ce pas ?

— Buvez ou ça va tiédir. Pourquoi vous arrangez-vous pour qu'il fasse aussi chaud ici ?

Le Colonel accepta la bière et but une longue rasade. Quand il eut besoin de reprendre sa respiration, il fixa la bouteille, surpris, comme si elle venait de lui parler.

— Bon Dieu que c'est bon. J'avais oublié.

Amy leva sa bouteille à sa santé et but un peu.

— Colonel, on se connaît depuis longtemps, vous et moi. Vous avez été comme un père pour moi, mais on ne peut vous approcher. Je me fais du souci pour vous. Je crois que vous devriez sortir d'ici de temps en temps. Comme autrefois. Vous balader. Parler en ville avec les gens.

— N'essaie pas de me mettre des bâtons dans les roues, Amy.

— Mais de quoi parlez-vous ? Je me faisais seulement du souci à votre sujet.

Le Colonel considéra à nouveau la bouteille qu'il tenait à la main, comme si elle avait été téléportée jusqu'ici, puis il regarda Amy avec un soupçon de panique dans les yeux.

— Nat ne t'a donc rien dit, alors ?

— Dit quoi ? Nat n'a rien à voir avec ça. Vous avez perdu le contact avec la réalité.

Le Colonel hocha la tête, puis se laissa aller dans le mur de la Glu derrière lui. La paroi le reçut et lui fit une chaise longue dans laquelle il prit place en se frottant les tempes.

— Amy, as-tu jamais réalisé quelque chose dans un but supérieur à tes propres ambitions ? As-tu jamais ressenti le besoin de faire quelque chose qui te transcenderait ?

— Vous voulez dire comme persuader des gens que je suis ce que je ne suis pas pour gagner leur confiance de façon à ce qu'on puisse les kidnapper ou les tuer pour préserver ma propre communauté ? Oui, je sais ce qu'est l'idée de servir un bien supérieur.

— J'en suis sûr. Je suis certain que tu en es capable. Pardonne-moi. Je passe sans doute trop de temps tout seul.

— Vous croyez ?

— Tu peux me laisser maintenant ? Il faut que je réfléchisse.

348

— Vous voulez rester seul ? Qu'est-ce que je disais ? C'est comme ça que vous comptez régler votre problème de solitude ?

— Va, Amy, et ne te mêle pas des affaires de Nat.

— Pas tout de suite.

— Comment ça « pas tout de suite » ?

— La bouteille est consignée. Je ne vais pas repartir sans elle.

— Alors comme ça Nat n'est pas un problème ? Tu en es certaine ?

Là, le Colonel se força à se fendre d'un sourire qui ressemblait davantage à une menace.

— Parce que s'il faut en arriver là, je lui dirai qui tu es, ajouta-t-il.

— Bien vous en fasse, répondit Amy en lui retournant un vrai sourire.

— À la bonne heure, dit le Colonel en buvant son restant de bière. Reviens me voir et ramène-m'en d'autre.

— Vous voyez…, dit Amy.

Elle lui prit la bouteille des mains et quitta la chambre. « La frontière est bien mince, pensa-t-elle, entre le génie et le sac à merde. Très, très mince. »

*

Il se passa deux semaines sans que le Colonel fasse mander Nat. Cielle Nuñez était venue le voir un matin alors qu'Amy résidait dans l'appartement de Nat depuis trois jours.

— Vous n'avez plus besoin de moi, on dirait, avait-elle fait. De toute façon, je ne vais pas tarder à regagner mon vaisseau, même si on ne nous a pas encore donné de destination.

Nat fut déçu de voir qu'elle n'était pas jalouse.

— Il a la trouille des placards, du frigo et de la poubelle, dit Cielle à Amy, comme si elle s'adressait à quelqu'un qui allait lui garder son chien. Et il faudra lui apprendre à entretenir son linge parce que, vous savez, il va avoir la frousse des machines à laver.

— Je vis ici, dit Nat. Et je n'ai pas la trouille des appareils ménagers. Je fais seulement attention.

— Amy, ta mère va être excitée quand elle va apprendre pour vous deux. Son bateau ne devrait plus tarder à arriver.

— Non, on ne l'attend pas avant six semaines, corrigea Amy.

— Plus maintenant. Le Colonel a rappelé tous les vaisseaux à la base.

— Tous? Mais pourquoi?

— C'est la décision du Colonel, dit Cielle en haussant les épaules. Nous n'avons pas à nous demander pourquoi. Bon, Nat, cela a vraiment été un plaisir. Je vous reverrai probablement. Vous êtes en de bonnes mains.

Elle donna une rapide accolade à Nat et se dirigea vers la porte.

— Attendez, Cielle. J'ai un truc à vous demander si vous n'y voyez pas d'inconvénient.

— Allez-y, dit-elle en se retournant.

— Quand est-ce que le yacht de votre mari a coulé?

Cielle leva un sourcil inquisiteur en regardant Amy.

— Il est au courant, dit Amy.

— C'était en 1927, Nat. Quand j'y repense, je me dis que ce fut une sorte de bienfait. Il est mort en faisant ce qu'il aimait faire. Deux ans plus tard le krach boursier l'aurait balayé. Je ne suis pas certaine qu'il y aurait survécu.

— Merci. Je suis désolé.

— Faut pas. Cal et moi avons eu une très belle vie.

— Cal? Le Cal du vaisseau? Ne me dites pas que...

— Que c'est mon mari? Le Colonel a pensé que ce serait plus agréable que vous soyez guidé par une femme seule. Ici, Nat, les épouses n'ont jamais porté le nom de leur mari.

— C'est les femelles qui mènent le bal chez les baleines, expliqua Amy. Comme ça devrait être partout, vous le savez bien.

Cielle regarda Amy, puis Nat, et sourit.

— Oh, Nat, dans quoi vous êtes-vous fourré?

Et puis elle cliqueta comme un baleineux et s'éloigna.

— Elle avait envie de toi, dit Amy. Elle le cache bien, mais je l'ai deviné.

À partir de cet instant, ils sortirent ensemble chaque matin. Nat insista pour qu'Amy l'emmène dans les lointaines catacombes au cours de la journée. C'est là qu'ils trouvèrent les fermes souterraines de Gluville, des tunnels où les grains de blé croissaient directement, et sans tige, sur les murs. Ailleurs on pouvait cueillir des tomates qui poussaient au bout de queues de cinq centimètres de long, apparemment à même le rocher.

— Mais comment peuvent-elles mûrir sans photosynthèse ? s'interrogea Nat en tenant un abricot qui avait poussé non pas sur un arbre mais à l'extrémité d'une grosse tige, comme un champignon.

— Je sais pas, fit Amy en haussant les épaules. La chaleur géothermique, sans doute. Le Colonel dit que la Glu s'enfonce profondément sous le continent pour tirer la chaleur de la terre. Je vais te faire voir les cuisines où l'on prépare la plus grande partie de la nourriture. Tout y est géothermique. Les vieux disent qu'au début il n'y avait que des fruits de mer à manger, mais qu'au fil des années la Glu a fourni davantage de variétés de denrées.

— C'est quoi ça ? Des morceaux de poulet ? fit Nat en en décrochant un du plafond.

Un baleineux qui travaillait près de là siffla et cliqueta d'un ton sévère.

— Il dit qu'il ne faut pas les cueillir, qu'ils ne sont pas mûrs.

Nat jeta le morceau sur le sol de la cave. Une chose de la grosseur d'un ballon de plage, avec plein de pattes, sortit d'une trappe, ramassa le morceau et s'enfuit par où elle était arrivée.

— Je crois que j'en ai assez vu, dit Nat.

*

351

L'après-midi, ils se baladaient et faisaient les magasins. On n'exigeait jamais de Nat une quelconque forme de paiement. Il arrêta donc de poser des questions. Dans la soirée, ils soupaient généralement à l'appartement. Après qu'ils eurent dîné à deux reprises dans des cafés de Gluville, Amy insista pour qu'ils prennent leurs repas chez eux.

— Tu les étudies, dit-elle en faisant référence aux baleineux.

— Non, je ne les étudie pas, je me contente de les regarder.

— De qui te moques-tu ? Et ce regard de scientifique ? C'est celui que tu as quand tu te perds dans tes théories. Tu crois que je ne connais pas ce regard ? Aurais-tu oublié que j'ai travaillé avec toi ?

Nat haussa les épaules.

— C'est mon boulot d'étudier les cétacés.

Il avait essayé d'apprendre le langage fait de sifflements et de cliquetis des baleineux. Emily 7 était passée chez lui une fois ou deux, l'après-midi, alors qu'Amy était sortie, il pensait qu'elle était venue pour des raisons sentimentales et s'était arrangé pour canaliser son énergie en leçons de baleineux. Nat et elle étaient devenus des espèces d'amis. Il n'avait pas parlé de ces cours à Amy, craignant qu'elle le titille comme l'avait fait l'équipage du vaisseau.

— J'observe, répondit-il. Je prends des notes et j'essaie de comprendre la signification.

Amy hocha la tête, pensive. Puis elle dit :

— Si c'est pour sauver des dauphins et des lamantins que tu t'es lancé dans ton domaine, pourquoi n'as-tu pas essayé des choses plus efficaces dans l'aide à apporter aux animaux ? Comme la médecine vétérinaire par exemple.

— Je me le suis toujours demandé. Je pense souvent aux militants de Greenpeace ou de Sea Shepherd[1] qui se mettent dans l'illégalité en affrontant les baleiniers, en fonçant à bord de Zodiac

1. Association canadienne de protection des animaux marins créée en 1977 à Vancouver.

sur les harpons pour faire bouclier et essayer de protéger les animaux. Je me suis demandé si ce n'était pas là ma voie.

— Mais tu as pensé que tu serais plus utile comme scientifique en les étudiant ?

— Non. Je me suis simplement dit que chercheur, c'était un travail que j'étais capable de faire. Il y a tout un cheminement à suivre pour devenir chercheur, un cheminement studieux. Il n'y en a pas pour faire pirate.

— Tu te trompes, il y a une école pour ça. J'ai vu ça sur une boîte d'allumettes quand j'étais à Maüi. Je me souviens très bien que ça disait qu'on pouvait apprendre à devenir pirate après avoir passé un simple examen.

— Non, c'était pour apprendre à dessiner un pirate.

— Peu importe. Tu as donc biaisé ?

— Moi ? Je crois que nous… Ce que j'ai fait a de la valeur.

— Moi aussi. Mais c'est pas ce que je veux dire. Je me disais, tu sais, maintenant que tu es mort, crois-tu avoir raté ta vie ?

— Mais je ne suis pas mort, Amy. Bon Dieu, c'est affreux de dire ça.

— Je veux dire : effectivement mort. Tu me comprends. Ta vie étant terminée, est-ce que ça fait de moi une nécrophile ? Quand on va sortir d'ici, je devrai peut-être aller à des réunions ou des trucs dans le genre. Ça existe ?

— Amy, je suis en train de me dire que peut-être je ne veux pas sortir d'ici.

Il y avait beaucoup pensé. La vie ici n'était pas si mal et depuis qu'il avait cherché un moyen de sortir au cours de leurs balades quotidiennes (juste pour ne pas oublier qu'il devrait franchir les écluses pressurisées rien que pour émerger à six cents pieds sous la surface de la mer), peut-être qu'Amy et lui pourraient construire un futur en commun. Il continuerait certainement à s'intéresser à l'écosystème de Gluville.

— Bonjour, je m'appelle Amy et je baise avec les morts.

353

— Peut-être que si je pouvais dissuader le Colonel, je pourrais rester ici avec toi, m'adapter, enfin, tu vois ce que je veux dire.

— J'arrive pas à croire qu'ils puissent se lever lors d'une réunion et dire : « Salut, je m'appelle machin et j'adore niquer les morts. » C'est un peu grossier. Quoique étrangement approprié.

— Amy, tu ne m'écoutes pas.

— Si, je t'écoute. Mais on ne va pas rester ici. Je vais trouver le moyen de sortir. Il faut que tu parviennes à convaincre le Colonel de ne pas faire de mal à la Glu, et après on partira. Le plus tôt possible.

Son ton catégorique heurta un peu Nat. Elle semblait ne rien regarder, se concentrer sur le néant, penser à des choses qu'elle ne souhaitait pas partager et qui ne l'amusaient pas. Puis son visage s'éclaira et elle dit :

— Hé, mais tu vas faire la connaissance de ma mère !

*

La chose se produisit une semaine plus tard.

— Tu as toujours dit que ce que tu faisais consistait à savoir ce qu'aucune autre personne ne savait, dit Amy. Tu déconnais en disant cela ?

Tout en marchant, elle lui prit le bras qu'elle passa autour de son cou.

Ils venaient juste de quitter l'appartement qu'Amelia Earhart habitait à Gluville.

— Elle a l'air sympa, non ? demanda Amy.

Amelia était une jolie femme affable. Après avoir passé soixante-sept ans à Gluville, l'aviatrice semblait tout juste en avoir cinquante alors qu'elle avait moins de quarante ans lors de sa disparition en 1937. En sa présence, Nat avait eu le sentiment d'être revenu à l'âge de quinze ans, au temps de son premier rendez-vous amoureux. Il bégaya, trébucha et rougit (bon Dieu ! Il rougit vraiment !) quand Amy précisa qu'elle avait dormi chez lui à plusieurs reprises. Amelia avait prié Nat de s'asseoir à ses côtés sur le sofa avant de lui prendre la main pour lui parler.

— Nathan, j'espère que vous ne qualifierez pas de raciste ce que je vais vous dire, parce que ça ne l'est pas, mais je tiens à vous mettre à l'aise. Il m'a fallu très longtemps pour me faire à l'idée que ma fille était devenue une adulte douée d'une vie sexuelle et, pour dire la vérité, si après toutes ces années vous êtes celui qu'elle a choisi et dont elle est tombée amoureuse, ce qui semble être le cas, je ne peux que vous faire part de mon soulagement en voyant que vous appartenez à l'espèce humaine. Je vous en prie, détendez-vous.

Nat avait lancé un bref regard à Amy qui avait haussé les épaules et dit :

— Toute jeune fille a sa période aventureuse.

— Je vous remercie, avait dit Nat à Amelia.

À présent qu'ils étaient à nouveau dans la rue, Nat dit à Amy :

— J'aurais dû lui demander comment s'était passé le vol.

— Elle est restée très sensible sur le sujet. Même après tout ce temps. Mon père lui servait de navigateur. Il n'a pas survécu au crash.

— Mais tu m'as dit que tu étais née en 1940. Comment est-ce possible si ton père est mort en 1937 ?

— Il avait des spermatozoïdes très costauds.

— Ils ont tenu le coup trois ans ? Ils devaient être sacrément costauds.

Elle lui donna un coup de poing dans le bras.

— J'ai arrondi les dates. Lâche-moi un peu avec ça, Nat, je suis vieille. Tu ne t'es jamais montré aussi pinailleur avec la Vieille Peau.

— Je ne couchais pas avec elle.

— Mais tu aurais voulu, n'est-ce pas ? Admets-le. T'avais très envie de pénétrer sa...

— Arrête !

Nat jeta un coup d'œil à des baleineux mâles qui traînaient leur misère devant la boulangerie (ils semblaient toujours se regrouper à

cet endroit) et faisaient des mouvements synchronisés avec leurs sexes.
Il allait répondre à Amy, lui faire un commentaire sur son passé, mais
il se dit qu'il était inutile de continuer ce petit jeu et préférable de le
garder comme une arme contre ce qui caractérisait Amy, à savoir ses
taquineries, une des choses qu'il avait découvertes et adorait chez elle
depuis qu'il s'était à nouveau autorisé à admettre qu'il *pouvait* aimer
quelqu'un.

Les baleineux hennirent sur leur passage.

— Savez à quoi vous me faites penser ? leur dit Nat dans sa barbe
tout en sachant qu'ils pouvaient l'entendre. À ces gros jouets
bruyants qu'on donne aux gamins quand ils prennent leur bain.

Depuis quelque temps, Nat les insultait chaque fois qu'il les
croisait, juste pour les mettre en rogne. Amy déteignait-elle sur lui ?

Les baleineux émirent un bruit de dérision collégial.

— Chochottes ! murmura Nat.

Il eut droit à une riposte. Il adorait voir ces créatures dotées de
mains à quatre doigts essayer de lui faire un doigt d'honneur.

— Quand je pense que tu dis que, de nous deux, le plus immature, c'est moi, dit Amy.

« Ah ! Ce que c'est bon la vie », se dit Nat. Pour la première fois
depuis une éternité, il se sentit heureux. Enfin… presque.

Le lendemain matin, deux gardes baleineux vinrent le chercher
pour le conduire chez le Colonel. Amy n'était même pas là pour lui
donner un baiser d'adieu.

CHAPITRE 35

D'accord, mais on ne peut pas danser là-dessus

Quand Nat entra, conduit par les baleineux, il trouva le Colonel au milieu de l'amphithéâtre nacré.

— Vous pouvez disposer, dit le Colonel aux baleineux. Nat trouvera bien son chemin pour rentrer.

— Vous êtes sorti de votre tanière, dit Nat.

Le Colonel paraissait vieilli, les traits plus tirés que lorsque Nat l'avait vu précédemment.

— C'est parce que je ne veux pas être en contact avec la Glu pour ce que j'ai à vous dire.

— Je croyais qu'elle ne recevait pas d'informations de cette façon-là ? dit Nat.

Le Colonel ignora la remarque et dit :

— Nat, j'attendais de vous un brainstorming pour résoudre mon problème, mais vous n'avez rien fait, n'est-ce pas ?

— J'y travaille. C'est plus compliqué que…

— Vous avez eu quelques distractions. Vous me décevez, mais je vous comprends. C'est un sacré numéro, n'est-ce pas ? Cela dit en tout bien tout honneur. N'oubliez pas que c'est moi qui l'ai choisie avant de vous l'envoyer.

Nat se demanda ce qu'il savait de sa relation avec Amy et par qui il apprenait les choses. Étaient-ce les baleineux qui lui faisaient des

357

rapports ? Était-ce la Glu elle-même ? À travers l'osmose ou quelque système nerveux à rallonge ?

— La distraction n'a rien à voir là-dedans. J'ai beaucoup réfléchi à votre problème, et je ne suis pas sûr d'être d'accord avec vous. Qu'est-ce qui vous fait croire que la Glu s'apprête à détruire l'humanité ?

— Une question de temps. C'est tout. Nat, j'ai besoin que vous me fassiez passer un message. Vous allez être celui qui va sauver l'espèce humaine. La chose devrait vous apporter quelque consolation.

— Colonel, vous ne pourriez pas vous exprimer plus clairement, et me dire franchement de quoi vous voulez parler ?

— Je veux que vous rejoigniez la marine américaine. Ils doivent être informés de la menace que représente la Glu. Une torpille nucléaire bien placée réglera le problème. Ça se passera suffisamment profond pour qu'ils n'aient pas besoin de se justifier auprès des autres puissances. Tout se passera bien. Il leur faut juste quelqu'un de crédible pour les convaincre de la menace : vous !

— Et que faites-vous des gens qui vivent ici ? Je croyais que vous vouliez les épargner.

— Je crains qu'ils ne deviennent un sacrifice nécessaire. Nat, que sont cinq mille personnes, ou à peu près, dont la plupart d'entre elles ont vécu beaucoup plus longtemps que si elles avaient été à la surface, comparées aux six milliards d'individus de l'espèce humaine ?

— Mais vous êtes complètement dingue ! Je ne vais pas convaincre la marine de balancer une bombe atomique pour tuer cinq mille personnes, sans parler des baleineux. Et vous êtes plus stupide que je ne pensais si vous vous imaginez qu'ils agiront à partir de ce que je leur dirai.

— Je n'en espère pas tant. Je pense qu'ils dépêcheront une équipe de chercheurs pour confirmer ce que vous leur aurez dit, mais quand ils seront ici, je veillerai à ce qu'ils prennent la menace de la Glu au sérieux. Dans tous les cas de figure, vous vous en tirerez.

— Je crois que vous vous trompez quand vous dites que nous

constituons un danger pour la Glu. Sur l'échelle temporelle de la Glu, ça peut prendre le temps d'un petit somme jusqu'à notre extinction. Je ne marche pas avec vous.

— Vous m'en voyez navré, Nat. Je crois que je vais alors devoir trouver une autre solution.

Soudain, Nat se rendit compte qu'il venait de griller la chance qu'il avait de s'évader. Une fois sorti de Gluville, rien n'aurait pu le contraindre à faire ce que voulait le Colonel. Mais présentement, ce qu'il voulait à tout prix, c'était revoir Amy.

— Attendez, Colonel, je peux peut-être faire quelque chose. Vous ne pourriez pas faire évacuer Gluville ? Abandonner les gens sur une île ? Permettre aux baleineux de trouver un autre endroit où ils pourraient s'installer ? Ce que je voulais dire, c'est que si je révèle l'existence de la Glu au reste du monde, ça va faire de gros dégâts, de toute façon. Je veux dire…

— Je suis désolé, Nat, je ne vous crois pas. Je vais régler ça moi-même. Évacuer ne ferait aucune différence pour les gens. Quant aux baleineux, ils ne devraient même pas exister. Ils sont une abomination.

— Une abomination ? J'espère que ce n'est pas le scientifique que j'ai connu qui parle ainsi.

— Oh, je reconnais que ce sont des créatures fabuleuses, mais qui n'auraient jamais évolué naturellement. Elles sont le produit de cette guerre et leur but a été atteint. Tout comme le mien, tout comme le vôtre. Je suis désolé que nous n'ayons pu nous mettre d'accord. Allez, maintenant.

Alors comme ça ce salaud allait passer au plan B, et Nat n'avait aucune idée pour l'arrêter. Peut-être était-ce vraiment pour ça qu'il l'avait fait venir ici ? Le Colonel était peut-être de la race de ceux qui font une tentative de suicide pour appeler à l'aide, plutôt que celle de ceux qui, honnêtement, essaient de mettre un terme à leur vie. Et Nat avait manqué son coup.

Il commença à s'éloigner du Colonel, tout en pensant désespérément à ce qu'il pourrait dire afin de retourner la situation, mais rien ne lui vint à l'esprit. Quand il atteignit le tunnel, depuis les marches de l'iris géant, le Colonel le rappela.

— Nat, je vous ai promis quelque chose que vous méritez de savoir.

Nat se retourna et fit quelques pas vers l'intérieur de la chambre. Le Colonel se fendit d'un triste sourire résolu.

— Il s'agit d'une prière, Nat. Le chant des baleines à bosse, c'est une prière à la source, à leur déesse. Le chant est une louange de remerciement à la Glu.

Nat réfléchit. Il avait passé sa vie à étudier la question et la réponse, c'était ça ? Pas possible.

— Alors pourquoi n'y a-t-il que les mâles qui chantent ?

— Parce que ce sont des mâles, pardi. Ils prient également pour copuler. Les femelles choisissent les mâles, ils n'ont pas besoin de quémander.

— On ne peut pas le prouver, dit Nat.

— Comme il n'y a personne pour prouver le contraire, Nat, pas ici, mais c'est la vérité. Le chant des baleines a été la première forme de culture, la première des formes artistiques de la planète et, comme la plupart des manifestations artistiques chez les êtres humains, elle célèbre ce qui est plus grand que l'artiste lui-même. Et la Glu aime ça, Nat, elle adore ça.

— Je n'y crois pas. Il n'y a aucune pression évolutionniste pour que ce soit une prière.

— C'est un mème, Nat, pas un gène. Le chant n'est pas inné, il est appris. Il dispose de son propre programme pour être reproduit et imité. Et il a été renforcé. Nat, avez-vous jamais vu une baleine à bosse affamée ?

Nat réfléchit. Il avait vu des animaux malades ou blessés mais il n'en avait jamais vu d'affamés. Pas plus qu'il en avait entendu parler.

Le Colonel dut déceler quelque chose dans la réaction de Nat.

— La Glu les protège, Nat. Elle adore le chant. Je ne serais pas surpris si toute l'évolution des baleines, comme leur taille par exemple, avait été accélérée par la Glu. Nous n'aurions jamais dû commencer à les tuer. Nous n'en serions pas là si nous ne les avions pas tuées.

— Mais on a arrêté de les tuer, fut tout ce que Nat trouva à dire.

— C'était trop tard, fit le Colonel en soupirant. On a commis une erreur en attirant l'attention de la Glu. Maintenant il faut que ça s'arrête. Le gène, pendant trois milliards et demi d'années, a constitué la dynamique de la vie. Je suppose qu'à présent c'est au tour du même. Vous et moi ne le saurons jamais. Au revoir, Nat.

L'iris s'ouvrit et le Colonel rentra dans la Glu.

*

Nat retourna chez lui en courant, pas très sûr d'avoir pris la bonne route dans le labyrinthe, mais il reconnut son chemin sans avoir à revenir sur ses pas. Amy n'était pas à son appartement.

Il avait le sang qui lui battait les tempes quand il approcha de la machine à parler, celle avec des ailes et qui produisait un bourdonnement. Il voulut essayer d'appeler Amy, mais décida plutôt d'aller chez elle à pied. Il passa donc à l'appartement d'Amy, à celui de sa mère, puis alla jeter un coup d'œil dans tous les endroits où ils étaient allés ensemble. Non seulement Amy avait disparu, mais personne n'avait vu sa mère. Nat dormit par à-coups, hanté par l'idée de ce que le Colonel avait fait à Amy à cause de sa propre obstination. Le matin, il repartit à sa recherche, interrogeant tous les gens qu'il rencontra, y compris les baleineux qui se trouvaient devant la boulangerie, mais elle demeurait introuvable. Le deuxième jour, il emprunta à nouveau le corridor qui conduisait à l'amphithéâtre nacré du Colonel et frappa sur la porte géante d'iris noir jusqu'à en avoir mal aux poings. Il n'obtint pas de réponse mais seulement l'écho d'un son sourd dans l'immense chambre vide.

— Je ferai ce que vous voudrez, Ryder! hurla Nat. Ne lui faites pas de mal, espèce d'enculé! Je ferai ce que vous voudrez. Je ramènerai la marine jusqu'ici et ferai table rase de tout, si c'est ce que vous voulez. Mais rendez-la-moi.

Quand il se résolut à abandonner, il se tourna et se laissa glisser contre la porte d'iris qui faisait face à l'amphithéâtre. Il y avait six baleineux de la couleur de l'espèce des baleines tueuses dans le tunnel, qui le regardaient. Pour une fois, ils ne rigolaient pas, pas plus qu'ils ne hennissaient. Ils ne faisaient que le regarder. Le plus grand de la bande, une femelle, poussa un bref sifflement et ils traversèrent l'amphi, marchant vers lui en formation de tenaille.

*

Las d'être un surfeur professionnel ou un pilote d'essai de bongs des forces aériennes rastafaries, Kona se dit qu'il avait trouvé le boulot idéal. Assis dans une chaise confortable, il regardait les spectrogrammes défiler sur un écran d'ordinateur pendant que, dans une autre unité centrale, un logiciel analysait les séquences digitalisées du signal subsonique et les traduisait sous forme de texte. Tout ce que Kona avait à faire consistait à voir si quelque chose de compréhensible ne s'inscrivait pas sur l'écran. Ce qui était bizarre, c'est qu'il en savait un rayon au sujet des spectrogrammes et des sinusoïdales et sur les habitudes de vie des baleines et il était à deux doigts d'en faire réellement quelque chose.

Il se passa la main sur la tête et frissonna en lisant le texte dénué de sens qui passait sur l'écran. Tatie Claire lui avait acheté quatre bouteilles d'Old English pur malt et attendait qu'il les ait bues avant de le convaincre de la laisser lui couper ses dreadlocks de façon à ce qu'elles soient de la même longueur des deux côtés de la tête. (Elle soutenait que la véritable nature du garçon exigeait un équilibre. Elle était futée, Tatie Claire.) Le problème était qu'en prison on l'avait presque totalement tondu d'un côté, ce qui fit que lorsqu'elle eut terminé, il se retrouva quasiment chauve. Par respect pour ses convictions religieuses (pour lui permettre de garder un important réservoir de forces en l'honneur de Jah, ouais mec), Claire lui avait laissé une unique dread-lock sur la nuque, ce qui lui faisait comme un gros vers sortant de sa boîte crânienne après avoir fait un bon gueuleton de cellules cervicales à la sauce ganja.

À propos d'herbe sacrée, Kona était sur le point d'allumer un joint gros comme un sandwich fourré à la plus suintante et puante des herbes existantes quand, sur l'écran, le texte cessa d'être incohé-rent et commença à révéler de l'importance. Pour se redonner des forces, Kona but une rapide gorgée d'eau de bong, reposa le vase sacré par terre puis frappa sur la touche du clavier qui commandait le démarrage de l'imprimante.

Il se leva et attendit, se balançant sur la pointe des pieds, que l'imprimante régurgite trois feuillets de texte. Puis il arracha les feuilles et se rua vers la porte du bungalow de Clay.

*

— Je dois être à côté de mes pompes, dit Clay.

Clay sortait les vêtements des tiroirs et les mettait dans sa valise posée sur le lit pendant que Claire les ressortait pour les classer selon un ordre précis auquel il ne comprendrait jamais rien, puis elle les rangeait à nouveau dans la valise de façon qu'il ne puisse pas trouver ce dont il aurait besoin avant son retour à la maison où elle l'aiderait alors à défaire le bagage. Ils avaient souvent fait ça.

— Je dois être con, dit Clay. Je ne peux tout de même pas partir au hasard dans le monde à la recherche de mon ami perdu. Je vais avoir l'air de ce petit oiseau, tu sais comme dans le livre, celui qui se balade et demande à tous ceux qu'il rencontre : « C'est toi, ma mère ? »

— Comme dans *L'Être et le Néant* de Sartre ? suggéra Claire.

— Oui, c'est ça. C'est stupide de lever l'ancre alors qu'on a du travail en cours, de partir au hasard en brûlant deux cents litres de gasoil à l'heure. La Vieille Peau est peut-être pleine aux as, mais pas à ce point-là.

— Peut-être va-t-on apprendre quelque chose au travers du chant des baleines.

— J'espère. Libby et Margaret ont tout un tas de documents sonores qui arrivent de Newport, mais autant chercher une aiguille dans une botte de foin. Clair, la Vieille Peau a vu des gars monter dans une baleine…

— Et alors, chéri, quel est le pire qui puisse arriver ? Que tu prennes la mer, que tu fasses ton possible pour retrouver Nat et que tu fasses chou blanc ? Combien de gens font le maximum ? Tu pourras toujours revendre le bateau. Au fait, où se trouve-t-il en ce moment ?

À cet instant, la moustiquaire s'ouvrit et s'écrasa contre le mur extérieur dans un bruit de détonation. Kona entra en titubant et en agitant des papiers comme un drapeau blanc, donnant l'impression de se rendre à qui voulait bien dans toute la région de Mauï.

— Chef ! Chef ! fit-il en jetant les feuilles sur la valise de Clay. Ça vient de Blanche-Neige.

Clay ramassa les feuilles, les lut rapidement et en tendit une à Claire. Le même message s'y trouvait répété encore et encore.

41,93625 s_76,17328 o_ -623 CLAY TU N'ES PAS CON_AMY

Clay regarda Kona et dit :

— C'était au milieu d'un chant de baleine ?

— Ouais, mec. D'une baleine bleue, je crois. Ça vient juste d'arriver.

— Retourne voir s'il n'y en a pas d'autre. Et trouve-moi le grand planisphère. Il doit être quelque part dans le débarras.

— À vos ordres, mon commandant, dit Kona qui s'exprimait de plus en plus comme dans la marine depuis que Clay avait acheté le bateau et faisait par là même de l'appel du pied pour embarquer à la recherche de Nat.

Le garçon repartit en courant vers le bureau.

— Tu crois que ça vient d'Amy ? demanda Claire.

— Je crois que ça vient soit d'Amy, soit de quelqu'un qui est parfaitement au courant de ce que nous faisons, et qui pourrait être quelqu'un auquel Amy s'est confiée.

— C'est quoi les chiffres ?

— Une longitude et une latitude. Faut que je vérifie sur la carte, mais c'est dans le Pacifique Sud.

— Je vois bien qu'il s'agit d'une longitude et d'une latitude, mais que signifie le chiffre négatif moins six cents et des poussières ?

— C'est l'endroit où généralement les pilotes indiquent l'altitude.

— Mais c'est un chiffre négatif.

— J'ai vu.

Clay décrocha le téléphone posé sur la table de chevet et composa le numéro de la Vieille Peau pendant que Claire lui jetait un regard interrogatif.

— Changement de matériel, murmura-t-il à l'adresse de Claire en posant sa main sur le combiné.

— Allo ? Elizabeth ? Oui, tout va très bien. Les choses progressent rapidement. Oui. Bon, j'ai horreur de faire ça, parce que je sais que vous avez déjà tant fait, mais il se pourrait que j'aie besoin d'une autre bricole avant de partir à la recherche de Nat et de votre James.

Claire fit non de la tête en entendant Clay mentir et jouer le joker du mari avalé par une baleine.

— Eh oui, ça peut coûter un peu cher, poursuivit Clay, mais il va me falloir un sous-marin. Non, un sous-marin de poche ferait l'affaire. Si vous tenez à ce qu'il soit jaune[1], Elizabeth, nous le repeindrons en jaune.

Après avoir caressé la Vieille Peau dans le sens du poil pendant un quart d'heure, appelé Libby Quinn et le courtier en affaires maritimes

1. Allusion à la chanson *Yellow Submarine* (*Le sous-marin jaune*) des Beatles.

à Singapour (qui proposa une énorme ristourne si Clay s'engageait à acheter plus de trois bateaux en un mois), Demodocus consulta le planisphère, grosso modo de la taille d'une table de ping-pong, que Kona avait étalé sur le sol du bureau en le maintenant aux quatre coins avec des tasses à café.

— C'est ici, au large de la côte du Chili, dit Claire.

Comme elle avait enseigné en primaire, elle connaissait donc les notions de base de géographie physique et était imbattable en matière de lecture des cartes. Kona posa une capsule de bouteille à l'endroit qu'elle venait de désigner.

— On va avoir besoin de cartes marines et du GPS du bateau pour ne pas commettre d'erreur, mais, à quelque chose près, c'est là que ça se trouve, fit Clay en regardant Kona. Rien de nouveau depuis l'arrivée du message ?

— La même chose pendant cinq minutes, puis retour au charabia habituel. Vous croyez que Blanche-Neige est avec Nat ?

— Je crois qu'elle me connaît assez bien pour savoir que j'ai pu être suffisamment barjo pour fouiller les messages. Je crois aussi que si je mords à l'histoire du mari de la Vieille Peau, ça n'explique pas comment Amy a pu rester en apnée pendant cinquante minutes. Il y a quelque chose lié à sa bizarrerie.

Kona regarda vers Claire, comme si elle allait répondre au questionnement. Elle hocha la tête et il continua à boire sa bière.

Clay se mit à quatre pattes sur la carte.

— Le courtier dit qu'il y a un sous-marin de poche, un trois places, ici, à Chuuk, en Micronésie, qui sert à une équipe de cinéastes qui vont bientôt avoir terminé de filmer des épaves coulées à de grandes profondeurs.

Kona posa une capsule de bouteille sur l'atoll de Chuuk en Micronésie.

— Les propriétaires me le loueront pour deux mois seulement parce qu'une équipe de chercheurs l'a réservé pour une plongée en eaux profondes dans l'océan Indien. Quant au *Claire*, il est ici, au nord des îles Samoa, ajouta Clay en montrant l'endroit.

Kona posa une troisième capsule juste au nord des Samoa et fit son possible pour boire cette bière après qu'il eut bu les deux autres pour récupérer les bouchons.

— Ce qui signifie que le *Claire* peut logiquement être à Chuuk dans trois jours. Je vais aller à sa rencontre en avion, prendre livraison du sous-marin, et si on met la gomme on pourra certainement faire route en trois ou quatre jours vers la position donnée, dit Clay. Pour l'instant nous sommes ici…

— C'est pas possible, dit Kona. On peut pas être ici.

— Et pourquoi donc ?

— Parce qu'on n'a plus de bières.

— Bon, d'accord, tu te rends là-bas, demanda Claire, et après ?

— Je descends en sous-marin voir ce qu'il y a à six cent vingt-trois pieds de profondeur.

— Tu es certain que c'est en pieds, pas en mètres ?

— Non, je n'en suis pas sûr.

— Clay, je voudrais que tu saches que ça m'inquiète de te voir faire des trucs comme ça.

— Mais j'ai toujours fait ce genre de truc. C'est même ce que je fais pour gagner ma vie.

— Ce qui signifie ? demanda Claire.

CHAPITRE 36

C'est noir et blanc
et rouge partout

Un jour, au large des côtes californiennes, Nat avait suivi un banc
de baleines tueuses alors qu'elles attaquaient une baleine grise et son
baleineau. Elles s'étaient d'abord approchées en formation pour séparer la mère de son petit, et puis, une partie s'était détachée du groupe
pour détourner l'attention de la mère, les autres sautant sur le petit
pour le noyer, malgré les grands coups de queue de la mère revenue en
arrière en décrivant des cercles pour protéger son baleineau. La partie
de chasse, dans sa globalité, avait duré plus de six heures, et quand elle
avait pris fin, les baleines tueuses, une à une, étaient venues frapper le
petit à bout de forces, tout en restant impeccablement groupées pour
venir arracher des morceaux de viande du baleineau encore vivant. À
présent, dans l'amphithéâtre, alors que les baleineux de l'espèce des
baleines tueuses approchaient, leurs dents renvoyant des éclats, leur
respiration s'échappant de leur évent comme d'une machine à vapeur,
le biologiste se dit qu'il allait exactement subir ce qui était arrivé au
petit de la baleine grise au cours de cette abominable partie de chasse.
Sauf que, naturellement, Nat était en baskets, chaussures rarement
portées par les baleines grises.

L'espace était grand. Il pouvait se déplacer. Il venait de contour-
ner les baleineux. Ses baskets crissèrent sur le revêtement des esca-
liers. Il feignit de partir à droite et courut vers la gauche. Les

baleineux, quoique extraordinairement agiles dans l'eau, étaient quelque peu pataus sur terre. La moitié d'entre eux tombèrent si lamentablement dans le panneau de la feinte qu'il aurait fallu leur envoyer une photo pour leur montrer comment ça s'était passé. Ils se retrouvèrent près des marches, empilés les uns sur les autres.

Les trois restants essayèrent de se déployer en éventail, la femelle alpha cherchant à se mettre au maximum entre Nat et la sortie. Nat décrivait un grand arc de cercle autour de l'amphithéâtre, et grâce à sa pointe de vitesse il pouvait espérer battre au moins deux de ses poursuivants encore en course, mais la femelle lui bloquerait le passage au moment de sortir. Elle devait bien peser trois fois son poids et il n'était pas question de lui rentrer dedans avec une feinte de corps. S'il avait eu des patins à glace, Nat aurait tenté le coup et, grâce à son habileté innée de hockeyeur canadien, mis à mal le misérable instinct de chasseuse et de cétacé et envoyé cette salope au tapis couleur de nacre. Mais il n'y avait ni patins ni glace, alors, à la dernière seconde, au moment où la femelle allait, d'un crochet, lui briser les os pour l'expédier dans les bancs qui bordaient les murs, Nat feinta d'une pirouette, plus à la manière de Boitano[1] qu'à celle de Gretsky[2], mais qui, néanmoins, fit basculer la grosse par-dessus un banc dans un enchevêtrement couleur blanc, noir et ivoire, comme si un piano en caoutchouc venait d'hériter d'une ruade chevaline. Nat coúvrit les vingt derniers mètres vers la porte à grandes enjambées tout en se disant : « Espèce de blanc-bec, de gros tas. T'as vu ? Nous, on ne tient pas debout depuis trois millions d'années pour des prunes. »

Arrivé à la troisième marche de sa jubilation, Nat perçut le bruit d'une énorme expulsion d'air sur sa droite, suivi d'un *flac* mouillé. Et soudain, il vit ses baskets s'agiter devant lui. Il éprouva la sensation de liberté qu'offrent l'apesanteur et l'ivresse de voler, et puis toutes deux disparurent quand il s'écrasa par terre en crachant l'air

1. Célèbre patineur artistique canadien.
2. Célèbre joueur de hockey canadien.

de ses poumons. Il glissa et tomba dans l'énorme mollard de baleineux qu'un des mâles qui le poursuivaient avait craché à ses pieds. S'il avait pu respirer, il aurait pu crier à la tricherie, mais au lieu de ça il lutta pour se relever alors que deux mâles se rapprochaient de lui en souriant de toutes leurs dents en forme de poignard. « Oh, mon Dieu ! Ils vont me bouffer ! » pensa-t-il, puis il s'aperçut qu'ils venaient de dégainer leurs longs pénis roses et fonçaient sur lui, le pelvis en avant. « Oh, mon Dieu, pensa-t-il, ils vont m'enculer ! » Mais quand ils arrivèrent près de lui, l'un d'eux lui prit les bras, se pencha en avant et Nat sentit une grande dent lui érafler le crâne alors que sa tête entrait dans la bouche du baleineux. « Eh non, se dit-il, ils vont plutôt me bouffer ! »

Et alors la femelle siffla d'une façon stridente, ce qui stoppa le mâle à l'instant où ses dents commençaient à entamer les joues de Nat. Le mâle bouffeur recula. Pour s'excuser il essuya la salive et le sang sur le visage de Quinn, le remit debout, l'épousseta et lui redonna forme comme s'il tenait à montrer que le scientifique était comme neuf. L'autre mâle cramponnait Nat fermement alors que le bouffeur souriait d'un air penaud à la femelle alpha. Il se fendit d'un petit vagissement que Nat, malgré son peu d'habileté à comprendre le baleineux, identifia comme voulant dire « oups ».

Une demi-heure plus tard, ils le jetèrent dans son appartement. La femelle alpha lui sourit en arrachant du mur le bouton de porte en acier inoxydable. Le mur saigna un moment après le départ de la femelle, puis le sang coagula et la plaie commença rapidement à guérir.

Nat tituba jusqu'à sa salle de bains. Il se regarda dans le miroir. Il portait des entailles ensanglantées sur le visage. Dans un autre lieu, à une autre époque, il se dit qu'il serait allé aux urgences pour qu'on lui fasse des points de suture. Il avait les cheveux maculés de sang et il sentait les impacts d'au moins quatre crocs qui étaient entrés profondément dans son cuir chevelu, aux endroits où le baleineux lui avait déchiré la peau. Là où en tombant il avait heurté le sol, c'est-à-dire derrière la tête, il avait un gros trou, et bien évidemment aussi un second au coude qui, chaque fois qu'il pliait son bras droit, lui déclenchait une vive douleur jusqu'au bout des doigts.

Il retira ses vêtements tachés de sang et passa sous la douche. Là, ignorant les étranges appareils qui d'habitude le faisaient hésiter, il se laissa aller contre les murs de la cabine et laissa l'eau couler jusqu'à ce qu'elle emporte les croûtes de sang coagulé qu'il avait sur le crâne et que la peau de ses doigts devienne toute ridée. Il se sécha, s'affala sur le lit, souhaitant, avant de sombrer dans le sommeil, qu'Amy puisse être là, en sécurité à ses côtés.

Il dormit profondément et rêva d'une époque où dans tous les océans on ne trouvait qu'un seul organisme vivant, enveloppé comme un cocon autour d'une même et énorme masse de terre. Et dans son rêve il sentit la texture de chaque rivage, comme si on les pressait contre sa peau.

*

Nat se réveilla aux premières heures de l'aube avant que la lumière ne s'allumât dans la grotte. Il gagna le salon et s'assit dans l'obscurité près de la grande fenêtre ovale qui ouvrait sur la rue, avec, au loin, le port de Gluville. Des formes bougeaient dans la nuit. Ici et là Nat notait le reflet d'une pâle lumière sur la peau d'un baleineux, mais c'est surtout grâce aux cliquetis de leurs sonars qui résonnaient sous la voûte de la grotte et aux sifflements stridents et étouffés de leurs conversations qu'il sut qu'ils s'affairaient à l'extérieur.

Après être resté une heure assis dans le noir, il gagna la porte à pas feutrés et essaya de l'ouvrir. Là où s'était trouvée la poignée, il n'y avait plus qu'une mince cicatrice. Le joint autour de la porte était si serré qu'on l'eût cru incrusté dans le mur. En essayant de glisser ses doigts dans le jambage, Nat se rendit compte que son coude ne le gênait plus autant que lorsqu'il était allé se coucher. Il leva la main pour palper les estafilades qu'il portait au front et sentit les croûtes partir en flocons aussi facilement et sans douleur que de la peau sèche. Il alla immédiatement à la salle de bains et se regarda dans le miroir dans la luminescence jaune clair. Les éraflures avaient cicatrisé. Totalement. Il brossa le sang séché qui avait suinté après la douche et s'aperçut que la peau était redevenue nette et saine. Ce fut la même chose avec les marques de dents qu'il avait dans le cuir chevelu et la bosse de la grosseur d'un œuf de pigeon qu'il avait à la nuque. Plus un seul endroit ne le faisait souffrir.

Il revint au salon, se laissa choir sur la chaise près de la fenêtre et regarda la lumière inonder la grotte. Dehors, on s'activait beaucoup dans la rue et sur le port et, malgré sa guérison miraculeuse, Nat ressentit une douleur à l'estomac. Seuls les baleineux s'affairaient à l'extérieur, il n'y avait pas signe du moindre être humain.

*

Au cours des deux jours suivants, il ne vit nulle trace d'êtres humains dans Gluville et, bien qu'il ait pris son courage à deux mains pour se servir de la machine à parler intégrée au mur, il comprit qu'il n'avait pas la moindre idée de son fonctionnement. À midi, le troisième jour, il décida qu'il lui fallait sortir de l'appartement. Non seulement il était incapable de retrouver Amy ou de faire quoi que ce soit, mais il manquerait bientôt de nourriture.

Il réfléchit et se dit que le meilleur moment pour tenter une sortie serait le milieu de la journée car les baleineux étaient moins nombreux dans la rue, la plupart d'entre eux étant partis se baigner. Il passa un pantalon et un pull à manches longues pour se protéger et s'attaqua à la fenêtre pour la première fois. Il arracha l'une des chaises du sol de la cuisine, en la tordant comme on le fait avec une dent de lait. De toutes ses forces, il balança la chaise dans le milieu de la fenêtre, prêt à sauter les trois mètres qui le séparaient de la rue. Mais ça ne marcha pas. La chaise rebondit dans la pièce.

Il chercha alors quelque chose de contondant pour percer la fenêtre et la seule chose qu'il trouva furent des éclats du miroir de la salle de bains. Bien que la glace éclatât en toile d'araignée quand, le poing enveloppé d'une serviette, il frappa dessus, les morceaux de verre restèrent collés au mur. Tout ce qu'il avait réussi à faire avait été de créer une mosaïque à reflets. Finalement, au bout de trois heures, déçu de ses tentatives infructueuses pour briser la grande fenêtre, il décida de jeter contre elle ce qu'il y avait de plus lourd dans l'appartement, à savoir son propre corps. Il recula jusqu'à la chambre, traversa le salon en courant, sauta à mi-course, se mit en boule et se prépara au choc. La fenêtre se détendit à peu près d'un mètre, jusqu'à ce qu'un baleineux remarque que quelqu'un essayait de gonfler une grosse bulle, et puis la fenêtre se retendit, expédiant Nat à l'autre bout de la pièce contre le mur au pied duquel on avait installé un lit pour ce genre de situation d'urgence. Nat, un côté du corps aplati, tomba impeccablement dans le lit.

— C'était complètement idiot de faire ça, dit-il à voix haute.

— Mon Dieu, que c'était idiot, dit Cielle Nuñez.

Elle entra dans le salon et s'assit face au lit où se trouvait Nat, roulé en boule.

— Vous pouvez me dire ce que vous essayiez de faire ?

— Mais comment êtes-vous entrée ? Il n'y a plus de poignée.

— À l'intérieur seulement. Allez, Nat, dites-moi ce que vous faisiez. Depuis trois jours, tous les êtres humains de Gluville ont été enfermés. Si je n'étais pas capitaine d'un vaisseau baleine, je n'aurais pas été autorisée à venir ici.

— Je ne faisais rien, Cielle, honnêtement. Où est Amy ?

— Personne ne le sait. Croyez-moi, ç'aurait été le premier endroit où ils seraient venus.

— Qui ça ?

— D'après vous. Les baleineux bien sûr. Ils contrôlent presque tout. Les humains ne sont même pas autorisés à approcher des bateaux. Depuis que certains d'entre eux vous ont entendu hurler que vous alliez aller chercher la marine.

— J'allais le faire. Il retient Amy, Cielle. J'essayais seulement de la récupérer.

— Il ? Vous voulez dire le Colonel ? Pourquoi retiendrait-il Amy ? Elle fait partie des rares personnes qui ont eu le privilège de le rencontrer. C'est une de ses préférées.

— Ouais, eh ben il n'a plus de préférées.

Nat prit une décision. Il n'allait pas sortir d'ici tout seul, et la seule personne susceptible de l'aider était assise face à lui.

— Cielle, la raison pour laquelle le Colonel a rappelé tous les bateaux, la raison pour laquelle personne n'est autorisé à lever l'ancre, c'est parce qu'il veut que tout le monde soit là quand tout va s'effondrer. Il a un plan pour attirer la marine américaine ici, ou les forces navales de je ne sais qui, afin d'attaquer Gluville avec une torpille atomique. Il voulait que ce soit moi qui aille chercher la marine. Il pensait que je pourrais les convaincre de la menace grâce à ma crédibilité de scientifique, mais j'ai refusé. C'est à ce moment-là qu'il a capturé Amy.

— Alors les cris que j'ai entendus dans l'amphithéâtre, c'était vous qui parliez d'attirer la marine ici dans le seul but de sauver Amy ?

— Oui. Il est devenu barjo, Cielle. Je n'ai aucun intérêt à détruire cet endroit. Il est persuadé qu'il va y avoir une grande guerre entre les mènes et les gènes, et que les humains et la Glu campent chacun dans leur camp.

Le capitaine du vaisseau baleine se leva et hocha la tête, comme si cela confirmait quelque chose pour elle.

— Bon, d'accord. C'était ce que j'avais besoin de savoir. C'est pour ça qu'il m'a envoyée ici. Je vais essayer de faire en sorte qu'on vous apporte de la nourriture.

— Quoi ? Mais aidez-moi plutôt à sortir d'ici, dit Nat qui soudain eut un sale sentiment concernant toute la discussion qu'ils venaient d'avoir.

— Je suis désolée, Nat. Ils détiennent Cal. Les baleineux le gardent prisonnier. Vous savez ce que je peux ressentir. Ils m'ont dit que je devais apprendre si vous complotiez contre le Colonel. Merci de me l'avoir dit. À présent, je pense qu'ils vont le relâcher.

Elle se dirigea vers la porte. Nat la suivit.

— Cielle, faites-moi sortir d'ici. Au moins…

— Nat, il n'y a nulle part où aller. Le seul moyen est d'embarquer sur un vaisseau baleine mais les pilotes baleineux sont les seuls à savoir les manœuvrer. Ils ont reçu pour consigne de ne pas vous laisser monter à bord depuis que nous sommes arrivés. En ce moment, je ne pourrais pas lever l'ancre, même si je le voulais.

Elle tapa sur la porte et dit :

— C'est ouvert.

La porte cliqueta en s'ouvrant et à l'extérieur deux baleineux, tout noirs, attendaient. Quand Nat essaya de passer près d'eux en courant, ils le prirent par les épaules et le jetèrent à l'intérieur de l'appartement.

— Ils font partie de mon équipage, Nat, dit Cielle. Vous vous rendez compte de ce que vous avez fait ?

— Il va tous vous tuer, Cielle. Vous ne le sentez pas ? Il est devenu fou.

— Je ne vous crois pas, Nat. Je crois que le fou, c'est vous.

Et la porte se referma avec fracas.

*

À Papa Lani, Clay contrôlait une dernière fois l'équipement qu'il allait emporter pour aller à la rencontre de son nouveau bateau. Du matériel de plongée et de cinéma était étalé par terre. Kona, un écritoire à pince et un stylo feutre à la main, en vérifiait la liste.

— Alors comme ça vous croyez que Blanche-Neige sera là ?

— Je pars avec l'espoir que nous pourrons lui répondre. Dis-lui que je me mets en route.

— Vous voulez dire en digitalisant le message et en le diffusant comme un chant de baleine ?

— Ouais, je sais bien que c'est impossible de faire ça. As-tu pu trouver une boîte de soda au citron pour les filtres de CO_2 du respirateur ?

— Je suis capable de digitaliser, fit Kona en tendant la boîte que Clay espérait et en vérifiant sur la liste.

— Tu y arriverais ?

— J'étudie la chose depuis longtemps. C'est pas si difficile que ça de mettre un message dans le chant des baleines. Mais comment comptez-vous le diffuser ? Il vous faudrait des haut-parleurs sous-marins géants. On n'a rien de tout ça.

Clay arrêta de faire son inventaire et abaissa l'écritoire à pince pour voir ses yeux.

— Tu dis que tu peux mettre un message sous forme de sinusoï-dale qu'on pourrait diffuser sous la même forme dans laquelle on l'a capté ?

Kona hocha la tête.

— Viens me montrer, dit Clay en allant vers l'ordinateur.

Kona s'assit dans la chaise et fit apparaître une sinusoïdale basses fréquences qui ressemblait aux dents d'un peigne déchiqueté, puis il tapa sur une touche qui en sélectionna une petite portion, et il en réduisit les irrégularités.

— Voyez, ce morceau-là ? Nous savons que c'est la lettre B, OK ? Il suffit de la découper et de la coller avec d'autres lettres, et ça donnera un chant de baleine un peu barjo. J'ai toutes les lettres sauf le Q et le Z.

— Ne m'explique rien : fais !

Clay griffonna un court message dans la marge de la check-list de Kona.

— Tiens, joue-moi ça.

— Je peux vous jouer ça, mais vous n'allez rien entendre. C'est du subsonique, mon frère. Comme je vous disais, vous allez avoir besoin de haut-parleurs balèzes pour envoyer le message. Vous savez pas où on pourrait en voler ?

— Nous n'allons peut-être pas avoir besoin de les voler.

Pendant que Kona assemblait le message, Clay décrocha le téléphone et composa le numéro de Cliff Hyland. Le biologiste décrocha dès la deuxième sonnerie.

— Cliff? C'est Clay Demodocus. J'ai un service à te demander. Votre énorme sonar, est-ce qu'il pourrait diffuser des fréquences subsoniques?... Très bien. Il faudrait que tu nous emmènes au large, cette nuit, avec ton bateau. Et la barge sur laquelle se trouve le sonar.

Kona regarda Clay qui souriait en levant les sourcils.

— Non, il faut que ça se fasse cette nuit. Je prends l'avion demain matin pour Chuuk. Si je dois envoyer un signal, sur quoi dois-je l'enregistrer? Une bande, un CD, ou quoi? N'importe quoi du moment qu'il y a un pré-ampli? (Clay couvrit le combiné de sa main.) Tu peux le mettre sur un CD audio?

— Pas de problème, répondit Kona.

— Pas de problème, répéta Clay dans le téléphone. On te retrouve sur le port à dix heures, OK?

Clay attendit, écoutant et faisant les cent pas dans le petit espace situé derrière le surfeur.

— Ouais, très bien, on était justement en train d'en parler, Cliff, et on se disait que si tu refusais on serait obligés de te voler ton bateau, ta barge et ton équipement sonar. Je pourrais certainement trouver comment ça fonctionne, non?

Il y eut un nouveau blanc et Clay éloigna le combiné de son oreille. Kona put entendre une voix au ton peu aimable s'échapper du téléphone.

— Mais comme nous sommes copains, Cliff, je te préviens que je vais te voler ton bateau. Tu ne t'imagines quand même pas que je vais le voler comme le ferait un étranger? À la bonne heure, on se retrouve à dix heures.

Et il raccrocha.

— C'est bien, gamin, prépare-moi ça. Il faut que ça soit prêt car à dix heures on sera sur le port.

— Mais qu'est-ce que vous allez faire si des malfaisants captent le message ?

— Même si ça arrive, il n'y aura qu'Amy pour le comprendre, fit Clay.

— Super, mec.

Kona se concentra à assembler les composantes du message, la langue retournée au coin de la bouche, comme une antenne capable de capter l'attention.

Clay se pencha au-dessus de son épaule et regarda la sinusoïdale apparaître sur l'écran.

— Mais comment peux-tu arriver à faire ça, gamin ? Ce que je veux dire c'est que ça ne te ressemble guère.

— Comment un type pourrait-il se consacrer à son art avec vous dans son dos à geindre comme un macaque agité ?

— Je te prie de m'excuser, fit Clay en se promettant de lui donner une augmentation de salaire dans l'hypothèse où tout fonctionnerait parfaitement.

CHAPITRE 37

Une mort baleineuse

Nat resta cinq jours supplémentaires dans son appartement avant qu'on vienne le chercher. Tout commença le sixième jour lorsqu'il remarqua la présence d'un groupe de baleineux rassemblés sous sa fenêtre. Depuis le jour où il avait informé Cielle du plan du Colonel, on avait revu des humains dans les rues, mais Gluville n'avait pas repris son allure habituelle (pour commencer, en temps normal Gluville offrait un aspect extraordinairement étrange). Nat sentait que les humains et les baleineux étaient à cran. Aujourd'hui, il n'y avait pas d'humains dans les rues et tous les baleineux émettaient des appels stridents. Il était certain d'en avoir déjà entendu de semblables, mais, assez bizarrement, pas dans la cité sous la mer. Entendre l'appel à la chasse dans ces circonstances lui donna le frisson.

Il les regarda se rassembler et se frotter les uns contre les autres comme pour mieux renforcer les liens qui les unissaient, marchant en rond par petits groupes comme s'ils évacuaient leur nervosité, chacun d'eux redressant la tête à l'occasion et lâchant l'appel à l'hallali, les dents étincelantes, les mâchoires claquant comme des pièges à ours. Il comprit qu'ils allaient venir chez lui.

Nat était habillé et les attendait quand ils passèrent la porte. Quatre d'entre eux s'emparèrent de lui, le soulevèrent par les jambes et les épaules et lui firent ainsi descendre les marches qui conduisaient au

379

trottoir, puis ils l'emmenèrent vers les tunnels. La foule tout entière s'engagea dans la même direction, ses cris devenant plus fréquents et, à cause du confinement de l'espace, d'une stridence assourdissante.

Malgré les longs doigts de ses ravisseurs qui lui entraient dans la chair, Nat fut envahi d'un calme résolu, proche d'un état de transe doublé de la certitude que bientôt tout serait terminé pour lui. Il regarda de chaque côté et ne vit que des bouches pleines de dents qui le narguaient. Au milieu de la frénésie, il perçut, ici et là, le hennissement caractéristique du rire d'un baleineux. « Eh bien, pensa-t-il, on dirait qu'ils sont persuadés qu'ils vont s'en payer une bonne tranche. »

Il ne tarda pas à reconnaître le corridor vers lequel ils l'emmenaient. Les appels de centaines de baleineux en provenance de l'amphithéâtre couleur de nacre se réfléchissaient contre les parois caverneuses. La population entière des baleineux était-elle là à l'attendre ?

À son arrivée dans l'amphithéâtre, le volume des appels alla crescendo, Nat tendit le cou et aperçut les grosses femelles couleur de baleine tueuse qui maintenaient le Colonel allongé par terre. Les baleineux qui portaient Nat le remirent sur ses pieds et deux d'entre eux le poussèrent vers les bancs pour qu'il puisse regarder avec les autres.

L'une des femelles qui cramponnaient le Colonel émit un long appel aigu. Si la foule ne se calma pas totalement, les appels à l'hallali cessèrent. Le Colonel avait les yeux écarquillés et Nat n'aurait pas été surpris de le voir se mettre à aboyer et à écumer de la bouche. Quand le calme revint suffisamment pour qu'il puisse être entendu, il se mit à crier. La grosse femelle qui le tenait le bâillonna. Nat vit le Colonel se démener pour pouvoir respirer, lui-même se débattit pour marquer son soutien. Puis la femelle prit la parole, dans leur langage fait de sifflements et de cliquetis. La foule s'arrêta même de hennir. Les yeux écarquillés, ils tournèrent la tête sur le côté pour mieux écouter celle qui parlait.

Nat ne comprit pas grand-chose de ce que dit la baleineuse, mais il n'y avait pas besoin de parler la langue pour comprendre ce qu'elle faisait. Elle déclinait les crimes commis par le Colonel et prononçait la sentence. Il n'y avait rien de comique, se dit Nat, à voir que les baleineux qui s'érigeaient en justiciers étaient ceux qui avaient la couleur des baleines tueuses, ceux qui étaient les plus intelligents et les mieux organisés, les plus illustres et les plus horribles de tous les mammifères marins. Mis à part les hommes, ils étaient les seuls représentants capables de manifester à la fois de la cruauté et de la pitié, la première n'étant possible qu'avec le concours de la seconde. Et si en fin de compte les mènes étaient en train de prendre le dessus sur les gènes ?

Quand elle eut fini de parler, elle tendit la main du Colonel à une autre femelle, ce qui eut pour effet de le courber en avant, ses mains retenues haut dans le dos. Puis la femelle lança un nouveau cri strident et tout le plafond de l'amphithéâtre sombra dans l'obscurité la plus totale. Quand son cri cessa, la lumière revint. Le Colonel hurlait aussi fort qu'il le pouvait, lançant, au hasard, des jurons, des déclarations sans queue ni tête, insultant les baleineux de tous les noms, les traitant de monstres, de dégénérés, vociférant comme un prophète fou dont le doigt de Dieu aurait carbonisé la raison. Quand la lumière fut totalement revenue, le temps d'une seconde, le regard du Colonel croisa celui de Nat. Le Colonel se calma. Nat y lut quelque chose : une profondeur, une sagesse que Nat lui avait autrefois connues, à moins que ce ne soit simplement de la tristesse, mais avant que Quinn ait eu le temps de faire son choix la grosse femelle se pencha et décapita le Colonel avec les dents.

Nat sentit qu'il allait tourner de l'œil. Son champ de vision se rétrécit à un unique point et il lutta pour rester conscient, se concentrant sur sa respiration car il venait de se rendre compte qu'elle s'était momentanément interrompue. Tout en continuant à regarder la scène, sa vision se rétablit, sa respiration redémarra entre ses dents serrées, d'une façon saccadée qui trahissait l'affolement.

La baleineuse tueuse cracha la tête du colonel dans l'amphithéâtre en direction des jeunes de son espèce, qui s'en saisirent et la déchiquetèrent à coups de dent. Puis la femelle se mit à arracher de gros morceaux de chair du corps du Colonel qu'elle dispersa dans la foule dont les cris d'hallali repartirent de plus belle.

Nat n'aurait pu dire combien de temps tout cela dura, mais quand ce fut terminé, que le corps du Colonel eut disparu, il resta un large rond rouge au milieu de l'amphithéâtre. Autour, il vit les sourires sanguinolents des baleineux. Même ceux qui cramponnaient Nat par les bras avaient pris part à la communion, attrapant des morceaux de chair de leur main libre. L'un d'eux avait sifflé comme un serpent et craché du sang au visage de Nat. Puis ils traînèrent le biologiste vers le centre de l'amphi.

Nat se sentit défaillir, le sang battait dans ses oreilles, étouffant tous les autres sons. Partout où il pouvait regarder, ce n'était que dents pleines de sang et yeux révulsés. Il éprouva un curieux sentiment de détachement. Quand la grosse femelle se lança dans un nouveau discours, une pensée lui revint en mémoire, une pensée qu'il avait eue quand la baleine à bosse l'avait avalé, comme une espèce de déjà-vu malicieux : « Quelle incroyable et stupide façon de mourir. »

Puis un autre long et strident sifflement retentit et Nat ferma les yeux, attendant le couperet de la mort, qui ne vint pas. La foule se calma à nouveau. Il osa regarder à travers une paupière à peine entrouverte, à deux doigts de se lamenter qu'on ait retardé le coup fatal et il vit des dents face à lui, mais pas celles pleines de sang des baleineux.

Le sifflement aigu se répéta, produit par la baleineuse de l'espèce des bleues qui se frayait un chemin vers Nat à travers l'amphithéâtre. À ses côtés, en short de randonnée et débardeur, se tenait une petite brune à l'air déterminé, avec des yeux bordeaux d'une brillance surnaturelle. Les baleineux qui tenaient Nat prirent un air gêné. La femelle qui avait tué le Colonel chercha du soutien chez celui qui cramponnait Nat, quand Amy dégaina son pistolet hypodermique et lui tira dans la poitrine, expédiant la baleineuse à un mètre cinquante, sur le sol ensanglanté, où elle se tordit de douleur.

— Lâche-le, ordonna Amy à celui qui le tenait.

Pour une raison inconnue, peut-être parce que l'ordre semblait sans réponse possible, il lâcha son prisonnier qui s'écroula à terre. Alors Amy dégaina un deuxième pistolet hypodermique dont elle colla le canon contre la poitrine du gros baleineux, qu'elle expédia au sol sur le corps de sa compagne. Pendant tout ce temps, Emily 7 n'avait pas cessé de siffloter.

— Ça va ? demanda Amy à Nat qui regardait autour de lui sans trop savoir s'il allait bien.

Il parvint à hocher la tête.

— Ça suffit, Emily, fit Amy.

Et Emily cessa de siffler.

Avant que la foule n'ait le temps de réagir ou qu'un murmure en baleineux ne s'élève, Amy hurla :

— Hé, fermez vos gueules !

Ce qu'ils firent.

— Nat n'a rien fait, poursuivit-elle. Tout était de la faute du Colonel et aucun de nous n'était au courant. Il a fait venir Nat ici pour qu'il l'aide à détruire notre cité, et Nat a refusé. C'est tout ce que vous avez besoin de savoir. Vous me connaissez tous. Ici, c'est aussi chez moi. Vous savez que je ne vous mentirais pas.

À ce moment-là, la grosse femelle commença à revenir à elle. Amy enjamba le corps de Nat pour aller se poster au-dessus de celui de la baleineuse.

— Lève-toi, salope, si tu ne veux pas que je te botte le cul. C'est toi qui choisis.

La femelle se raidit.

— Oh, va te faire foutre, dit Amy qui frappa la baleineuse sur le museau avec les deux pistolets en même temps avant de se tourner vers l'autre qui se relevait mais qui replongea aussitôt à terre pour faire le mort.

— À la bonne heure, dit Amy qui ajouta en direction de la foule : Allez, dispersion !

Il y eut des murmures en baleineux et Amy hurla :

— Me serais-je mal fait comprendre, bordel ?

— Oui, oui, on se disperse, firent, en anglais, une douzaine d'elfes à la petite voix sourde.

— Oui, oui, oui, on y va, fit une autre petite voix.

— On va faire place nette, dit une troisième.

— C'était juste pour rire, fit encore une quatrième qu'on eût dit gonflée à l'hélium.

— Allez, dit Amy, on y va, Nat.

Le biologiste essayait toujours de se relever. Au moment où il pensait qu'on allait lui arracher la tête, ses genoux étaient devenus tout ramollos. Emily 7 le prit par le bras et l'aida à se mettre debout. Amy les guida vers la sortie de l'amphi, puis elle s'arrêta :

— Une petite seconde.

Elle revint sur ses pas, là où la meneuse des baleineux était en train de se relever, et elle la frappa en pleine poitrine avec le pistolet hypodermique, ce qui expédia l'autre à nouveau au tapis.

En repassant devant Nat et Emily 7, Amy dit :

— C'est bon. À présent on peut y aller.

— Aller où ? demanda Nat.

— Emily dit que t'as couché avec elle, fit Amy.

Nat regarda Emily qui souriait de toutes ses grosses dents en hennissant.

— Non, on a dormi ensemble, juste dormi, c'est tout. Dis-le-lui, Emily.

Emily siffla, un véritable air de chanson cette fois, et roula des yeux.

— Je t'assure que c'est la vérité, dit Nat.

— Je sais, dit Amy.

Nat entendit un «Oh !» qui provenait de derrière eux dans le corridor.

— C'était pas un peu risqué d'affronter un millier de baleineux avec deux pistolets hypodermiques ?

— J'aime ce genre de choses, répondit Amy en appuyant sur les boutons qui déclenchèrent des petits arcs bleus incandescents entre les contacts. Mais je n'ai pas affronté un millier de baleineux, je n'en ai affronté qu'une seule, une femelle alpha. Tu sais pourquoi je l'ai fait ?

Elle sourit et, sans cesser de marcher, elle jeta les bras autour du cou de Nat et l'embrassa.

— Et ne l'oublie jamais, dit-elle.

— Promis.

Puis l'angoisse qu'il aurait pu la perdre et qui l'avait hanté toute la semaine refit surface.

— Mais où étais-tu passée ? J'ai cru que le Colonel t'avait enlevée.

— Je suis allée sur le bateau de ma mère pour envoyer un message.

— Quel message ?

— Je t'ai appelé un taxi. Tous les baleineux avaient reçu pour consigne de ne pas quitter le port avec toi à bord. Et c'est toujours valable. Mais moi je pouvais le faire, alors je suis allé avec ma mère pour chercher du ravitaillement et j'en ai profité pour t'appeler un taxi.

— Tu veux dire qu'Emily 7 ne sait pas piloter un bateau ?

— Oh, oh, vagit Emily.

— Il n'y a que les pilotes qui savent. Bref, fit Amy en regardant sa montre, ton taxi ne devrait plus tarder à arriver au port. Je dois passer chez moi prendre quelque chose. Je veux que tu partes avec.

*

Une heure plus tard, ils se tenaient au bord de l'eau, sur le port. Amy regarda à nouveau sa montre.

— J'en ai ras le bol, dit-elle en tapant du pied, énervée.

Toutes les trente secondes, elle avait dû raconter ce qui s'était passé à tous les habitants de Gluville qu'ils avaient croisés. Emily 7 était la

385

seule des baleineux, mis à part ceux de l'équipage du bateau de la mère d'Amy, à être restée dans la grotte.

— Ils pensent qu'ils vont se révolter et s'en prendre aux humains ? demanda Nat.

— Non, ça va aller. C'était une première. C'est pas tous les jours qu'ils découvrent que leur messie complotait pour les supprimer. Laissons-leur un jour ou deux pour s'en remettre, et tout redeviendra normal.

— Je crois que c'est aussi bien que nous partions d'ici. Tu ne dois pas avoir envie de retomber sur les deux baleineux que tu as frappés.

— Amène-les-moi, répondit Amy en tapotant les poches de son short. En outre, j'ai un statut un peu particulier ici. Tu sais, Nat, je ne voudrais pas paraître égocentrique mais ils me connaissent tous ici, ils savent qui je suis, ce que je suis. Personne ne cherchera à m'embêter.

C'est alors que Nat remarqua une lueur qui, sous la mer d'huile, montait des profondeurs.

— C'est lui, dit Amy.

— Lui, qui ?

— Clay. Il vient pour te ramener chez toi.

— Tu veux dire « nous » ramener chez moi ?

— Emily, tu peux nous lâcher une minute ? demanda Amy.

— OK, dit Emily 7 en s'éloignant du rivage vers la ville.

Quand elle fut assez loin pour ne pas pouvoir entendre, Amy enlaça Nat et recula pour le regarder dans les yeux.

— Nat, je ne peux pas partir avec toi. Je reste.

— Mais qu'est-ce que tu racontes ? Pourquoi ?

— Je ne peux pas partir. Il faut que je te dise quelque chose qui me concerne et que tu ignores, quelque chose dont j'aurais dû te parler plus tôt, mais je ne pensais pas que tu… comment dire… que tu tomberais amoureux de moi.

— De grâce, Amy, ne me dis pas que tu es lesbienne, parce que j'ai déjà donné et je ne crois pas que j'y survivrais si c'était ça. Je t'en prie.

— Non, ça n'a rien à voir avec ça. C'est au sujet de mes parents… au sujet de mon père, en fait.

— Le navigateur ?

— Ben… pas exactement. En fait, Nat, le voilà mon père, fit-elle en sortant une petite fiole de sa poche, qu'elle tint en l'air, et qui contenait une substance rose d'aspect gélatineux.

— On dirait…

— C'est ça, Nat, c'est la Glu. Ma mère n'a jamais eu de relations intimes avec son navigateur, ni avec personne d'autre au cours de ses trois premières années ici, mais un matin elle s'est réveillée enceinte.

— Et tu es certaine que c'est bien la Glu ? Ta mère n'aurait pas des fois abusé de cocktails exotiques au Cabana Club de Gluville ?

— Elle est au courant, et moi aussi. Nat, je ne suis pas vraiment normale.

— Mais tu te sens normale, dit-il en l'attirant à lui.

— Mais je ne le suis pas. D'abord, je ne fais guère plus jeune que je ne suis en réalité, mais je suis beaucoup plus forte que je n'en ai l'air, notamment en natation. Tu te souviens du jour où j'ai localisé la baleine à bosse rien que par les sons qu'elle émettait ? Je peux vraiment détecter la provenance des sons sous-marins. Et les tissus de mes muscles sont différents, ils peuvent emmagasiner de l'oxygène comme ceux des baleines, je peux rester plus d'une heure sous l'eau sans respirer, davantage si je m'entraînais. Il n'y a que moi qui suis comme ça. Je ne suis pas, comment dire… vraiment humaine.

Nat écouta, essayant de comprendre ce que cela signifiait vraiment, mais il ne pouvait penser à autre chose qu'à partir en compagnie d'Amy. Il voulait qu'elle reste à ses côtés, peu importe ce qu'elle venait de lui révéler.

— Je m'en fous, Amy. Ça n'a pas d'importance. Dis-toi que je peux dépasser tout ça, fit-il en faisant un grand geste qui englobait le « tout ça », et le fait que tu as soixante-quatre ans et que ta mère est une célèbre aviatrice défunte. Du moment que tu n'aimes pas les autres filles, moi, ça me va.

— C'est pas ça, Nat. Je ne peux pas partir d'ici, pas pour long-temps. Aucun de nous ici n'en est capable. Même ceux qui ne sont pas nés ici. La Glu finit par faire partie de nous-mêmes. Elle prend soin de nous, mais nous nous y attachons, presque littéralement parlant. C'est comme une drogue qui pénètre tes tissus par contact. C'est comme ça que ma mère m'a eue. Je me suis déjà beaucoup absentée cette année. Si je partais maintenant, ou si je m'absentais plus de quelques mois, je tomberais malade. Je mourrais probablement.

À ce moment-là, un submersible de poche de couleur jaune fit surface dans le lagon, sa douzaine de projecteurs répartis autour de sa grosse bulle de Plexiglas illuminèrent la grotte.

— C'est donc ça, Amy. Eh bien c'est moi qui vais rester alors. Je vais rester ici. On peut vivre ici. Je consacrerai ma vie à étudier ce qui se passe ici, à étudier la Glu.

— Tu ne peux pas faire ça non plus. Elle finira par faire partie de toi. Si tu restes trop longtemps, tu ne pourras plus en repartir. La première nuit que nous avons passée à boire, tu as dû remarquer la vitesse avec laquelle tu as guéri de ta gueule de bois.

Nat pensa aussi à la rapidité avec laquelle ses blessures avaient cicatrisé. En une nuit, au lieu de plusieurs semaines, voire plusieurs mois. Il n'y avait pas d'autre explication possible. Il imagina ce que serait sa vie en n'apercevant que des bribes de soleil et il dit :

— Je m'en fous. Je reste.

— Non, je ne te le permettrai pas. Tu as des choses à faire.

Elle glissa la fiole avec l'échantillon dans la poche de Nat puis elle l'embrassa très fort. Il lui rendit son baiser, qui dura longtemps.

Le cockpit de la tour du sous-marin s'ouvrit et Clay émergea, revoyant Nat et Amy pour la première fois depuis leur disparition.

— Eh ben, dit-il, c'est pas très professionnel tout ça.

Amy mit un terme au baiser et murmura :

— Pars. Emmène ça avec toi.

Elle tapota sa poche, puis elle se tourna vers Clay en regardant sa montre.

— Tu es en retard !

— Dites donc, la miss, j'avais fixé l'heure en fonction des coordonnées que vous avez envoyées : six cent vingt-trois pieds sous le niveau de la mer. Vous ne m'aviez pas dit qu'il y avait un kilomètre et demi supplémentaire à faire dans des grottes sous-marines et entre les rochers les plus effrayants que j'aie jamais vus.

Il regarda Nat et dit :

— Ces rochers, ils ont l'air vivants.

— Ils le sont, dit Amy.

— Est-ce qu'on est proches de la surface ? La pression est de...

— Je t'expliquerai en cours de route, dit Nat. On ferait mieux d'y aller.

Il monta à bord du sous-marin, Clay s'effaça dans le cockpit pour le laisser passer. Nat se contorsionna pour entrer dans le cockpit et jeta un regard en direction d'Amy avant de le refermer.

— Je vais rester, Amy. Je m'en fous. Je vais rester pour toi. Je t'aime. Tu le sais, n'est-ce pas ?

Elle fit oui de la tête et essuya une larme.

— Oui, répondit-elle avant de faire demi-tour rapidement et de s'éloigner. Prends soin de toi, Nat Quinn, lança-t-elle par-dessus son épaule.

Et Nat entendit la voix d'Amy se briser en prononçant son nom.

Il descendit dans le sous-marin et vérifia la fermeture du cockpit au-dessus de lui.

Depuis la grosse bulle de Plexiglas à demi immergée, Clay avait regardé Amy s'éloigner.

— Mais Amy, où va-t-elle ?

— Elle ne peut pas venir avec nous, Clay.

— Mais elle va bien au moins ?

— Elle va bien.

— Et toi, ça va ?

— Il m'est arrivé d'aller mieux.

Ils restèrent silencieux tout au long du chemin qui les conduisit à

389

travers les écluses à pressurisation qui débouchaient sur l'océan, dans le seul bruit des moteurs électriques et le faible bourdonnement des instruments qui les encerclaient. Les lumières du sous-marin éclairaient à peine les parois de la grotte, mais environ tous les cent mètres ils arrivaient sur un énorme disque rose de tissu vivant, qui ressemblait à une anémone de mer géante et qui se rétractait pour les laisser passer avant de se détendre pour reboucher le passage derrière eux. Nat contrôla le niveau de pression qui augmenta d'une atmosphère à chaque franchissement de l'une des écluses et c'est alors qu'il se rendit compte qu'il n'était pas du tout en train de s'évader. La Glu savait exactement où et qui ils étaient, et elle les laissait partir.

— Tu vas tout m'expliquer, n'est-ce pas ? dit Clay, sans même lever le nez des cadrans.

Nat sortait peu à peu de sa rêverie.

— Clay, dit-il, j'arrive pas à le croire. Ce que je veux dire, c'est que j'y crois, mais… Merci d'être venu me récupérer.

— Je ne t'en ai jamais parlé, tu sais… Le moment est mal choisi… mais pour moi la fidélité, ça veut dire quelque chose.

— Je respecte ça, Clay, et j'apprécie.

— Ouais, bon, arrête de parler de ça.

Un peu gênés, ils firent tous deux semblant d'avoir un chat dans la gorge. Ils toussèrent et se concentrèrent quelques instants sur leur propre respiration bien qu'à l'intérieur du minuscule bathyscaphe l'air fût filtré, humidifié et parfaitement pur.

CHAPITRE 38

Les pirates

Aux côtés de Clay, Nat se tenait sur le pont d'atterrissage du *Claire* alors que le navire entrait dans la passe d'Au'au.

— Nat, dit Clay, tu ferais bien de mettre de la crème solaire.

Nat regarda ses avant-bras. À Gluville, il avait pratiquement perdu l'intégralité de son bronzage et il sentait que le soleil le cuisait, même à travers son tee-shirt.

— Ouais, dit-il en regardant en direction de Lahaïna, ce port dans lequel il était entré des milliers de fois.

Avec un bâtiment de cette taille, ils allaient devoir jeter l'ancre à l'extérieur de la barrière de corail ; ce qui n'empêcha pas Nat, comme d'habitude, d'avoir le sentiment de rentrer chez lui. Le vent était chaud et doux et, là où les vagues se brisaient, l'eau était aussi bleue qu'un regard de nouveau-né. Vers le nord, à environ huit cents mètres, une baleine à bosse plongea, sa nageoire caudale brillant au soleil comme si elle était pailletée.

— Il nous reste un mois avant la fin de la saison, dit Clay. On pourrait encore abattre du boulot.

— J'y ai pensé, Clay. Peut-être pourrions-nous être plus pointus dans notre travail, peut-être un peu plus déterminés en ce qui concerne la conservation des espèces.

— Je serais partant. J'adore les baleines.

— Ce que je veux dire, c'est que nous avons des moyens à présent, et même si je pouvais démontrer la signification du chant des baleines, en déchiffrant le vocabulaire qui le compose, je ne pourrais jamais apporter la preuve de sa finalité... sans compromettre l'existence de Gluville.

— Ce ne serait pas une bonne idée.

Au cours du voyage de retour, Nat avait tout expliqué.

— Au diable les emmerdes !

— Ouais.

Clay affecta de prendre un fort accent grec pour dire :

— Il y a des jours, patron, où il suffit de déboutonner son froc pour aller au-devant des problèmes.

— Comme Zorba ?

— Ouais, répondit Clay en souriant.

— Un grand roman, dit Nat. N'est-ce pas le *Toujours Confus* là-bas ?

Clay prit une paire de jumelles. Il les braqua sur une vedette rapide qui contournait la barrière de corail de Lahaïna en dessinant un sillage plus important que d'habitude. Kona se tenait à la barre de l'embarcation.

— Mon bateau, fit Clay, quelque peu inquiet.

— Il faut que tu dépasses ça, Clay.

La vedette vint se mettre à la hauteur du *Claire* à l'instant où ce dernier coupait ses moteurs et se préparait à jeter l'ancre. Kona faisait de grands signes en criant comme un malade.

— Salut, patron, salut ! Le lion est de retour ! Que Jah soit loué !

Nat descendit l'échelle de coupée jusqu'au pont de la vedette. Quels qu'aient pu être ses ressentiments à une époque à l'égard du surfeur, ils avaient à présent disparu. Tout comme la crainte qu'avait pu lui infliger le garçon. Si le manque d'à-propos et la force de Kona avaient pu mettre en évidence le caractère de Nat, ils n'étaient plus de mise. Peut-être était-il temps de devenir un exemple plutôt qu'un concurrent. À côté de cela, Nat était vraiment content de revoir le gosse.

— Salut, gamin, comment ça va ?

— Je me débrouille, vous trouvez pas ?

— C'est bien. Ça te dirait pas de faire pirate ?

*

Parce que la marine n'entretenait pas de locaux permanents à Mauï, on avait mis à disposition du capitaine L.J. Tarwater un petit bureau que cette même marine lui louait dans le bâtiment des gardes-côtes, ce qui avait pour résultat, contrairement à ce qu'on pouvait constater dans d'autres bases navales, de voir le public entrer et sortir à sa guise. Ce qui fait que Tarwater ne fut pas surpris de voir quelqu'un pousser la porte de son bureau. Ce qui le stupéfia fut qu'il s'agissait de Nat Quinn, qu'il croyait noyé, et qui entrait les bras chargés d'un énorme bocal en verre contenant une espèce de liquide clair.

— Quinn, je vous croyais disparu en mer.

— Je l'ai été. Mais j'ai retrouvé mon chemin. Il faut qu'on cause.

Il posa le bocal sur le bureau de Tarwater, ce qui laissa un cercle humide sur les papiers, puis Nat retourna fermer la porte.

— Écoutez-moi bien, Quinn, si c'est un coup d'esbroufe, vous perdez votre temps. Vous êtes de ces types qui se comportent comme si l'armée, c'était le Grand Satan. Je suis ici pour étudier les animaux. Nous sommes de la même génération, vous et moi, tout comme la plupart de ceux qui, dans la marine, font la même chose que moi. Nous ne voulons pas faire de mal à ces animaux.

— D'accord, dit Nat. Il faut d'abord qu'on parle de deux sujets et après je vous montrerai quelque chose.

— Il y a quoi dans le bocal ? J'espère au moins que ce n'est pas du kérosène ou un truc dans ce goût-là.

— C'est de l'eau de mer. Je l'ai ramassée sur la plage il y a dix minutes. Ne vous inquiétez pas. Primo, vous allez terminer votre étude et fortement déconseiller à la marine d'installer sa batterie de torpilles au sein du sanctuaire. Vous n'allez pas permettre une chose pareille. Les animaux plongent vraiment à des profondeurs où ils risquent d'être blessés par les explosions. Ils le *seront* forcément par des torpilles que vous ferez exploser, non pas dans le but de défendre la patrie, mais dans celui de vous entraîner.

— Il n'existe aucune preuve qu'il leur arrive de plonger au-delà de deux cents pieds.

— Il y en aura. J'attends des États-Unis des données de tags placés sur des baleines et dans un mois j'aurai des statistiques.

— Oui, mais…

— Taisez-vous, dit Nat, puis il se reprit et ajouta : Je vous en prie. Deuzio, poursuivit-il, vous devez faire tout ce qui est en votre pouvoir pour retarder les essais de sonars à basses fréquences. Nous savons que cela tue les espèces chasseresses des eaux profondes comme les hyperoodons et il y a des chances pour que cela blesse également les baleines à bosse, et sous aucun prétexte vous n'autoriserez cela.

— Et pourquoi donc ?

— Vous savez à quoi j'ai consacré les vingt-cinq dernières années, n'est-ce pas ?

— Vous avez étudié le chant des baleines à bosse. Enfin, vous avez cherché à en définir le sens.

— Et je l'ai trouvé, Tarwater. Le chant est une prière. Les baleines prient.

— C'est ridicule. C'est impossible que vous ayez appris ça.

— Je suis affirmatif, absolument affirmatif. Je sais qu'il s'agit d'une prière et que la base de lancement de torpilles et les sonars basses fréquences feront du mal à des animaux qui prient.

Nat marqua une pause pour que l'idée fasse son chemin, mais Tarwater le regarda comme s'il s'agissait d'un rat qui sortait d'un champ de canne à sucre.

— Quinn, comment pouvez-vous savoir une telle chose ?

— Parce que leurs prières sont exaucées.

Nat sortit un magnétophone portatif de sa poche de chemise et le posa sur le bureau à côté du bocal d'eau de mer dans lequel il avait au préalable ajouté une partie de la Glu qu'Amy lui avait donnée. Il pressa sur le bouton « Play » et le chant des baleines à bosse emplit l'espace.

— C'est ridicule, dit Tarwater.

— Regardez, dit Nat en montrant l'eau de mer qui commença à créer un petit remous rose au milieu du bocal.

— Sortez d'ici, Quinn. Vos trucs de bateleur de foire ne m'impressionnent pas.

— Regardez, redit Nat.

Pendant qu'ils regardaient, le remous rose prenait de l'ampleur tandis que le chant continuait pour remplir entièrement le bocal. Alors Nat arrêta le magnétophone.

— Oui, et alors ? dit Tarwater.

— Regardez de plus près.

Nat ouvrit le bocal, plongea la main et retira de la matière rose qu'il jeta sur le bureau. De minuscules crevettes, chacune de deux centimètres et demi de longueur, se mirent à sauter sur le sous-main.

— C'est du krill, dit Nat.

Tarwater ne répondit rien. Il se contentait de regarder le krill. Il en prit dans sa main et l'observa de plus près.

— C'est du krill, dit-il.

— Ouais.

— Mais c'est comme pour les *sea monkeys*[1]. Vous aviez mis des œufs de crevettes dans l'eau de mer.

— Non, capitaine Tarwater, je n'ai pas fait ça. Les baleines à

---

1. Littéralement : « singes de mer ». Les scientifiques appellent ce curieux phénomène la cryptobiose, ce qui signifie « vie cachée ». Sur terre, parmi les êtres vivants concernés par la cryptobiose au premier stade de leur développement, on note les semences de céréales, comme ces grains de blé retrouvés dans les tombeaux des pharaons égyptiens, qui ont poussé après être restés plus de deux mille ans dans des urnes, les larves de certains insectes et les œufs à coque épaisse de crustacés comme les daphnies, les crevettes, etc.

bosse prient et Dieu leur répond en leur apportant de la nourriture. Nous pourrions reproduire cette petite expérience une centaine de fois et l'eau serait pure au début et pleine de krill à la fin. Faites-moi confiance, j'ai essayé.

Et c'était vrai. Un tout petit peu de Glu dans l'eau donnait naissance au krill qui surgissait de l'autre vie, de cette bactérie omniprésente, la SAR-11, qui existe dans chaque litre d'eau de mer de la planète.

Tarwater porta le krill à hauteur d'yeux.

— Mais je croyais que les baleines ne se nourrissaient pas quand elles étaient dans nos eaux ?

— Vous réfléchissez à une trop petite échelle. Elles ne s'alimentent pas pendant quatre mois, mais après elles ne font que ça. Elles anticipent, de la même manière que vous pouvez penser à votre petit déjeuner du lendemain avant d'aller vous coucher. Mais cela n'a guère d'importance. Ce qu'il vous reste à faire, capitaine, c'est mettre à profit tout votre pouvoir et toute votre influence pour stopper les essais de torpilles et de sonars basses fréquences.

— Je ne suis que capitaine, fit Tarwater en montrant sa surprise.

— Oui, mais un capitaine ambitieux. En moins de dix heures, je peux faire parvenir un bocal d'eau de mer sur le bureau du secrétaire à la Marine. Voulez-vous être celui qui devra expliquer à cette administration que vous vous en prenez à des animaux qui prient Dieu ? Tout particulièrement à *cette* administration-là ?

— Non, monsieur, je n'y tiens pas, dit Tarwater qui paraissait beaucoup plus terrifié qu'une seconde plus tôt.

— Je savais que vous étiez un type intelligent. Je vous fais confiance, vous vous en tirerez et on n'entendra plus jamais parler de mon bocal.

— Oui, monsieur, dit Tarwater en montrant une marque bien inhabituelle de respect.

Nat ramassa son magnétophone et son bocal. Il sortit en souriant intérieurement. Sa pensée alla aux baleines qui priaient. « Il va de soi

396

qu'il ne s'agit pas de votre dieu, se dit-il, mais elles prient vraiment et leur dieu leur donne à manger. »

Il retourna à Papa Lani pour passer des coups de fil et rédiger l'article qui torpillerait tous les espoirs de Jon Thomas Fuller de créer un jour un zoo marin à Mauï où l'on retiendrait des dauphins en captivité.

Un pirate n'est jamais au bout de ses peines.

*

Trois mois plus tard, le *Claire* croisait dans les eaux glacées au large des côtes du Chili. Il se dirigeait vers l'Antarctique afin de stopper, harceler, en gros rendre la tâche difficile au *Kyo Maru*, un baleinier japonais. Clay barrait et quand le bateau atteignit un point précis défini par le GPS, il ordonna de couper les moteurs. Il faisait beau et le temps était étonnamment calme pour cette partie du Pacifique. L'eau était d'un bleu si foncé qu'il en paraissait presque noir.

Claire se trouvait au pont inférieur, dans sa cabine. Elle avait été malade tout au long de la plus grande partie de la traversée mais, malgré ses nausées, elle avait insisté pour venir, faisant usage de son remarquable talent de persuasion (« C'est qui le cul préféré du pirate ? Allez, aide-moi à faire ma valise »).

Nat se tenait à la proue, le bras passé autour des épaules d'Elizabeth Robinson. Au-dessus d'eux, au bout d'un palan, se balançait le Zodiac de dix-huit pieds à coque rigide, prêt à être mis à la mer à tout moment. Il y en avait un autre à la poupe, là où, en d'autres temps, on avait garé le bathyscaphe. À la dunette, Kona observait l'océan à travers d'énormes jumelles montées sur un pivot soudé au bastingage.

— En voilà une, à mille mètres !

Nat gagna la dunette aux côtés de Kona. Tous deux regardèrent vers tribord, là où le résidu de panache dû au souffle d'une baleine stagnait encore au-dessus de la mer d'huile.

— Il y en a une autre! cria Clay en montrant un second nuage, beaucoup plus près, face à l'étrave.

Puis des panaches commencèrent à s'élever dans les airs, comme tirés par une batterie de fusées. Il s'agissait de souffles de formes, de hauteurs différentes, sous divers angles, d'énormes explosions de jets, si proches du bateau que bientôt le pont se mit à briller d'humidité. Les dos des grosses baleines apparurent autour du navire, gris, noirs, bleus, des collines de chair lisse ondoyèrent de tous côtés avant de rester en surface. Nat et Elizabeth gagnèrent le bastingage de proue pour observer un groupe de cachalots qui, tels des troncs d'arbres, se prélassaient à leurs pieds. Tout près d'eux flottait en toute quiétude une énorme baleine franche dont seul le lent mouvement de la nageoire caudale permettait de dire qu'elle était vivante. L'animal roula sur le côté, son œil grossit quand elle les regarda.

— Ça va? demanda Nat à Elizabeth en serrant son épaule.

C'était la première fois depuis quarante ans qu'elle reprenait la mer. Elle tenait fermement à la main un sac en papier brun.

— C'est surprenant quand on les voit de près. J'avais oublié comment c'était.

— Attendez, vous n'avez rien vu.

Il y avait maintenant peut-être une centaine de cétacés d'espèces différentes autour d'eux, la plupart nageant sur le côté avec un œil qui scrutait le ciel. Leurs souffles s'élevaient en un rythme syncopé, comme les cylindres d'un moteur à explosion.

Kona exultait aux côtés de Clay, remerciant Jah chaque fois qu'un animal soufflait et faisait claquer sa nageoire caudale.

— Je vous salue, mes amies les baleines! criait-il en faisant des signes à celles qui s'approchaient du bateau.

Clay résista à l'urgence d'empoigner sa caméra ou son appareil photo pour prendre des clichés ou tourner une vidéo. Il sentit les larmes lui monter aux yeux.

— Nat, appela-t-il en désignant un filet de bulles qui se formait au-delà du cercle des baleines.

En Alaska ou au Canada, des dizaines de fois, ils avaient déjà été témoins de ces baleines à bosse qui décrivaient des cercles en créant un courant de bulles qui emprisonneraient des bancs de poissons pendant que d'autres plongeraient dans le milieu pour les attraper. À la surface, le cercle de bulles devint plus fourni. On aurait dit que l'eau bouillonnait, et puis une baleine surgit au centre de l'anneau, émergea totalement avant de retomber sur le côté en créant un cratère d'éclaboussures et d'embruns.

— Oh, mon Dieu ! fit Elizabeth.

Troublée, elle enfouit son visage dans la veste de Nat, puis jeta un rapide coup d'œil, de peur de perdre une miette du spectacle.

— Elles font leur numéro, dit Clay.

Les baleines qui flemmardaient s'écartèrent de l'erre du bateau pour lui ouvrir un couloir. La baleine à bosse gagna la proue, sa tête noueuse sortie de l'eau. Quand elle ne fut plus qu'à une dizaine de mètres de l'avant du navire, elle se redressa et ouvrit la gueule. Amy apparut avec James Poynter Robinson à ses côtés.

— Hé ! Vous ne pourriez pas nous envoyer une échelle ? cria Amy.

— Que Jah soit loué ! dit Kona. Blanche-Neige est de retour.

Nat balança par-dessus bord un filet à emballer les cargaisons. Il le descendit jusqu'à la moitié de sa hauteur et aida Amy à l'agripper. Il la tint fermement alors que le bateau dansait dans la houle. Elle essaya d'embrasser Nat et manqua se casser une dent.

— Aide-moi à descendre Elizabeth, dit Nat.

Ils tinrent Elizabeth lors de sa descente du filet et la remirent à son mari qui se tenait sur la langue de la baleine. Il embrassa sa femme qu'il n'avait pas revue depuis quatre décennies.

— Tu fais si jeune, dit Elizabeth.

— On va arranger ça, dit-il.

— Tu vas te mettre à vieillir ?

— Sûrement pas.

Il se retourna vers Nat et le salua.

Nat entendit les pilotes baleineux hennir à l'intérieur du cétacé.

— Je t'ai apporté un sandwich au bœuf fumé, fit Elizabeth.

Poynter lui prit le sac en papier des mains comme s'il s'agissait du Saint Graal.

Nat et Amy escaladèrent le filet et allèrent se poster à la proue tandis que la baleine s'éloignait.

— Merci, Nat, dit la Vieille Peau en agitant la main. Merci, Clay.

— On se reverra bientôt, Elizabeth, répondit Nat en souriant.

— J'y compte bien, tu sais, fit Amy comme le vaisseau baleine se refermait et s'enfonçait dans les vagues.

— Je sais.

— Tu sais aussi qu'il me faudra revenir ici tous les trois ou quatre mois ?

— Je sais.

— Et tout au long de la vie.

— Ouais, je sais bien.

— C'est moi le nouveau Colonel, dit-elle. Je suis l'espèce de responsable qui s'occupe de tout là-dessous, depuis que je suis à moitié devenue la fille de leur dieu. C'est pour ça qu'il nous faudra aller y vivre de temps en temps.

— Dois-je t'appeler Colonel ?

— Ça te pose un problème ?

— Non, ça me va.

— Tu te rends compte que la Glu pourrait vraiment détruire l'espèce humaine à tout moment ?

— Ouais. Mais ça a toujours été ainsi.

— Tu sais aussi que si je vis à l'extérieur je ne vais pas, comment dire... toujours garder cette apparence ?

— Je sais.

— Mais je resterai toujours affriolante et toi, tu resteras toujours un couillon aussi actif.

— Un incorrigible couillon, rectifia-t-il.

— Ha ! dit Amy.

NOTES DE L'AUTEUR

SCIENCE ET MAGIE

« La science, vous savez, c'est comme la magie », dit Kona au chapitre 30. J'ai toujours eu un faible pour la magie car elle fait moins appel aux mathématiques, mais avec ce roman j'ai dû étudier un peu la science. Cependant, une grande partie du récit flirte avec la magie et j'ai pensé qu'il te serait utile, aimable lecteur, de savoir ce qui est vrai et ce qui ne l'est pas.

La masse des connaissances relatives à la biologie des cétacés, notamment la partie qui concerne le comportement, progresse à grande vitesse d'un jour à l'autre. (Ce qui se trouve être la façon exacte dont je conçois ma propre vie, et ça ne me réussit pas si mal.) Les scientifiques se sont penchés sur l'étude du chant des baleines depuis moins de quarante ans et c'est seulement au cours de la dernière décennie qu'on a entrepris des travaux pour essayer de montrer le lien entre le chant et le comportement social, et son interaction. (Là se pose une question assez excitante : que constitue l'interaction dans la voix d'un animal capable de se propager à des milliers de kilomètres ?) Au moment où j'écris ces lignes, septembre 2002, de grandes zones d'ombre demeurent concernant le chant des baleines. (Bien que les scientifiques sachent très exactement qu'on a autant tendance à le retrouver au rayon New Age des magasins de disques qu'au fond des mers tropicales. Il n'y a pas d'explications rationnelles à cela, mais jusqu'à présent on n'a pas encore trouvé de baleines à bosse taguées au rayon disques de Mammouth.)

Jusqu'à ce jour personne n'a réussi à voir ou à filmer l'accouplement des baleines à bosse alors qu'il apparaît que le chant a un rapport avec la pariade, car seuls les mâles chantent et uniquement pendant la saison des amours, mais on n'a pas conclu à une corrélation directe entre le chant et l'activité sexuelle. Les théories cependant ne manquent pas : on dit que les mâles marqueraient leur territoire de façon sonore, qu'ils feraient étalage de leur forme physique et de leur taille en chantant, qu'ils appelleraient leurs compagnes, qu'ils diraient simplement « salut ! » ou bien s'agit-il de tout ce qui précède en même temps, voire rien de tout cela. Il n'en demeure pas moins vrai que, nonobstant la finalité de la chose, le chant des baleines à bosse demeure la composition la plus complexe étrangère à l'être humain sur cette planète. Qu'il s'agisse d'art, de prière ou d'appel à la copulation, le chant reste d'abord une chose étrange à découvrir, et je subodore que même lorsque la science en aura fait le tour, tant qu'il existera, il restera quelque chose de magique.

Mis à part le chant, la plus grande partie du roman concernant le comportement et la biologie des cétacés est aussi proche que possible de la réalité et ne surcharge pas le récit. (À l'exception naturellement des vaisseaux baleines, des baleineux, du fait que les baleines tueuses s'appellent toutes Kevin, que j'ai inventés. En fait, les baleines tueuses se prénomment toutes Sam.) Les données acoustiques et les analyses qui en découlent sont généralement des balivernes. Alors que les scientifiques s'échinent à collecter des statistiques de la manière dont je le raconte, le procédé d'analyse sort de mon imagination. Il n'en demeure pas moins vrai que les appels basses fréquences des cétacés peuvent parcourir des milliers de milles sous-marins.

Chaque hiver le port de Lahaïna est envahi de scientifiques et on organise périodiquement des conférences au centre du sanctuaire des baleines, tandis que l'acrimonie, la compétition et les tensions décrites entre les chercheurs demeurent le fruit de mon imagination, tout comme les descriptions des individus et les caractères des personnages. Faire exister des rivalités au sein des membres d'une bande de névrosés était tout simplement plus intéressant que de décrire d'éminents professionnels qui font leur boulot et s'entendent bien, ce qui est la réalité des choses. Si vous en doutez, dites-vous que j'ai tout inventé.

LA CONSERVATION

> La raison pour laquelle nous ne devrions pas tuer les baleines, c'est parce qu'elles enflamment l'imagination.
>
> DOCTEUR JAMES DARLING

Hé, je croyais qu'elles avaient déjà été sauvées! Personne n'aime lire: «Nous nous réjouissons du fait que vous avez apprécié cette histoire au sujet de la forêt primaire tropicale, de ses charmants petits animaux et de ses aimables indigènes, PARCE QUE LA SEMAINE PROCHAINE ÇA NE SERA PLUS QU'UN DÉSERT CARBONISÉ! et je répugne à vous infliger ça, mais vous devez savoir que, dans le roman, ce qui concerne la conservation des espèces menacées est véridique. Les baleines ne sont pas totalement sauvées.

Les Japonais et les Norvégiens continuent à pratiquer la chasse, chaque pays prélevant jusqu'à cinq cents baleines de Mink chaque année sous «contrôle scientifique» (la viande atterrit sur les étals européens et asiatiques). Malgré les arguments relatifs à la liberté des marchés, au Japon, la chasse n'est pas rentable. Elle reste subventionnée par l'État et pour attiser la demande du consommateur, pour en développer le goût, on a introduit la viande de baleine dans les menus servis dans les écoles. (Souvenons-nous. Gamins, ne raffolions-nous pas de la bouffe de la cafétéria? Ah! La fameuse purée de pois...) Les biologistes qui travaillent anonymement sur les marchés japonais (des sortes d'espions), en s'intéressant aux tests ADN, ont trouvé des traces de viande de baleines issues d'espèces protégées (y compris de la baleine bleue) dans des boîtes marquées «Viande de baleine de Mink». Donc, certains continuent à les tuer.

Mise à part la chasse à des fins scientifiques, le moratoire de la Commission internationale baleinière demeure en vigueur, mais certains pays adeptes de cette pratique se regroupent dangereusement pour lever ce moratoire et financer des études afin de prouver que la population de gros cétacés, incluant les baleines à bosse et les grises, a suffisamment augmenté pour que reprenne la chasse. La position de l'organisation américaine de défense des baleines est dangereusement menacée par le fait qu'elle soutient la pratique de la chasse chez les peuples indigènes (c'est-à-dire uniquement à des fins de subsistance). L'argument en faveur de la perpétuation de la chasse chez, et par ces peuples indigènes, repose très peu sur la notion de subsistance, mais bien davantage sur l'idée que « la chasse fait partie des traditions culturelles qui doivent être préservées ». Ce qui, naturellement, est une belle connerie. Il est de tradition chez les Américains d'ascendance européenne de commettre des génocides de peuples indigènes, mais cela ne veut pas dire qu'il faudrait recommencer. Ce n'est pas parce que des idées sont anciennes qu'elles sont bonnes.

S'il est vrai que certaines espèces se régénèrent, comme les baleines grises et les baleines à bosse, d'autres espèces luttent encore et certaines, comme la baleine franche de l'Atlantique nord, pourraient encore disparaître totalement. (Non pas à cause de la chasse, mais, comme l'a fait remarquer un chercheur dont je tairai le nom : « Parce qu'elles sont bêtes à bouffer du foin et qu'elles ne s'écartent pas quand elles entendent un navire qui leur arrive droit dessus. » Quand je pense qu'à chaque fois qu'un écureuil traverse la route devant moi je manque d'aller dans le décor (et des écureuils il y en a des millions), je ne peux imaginer qu'on empêche un supertanker d'aller au fossé en faisant une queue de poisson pour éviter l'une des dernières baleines franches encore en vie.) De récentes études estiment (et elles ne peuvent qu'estimer, parce que les scientifiques ne trouvent plus assez de spécimens pour vraiment les compter. Je crois que lorsque vous en trouvez un, il ne vous reste plus qu'à remercier le ciel avant d'extrapoler la suite à l'aide d'algorithmes et de projections informatisées) que la population de baleines franches dans l'Atlantique nord atteindrait à peine le chiffre de trois cents.

Note plus optimiste, certaines espèces augmentent en nombre, et bien que le gouvernement nippon semble être constitué d'un ramassis d'agités de la gâchette (mais qui sommes-nous pour dire ça ?), le peuple japonais semble, lui, plus intéressé pour aller regarder les baleines que pour les manger, ce qui fait que la pression pour étendre la chasse pourrait faiblir.

Le hic, c'est que c'est probablement la perte de leur habitat et la pollution, et non pas la chasse, qui représentent les plus sérieuses menaces à l'égard de la population des mammifères marins. (Comment ça ? N'ont-ils pas à leur disposition l'étendue de tous les océans ?) Nos océans sont d'immenses déserts humides de centaines de millions de kilomètres carrés où la vie se fait rare. C'était prévisible, l'homme a commencé à jalouser les mammifères pour s'accaparer leurs ressources en nourriture et, sous la pression d'une demande croissante et grâce à des méthodes de pêche de plus en plus performantes, les zones autrefois poissonneuses se mettent à ressembler à des forêts où les bûcherons auraient fait table rase. Les barrages hydroélectriques qui freinent la migration du saumon et d'autres espèces vers les frayères ont déjà un impact sur ceux des mammifères marins qui se nourrissent de saumons adultes.

La pollution industrielle et agricole galopante rejette des produits chimiques toxiques dans l'océan. Il semblait que l'immense masse d'eau de mer pouvait réduire ces produits à des quantités négligeables. C'est ce qui s'est passé jusqu'à ce que les déchets chimiques se concentrent sous l'effet d'un mécanisme appelé la chaîne alimentaire. De récentes études de tissus d'espèces de cétacés dentés (les baleines tueuses et les dauphins, par exemple, qui appartiennent au sommet de la chaîne alimentaire) montrent des niveaux toxiques si élevés que la chair des animaux est comparable à des déchets de produits chimiques. Des études vont maintenant s'attacher à démontrer si la raréfaction des populations de mammifères marins de la côte ouest de l'Amérique du Nord n'est pas due au taux de fécondité plus faible et aux défaillances du système immunitaire qui se nourrit de produits toxiques. (Ah oui, au fait, devinez qui se trouve au sommet de la chaîne alimentaire ?)

Vous désirez donner un coup de main ? Faites attention. La protection de nos océans ne fera pas de vous un malade, un amoureux des arbres ou un libéral empathique, elle vous rendra seulement intelligent. C'est rien qu'un bon business. (N'importe qui admettra que si l'on pêche une espèce de poisson jusqu'à sa disparition, on n'en fournira plus et la demande du marché s'éteindra. C'est de la mauvaise économie.) Alors faites attention à ce que vous mangez, ne mangez pas de poissons d'espèces trop pêchées, comme le bar du Chili par exemple. Et ne balancez pas votre huile de vidange dans les égouts à moins que vous teniez à ce que votre prochain plat de crevettes ait un goût de céréales et que vos prochains enfants naissent avec des nageoires.

Allez voir les baleines. Pas celles qui sont en captivité, celles qui sont libres. Voilà encore un problème économique. Tant que ce sera plus rentable d'avoir des baleines à regarder, elles resteront là. Si vous n'habitez pas près des côtes et

409

ne pouvez pas vous rendre au bord de la mer, louez des vidéos sur les baleines. On en trouve partout.

À part ça, ne vous retenez pas de crier à la face du monde : « Arrêtez de tuer les baleines ! » Ça peut marcher. Vraiment.

(— Et avec votre hamburger, vous prendrez des frites ?

— Taisez-vous et arrêtez de tuer les baleines !

— Merci beaucoup. Au suivant !)

REMERCIEMENTS

D'abord, je tiens à remercier mon équipe restreinte : Charlee Rodgers, comme d'habitude, pour ses lectures et ses commentaires avisés, mon éditeur Jennifer Brehl et mon agent Nicholas Ellison qui m'a dit il y a deux ans : « Hé, pourquoi n'écrirais-tu pas un livre sur le chant des baleines ? Je sais pas, moi, histoire de voir s'il ne serait pas intelligible ou quelque chose comme ça. Penses-y. » À cause de cela, le mérite, ou son contraire, en revient à Nick. Comme à l'accoutumée, j'exprime ma gratitude à Dee Dee Leichtfuss, « ma lectrice toujours disponible ». Merci également à Galen et Lynn Rathbun qui ont pris le temps de délaisser leur étude sur la musaraigne au long nez pour me faire découvrir la vie quotidienne d'un biologiste et me mettre en relation avec les gens de la NOAA.

Je remercie également Kurt Peterson pour ses informations sur la géologie, le docteur David Kirkpatrick pour ses renseignements sur la génétique, Mark Joseph pour ma « sensibilisation » à la lecture acoustique du sonar et Bret Huffman pour avoir été mon professeur en matière de créole rasta.

La plus grande partie des infos sur les gènes, l'évolution et les mèmes proviennent d'ouvrages de Richard Dawkins : *The Selfish Gene, The Blind Watchmaker, The Extended Phenotype* et d'autres encore, également de *Darwin's Dangerous Idea* de Daniel Dennett, ainsi que de l'excellent livre de Susan Blakemore : *The Meme Machine*. Je vous en recommande la lecture ultérieure et, quand vous aurez terminé, vous pourrez lire quelques-uns de mes propres ouvrages et regarder beaucoup la télé, histoire de redevenir idiot afin de vous comporter normalement dans le monde moderne. J'ai la chance d'être doué dans ce domaine et je m'en suis très bien remis. Merci.

L'algorithme sur la mesure au laser décrit dans le premier chapitre fut formulé par le docteur John Calambodikis du collectif Cascadia Research. Pour cela, et aussi pour de multiples contributions dans ce même domaine, il doit être remercié.

La plupart des anecdotes concernant la recherche scientifique ont été façonnées à partir d'histoires que m'ont racontées des chercheurs eux-mêmes. Celle des baleiniers japonais touchés par l'attitude d'une mère cachalot et de son baleineau (chapitre 30) m'a été racontée par Bob Pittman du Centre scientifique des pêcheries du Sud-Ouest. L'histoire du projet de recherche biologique du Pacifique, où l'armée finance une étude de faisabilité pour utiliser des oiseaux de mer à des fins militaires, m'a été rapportée par Lisa Ballance, l'épouse de Bob, qui travaille également au NOAA.

Je remercie aussi le docteur Wayne Perryman, du NOOA, qui prit de son temps pour me raconter des histoires et m'expliquer le quotidien des chercheurs. Je le remercie de m'avoir invité à être témoin d'une étude sur la baleine grise de Californie sans pour autant que je sois toujours obligé d'apporter les pizzas.

Merci à Jay Barlow du Centre scientifique des pêcheries du Sud-Ouest pour ses informations sur les projets de recherche et les relations entre les scientifiques et la marine, que j'ai totalement oubliées en créant le personnage du capitaine Tarwater de Maüi, mais merci quand même, Jay.

Je veux remercier Carol DeLaney du programme d'études des mammifères marins de l'université de l'Oregon, qui m'a relaté la belle histoire de cette femelle baleine franche qui se servait du Zodiac des chercheurs comme d'un diaphragme alors que ces mêmes scientifiques étaient attaqués par une paire de sexes préhensiles de mâles (chapitre 8). C'est arrivé au docteur Mate. J'ai embelli l'histoire car je ne crois pas que les mâles aient éjaculé dans le bateau et que le docteur Mate soit devenue homosexuelle.

Pour les informations sur l'acoustique sous-marine, la nature et la portée des cris des baleines, dont j'ignorais quasiment tout, je remercie le docteur Christopher G. Fox du centre scientifique Marin Hatfield de Newport dans l'Oregon. C'est la description faite par Chris d'un bruit chronique de battement provenant du fond de l'océan Pacifique, quelque part au large des côtes chiliennes, qui m'a tout d'abord inspiré la cité sous-marine de Gluville.

En ce qui concerne la vie du port de Lahaïna et la vie sentimentale des chercheuses, j'exprime ma gratitude à Rachel Cartwright et au capitaine Amy

Miller, qui étudient le comportement des baleines à bosse femelles et de leurs baleineaux, également la biologie, l'hiver à Maüi et l'été en Alaska.

Je n'oublie pas Kevin Keyes pour ses histoires de baleines et de dauphins et son infinie patience à m'enseigner le kayak de mer et les techniques de survie en eau froide qui m'ont vraisemblablement sauvé de la noyade lors d'une sortie au milieu des animaux.

Enfin, mes remerciements appuyés au docteur Jim Darling, à Flip Nicklin et à Meagan Jones qui, pendant deux saisons, m'ont permis de monter à bord de leur bateau pour assister à leurs recherches à Maüi, sans oublier la générosité avec laquelle ils ont donné de leur temps pour répondre à mes questions, directement ou par courrier électronique. Alors que dans le roman la plupart des informations sur les baleines à bosse et leur chant sont le fruit de ces voyages, je prends à mon compte les incorrections et les libertés que je me suis octroyées. Les anecdotes et le savoir scientifique de ces personnes, qui ont passé leur vie dans ce domaine de recherche, auraient pu remplir deux livres et seraient trop copieux pour être déclinés ici. Retenez que ce roman, sans leur collaboration, n'aurait pas vu le jour. On ne trouve pas de gens plus aimables et plus intelligents sur terre.

Si vous voulez apporter votre soutien à la recherche sur le comportement et le chant des baleines à bosse, expédiez vos dons, déductibles des impôts, à :

Whale Trust
300, Paani Place
Paia, HI 96779
USA

Achevé d'imprimer
sur Roto-Page
par l'Imprimerie Floch
à Mayenne, le 5 juin 2006.
Dépôt légal : juin 2006.
Numéro d'imprimeur : 65967.

ISBN 2-07-031657-2 / Imprimé en France.

CA

moo

RELIURE LEDUC INC.
450-460-2105